クリニカルクエスチョン一覧

第Ⅰ章 ガイドラインの目的・使用法・作成方法

第Ⅱ章 全国調査結果からみた急性膵炎診療ガイドラインの課題と本改訂における対応

第Ⅲ章 基本的診療方針と診療フローチャート，Pancreatitis Bundles

第Ⅳ章 急性膵炎の診断

第Ⅴ章 急性膵炎の重症度診断

第Ⅵ章 急性膵炎の治療

第Ⅶ章 ERCP後膵炎―消化器内視鏡関連手技後の膵炎―

索　引

急性膵炎
診療ガイドライン 2021

第5版

● 急性膵炎診療ガイドライン 2021 改訂出版委員会 編

金原出版株式会社

第5版の序

　1990年から診療ガイドライン作成に取り組み，2003年にEvidence-based-Medicine（EBM；科学的根拠に基づいた手法）を取り入れ日本で最初の診療ガイドラインとして，急性膵炎診療ガイドライン第1版を刊行しました。常に最新の手法を用い科学的に信頼性の高い推奨を提示してきたこの急性膵炎診療ガイドラインが，今回，第5版として改訂出版できることを大変嬉しく思います。

　第1版出版前の全国調査では重症急性膵炎での致命率は30％（1982〜1986年），1998年の調査でも重症急性膵炎の致命率は21％と高く，**厚生労働省（当時）難治性疾患克服研究事業の難治性膵疾患として取り扱われました**。その後，各箇所に工夫をこらし，2007年第2版，2010年第3版，2015年第4版と出版し，広く急性膵炎診療の最新の医療を推奨し，2016年には全国調査結果をもとに難治性疾患から脱出することができました。

　しかし，なおも問題が残っており，今回の改訂のポイントが2016年の急性膵炎症例の全国調査で，1）**致命率の改善がみられない症例群の存在**と，2）ガイドラインの推奨が実践されていない治療法があることがわかり，さらなる工夫をこらしました。

　前者では，予後因子スコアで重症と判定された症例や予後因子スコアと造影CT Gradeで共に重症と診断された症例は，依然致命率が高いことが判明しました。発症2週間以降の致命率も改善が認められません。対応策として，**致命率改善への有効性が明らかになっているPancreatitis Bundlesの実施**と，その重要性を提示しました。別項に，**後期の膵局所合併症**，特にwalled-off necrosis（被包化壊死）に対する推奨を詳細に提示し，ステップアップ・アプローチを確実に実施していただけるように工夫しました。

　後者では，急性膵炎で，**発症48時間以内の早期に経腸栄養が開始されていないことが多いことや，不要な予防的抗菌薬がほぼ全例で使用されている**などが判明しました。そのため，本診療ガイドラインでは，早期の経腸栄養は栄養目的ではなく，腸内環境の維持のための実施であり，経胃的でも少量から開始することを推奨しました。また，経腸栄養が禁忌の場合と実施できる場合を表で提示し，より早期に実施いただけるように推奨しました。

　今回の改訂の大きなポイントは，「**やさしい解説**」を新設したことです。医療行為のみならず，ガイドラインの根幹であるスコープ，クリニカルクエスチョン，エビデンス総体の評価から推奨決定を広く理解していただけることを望み記載しました。EBMに欠かせないForest Plot，オッズ比の理解，95％信頼区間，メタ解析結果の読み方，論文間のばらつき（異質性），メタ解析での総合評価，エビデンス総体などを実例を挙げて"やさしく解説"しました。また，**多くのCQごとに参考資料をQRコードで閲覧いただけるように設定しました**。また，**第4章から第7章は，参考資料がありますので，共にご参照ください**。チーム医療の重要性が明らかになった今，医師，医療関係者だけでなく，患者・家族にも急性膵炎診療を理解いただき，共にOne teamとして対応していただけることを期待しています。

　加えて，それぞれの地域で，患者搬送などに大きな役割を担う医療連携ができるように，急性膵炎患者の搬送基準・地域連携ネットワークの必要性がありますので，例を示しました。今後，広く実施され，急性膵炎の重症度に応じた診療が可能な施設情報が共有され，さらに致命率が改善することを願っています。

2021年11月吉日

急性膵炎診療ガイドライン2021（第5版）改訂出版責任者

高田　忠敬

これまでの第1版〜第4版の序は右のQRコードからご覧いただけます。

第5版の参考資料（第Ⅰ章〜第Ⅶ章まで）は右のQRコードからご覧いただけます。

目　次

略語一覧 ··· ix
クリニカルクエスチョン一覧 ·· xi

第Ⅰ章 ● ガイドラインの目的・使用法・作成方法 ································· 1

1. 本ガイドラインの改訂の必要性 ·· 2
2. 本ガイドラインの目的 ·· 2
3. 対象利用者 ·· 2
4. 対象疾患 ··· 2
5. 本ガイドライン利用上の注意 ··· 2
6. 本ガイドラインの作成過程 ·· 3
7. 2021年版ガイドライン改訂出版委員会 ·· 5
8. 診療ガイドライン作成方法 ·· 6
9. 公聴会（医療者からの情報収集）と外部評価 ·· 12
10. 普及のための工夫 ··· 13
11. ガイドライン出版後の評価について ·· 13
12. 改訂について ··· 13
13. 診療ガイドライン作成過程および作成内容の普遍性 ································· 14

第Ⅱ章 ● 全国調査結果からみた急性膵炎診療ガイドラインの課題と本改訂における対応 ··· 17

第Ⅲ章 ● 基本的診療方針と診療フローチャート，Pancreatitis Bundles ········· 23

1. 急性膵炎の基本的診療方針 ·· 24
2. 胆石性膵炎の診療方針 ·· 25
3. Pancreatitis Bundles 2021 ·· 27
4. Pancreatitis Bundles 2021　チェックリスト ·· 29
5. Pancreatitis Bundles 2021　チェックフロー ······································· 30

第Ⅳ章 ● 急性膵炎の診断 ……………………………………………………………… 31

    1. 診断基準 ……………………………………………………………………… 32
    2. 臨床症状・徴候 ……………………………………………………………… 32
    3. 血液・尿検査 ………………………………………………………………… 35
    4. 画像診断 ……………………………………………………………………… 40
    5. 成因診断 ……………………………………………………………………… 41
    画像 1〜7 〈第Ⅳ章：急性膵炎の診断　画像〉 ……………………………… 51

第Ⅴ章 ● 急性膵炎の重症度診断 ……………………………………………………… 55

    1. 厚生労働省急性膵炎重症度判定基準（2008）……………………………… 56
    2. 重症度判定の有用性 ………………………………………………………… 57
    3. 重症度判定のタイミング …………………………………………………… 59
    4. 重症度判定と血液・尿検査 ………………………………………………… 61
    5. 重症度スコアリングシステム ……………………………………………… 63
    6. 重症度判定と画像検査 ……………………………………………………… 66
    7. 転送基準・地域連携 ………………………………………………………… 71
    画像 1〜12 〈第Ⅴ章：急性膵炎の重症度判定　画像〉 …………………… 74

第Ⅵ章 ● 急性膵炎の治療 ……………………………………………………………… 81

    1. 基本的治療方針 ……………………………………………………………… 82
    2. 輸　液 ………………………………………………………………………… 84
    3. 経鼻胃管 ……………………………………………………………………… 92
    4. 薬物療法 ……………………………………………………………………… 93
    5. 栄養療法 ……………………………………………………………………… 99
    6. 腹腔洗浄・腹膜灌流 ………………………………………………………… 109
    7. 血液浄化療法 ………………………………………………………………… 109
    8. 蛋白分解酵素阻害薬・抗菌薬膵局所動注療法 …………………………… 113
    9. 胆石性膵炎における胆道結石に対する治療 ……………………………… 116
   10. Abdominal compartment syndrome（ACS）の診断と対処 ……………… 127
   11. 膵局所合併症に対するインターベンション治療 ………………………… 134
   12. 長期予後/合併症 …………………………………………………………… 167

第Ⅶ章 ERCP後膵炎―消化器内視鏡関連手技後の膵炎― ... 171

1. ERCP後膵炎の診断 ... 172
2. ERCP後膵炎の発症頻度 ... 173
3. ERCP後膵炎の危険因子 ... 174
4. ERCP後膵炎の予防 ... 175

索　引 ... 187

略語一覧

BQ	background question
CQ	clinical question
EBM	evidence-based medicine（根拠に基づく医療）
FRQ	future research question

● 治療に関する用語

ACS	abdominal compartment syndrome（腹部コンパートメント症候群）
ANC	acute necrotic collection（急性壊死性貯留）
APFC	acute peripancreatic fluid collection（急性膵周囲液体貯留）
DPDS	disconnected pancreatic duct syndrome（主膵管破綻症候群）
EPBD	endoscopic papillary balloon dilation（内視鏡的バルーン乳頭拡張術）
ERCP	endoscopic retrograde cholangiopancreatography（内視鏡的逆行性胆管膵管造影検査）
EST	endoscopic sphincterotomy（内視鏡的乳頭括約筋切開術）
EUS	endoscopic ultrasonography（超音波内視鏡）
IAH	intra-abdominal hypertension（腹腔内高血圧）
IAP	intra-abdominal pressure（腹腔内圧）
IVR	interventional radiology（画像下治療）
MRCP	magnetic resonance cholangiopancreatography（MR胆管膵管造影検査）
PPC	pancreatic pseudocyst（膵仮性囊胞）
SIRS	systemic inflammatory response syndrome（全身性炎症反応症候群）
WON	walled-off necrosis（被包化壊死）

● 研究デザイン分類に関する用語（p. 7,「表1. 研究デザイン分類」参照）

CPG	clinical practice guidelines（診療ガイドライン）
SR	systematic review（システマティックレビュー）
MA	meta-analysis（RCTのメタ解析）
RCT	randomized controlled trial（ランダム化比較試験）
OS	observational study, Cohort study, Case control study, Cross sectional study（観察研究，コホート研究，症例対照研究，横断研究）
CS	case series, Case study（症例集積研究，症例報告）
EO	expert opinion（専門家の意見）

クリニカルクエスチョン一覧

クリニカルクエスチョン一覧

BQ/CQ/FRQ	推奨文	推奨度	エビデンスの確実性	頁
第Ⅰ章●ガイドラインの目的・使用法・作成方法				
第Ⅱ章●全国調査結果からみた急性膵炎診療ガイドラインの課題と本改訂における対応				
1. 急性膵炎の致命率は近年，著明に改善しているが，重症膵炎ではいまだ死亡例が存在していることが大きな課題である。今後，致命率の特に高い症例を適切に絞り込み，その予後を改善する必要がある。 2. 重症膵炎での致命率改善は発症2週間以内での改善が主たる要因であり，発症後期の改善は明らかではない。さらなる致命率改善のためには，発症後期の予後改善が急務である。 3. 早期経腸栄養の実施や予防的抗菌薬投与不要については診療ガイドラインが十分に理解されておらず，さらなる啓蒙が急務である。 4. Pancreatitis Bundles を7項目あるいは8項目以上遵守した場合，致命率が低かった。		―	―	18
CQ1 急性膵炎診療において Pancreatitis Bundles は推奨されるか？	Pancreatitis Bundles の実施は致命率低下につながるので，遵守する。	強い推奨	低	20
第Ⅲ章●基本的診療方針と診療フローチャート，Pancreatitis Bundles				
		―	―	23
第Ⅳ章●急性膵炎の診断				
1. 診断基準				
BQ1 急性膵炎の診断基準は？	1. 上腹部に急性腹痛発作と圧痛がある 2. 血中または尿中に膵酵素の上昇がある 3. 超音波，CTまたはMRIで膵に急性膵炎に伴う異常所見がある 上記3項目中2項目以上を満たし，他の膵疾患および急性腹症を除外したものを急性膵炎と診断する。ただし，慢性膵炎の急性増悪は急性膵炎に含める。 注：膵酵素は膵特異性の高いもの（膵アミラーゼ，リパーゼなど）を測定することが望ましい。 （急性膵炎の診断基準　厚生労働省難治性膵疾患に関する調査研究班 2008年より）	―	―	32
2. 臨床症状・徴候				
BQ2 どのような臨床症状・徴候の患者に対して急性膵炎を疑うか？	急性発症の上腹部を中心にした腹痛と圧痛を認める患者では，急性膵炎も鑑別に挙げる。	―	―	32
3. 血液・尿検査				
CQ2 急性膵炎の診断のために，どの血中膵酵素の測定を行うか？	急性膵炎の診断には，血中リパーゼの測定を推奨する。ただし，血中リパーゼの測定が困難な場合は，血中アミラーゼを測定する。	強い推奨	中	35
CQ3 急性膵炎の診断に，尿中トリプシノーゲン2簡易試験紙検査は有用か？	尿中トリプシノーゲン2簡易試験紙検査は，急性膵炎を疑う患者に対して，迅速にその場で診断が可能となり，血液検査を実施できない医療機関において有用である。	弱い推奨	中	37
4. 画像診断				
BQ3 急性膵炎を疑う症例に超音波検査は有用か？	急性膵炎が疑われる場合には，超音波検査は有用である。	―	―	40
BQ4 急性膵炎の診断にCTは有用であるか？	超音波検査などの画像診断で急性膵炎の診断がつかない場合にはCTを実施する。	―	―	40

BQ/CQ/FRQ	推奨文	推奨度	エビデンスの確実性	頁
5. 成因診断				
BQ5　急性膵炎の診療において，成因診断は必要か？	急性膵炎と診断された場合には，速やかに成因診断を行う必要がある。	―	―	41
BQ6　成因診断の目的は？	成因診断の目的は，原因病態を明らかにすることにより，急性膵炎の治療方針を決定することである。原因病態の治療は，急性膵炎の鎮静化の他，急性膵炎の再発予防のためにも重要である。	―	―	43
BQ7　成因診断において最も優先して検討すべき病態は？	胆石性急性膵炎かどうかの診断は，内視鏡的乳頭処置を行うか否かなどの治療方針にも大きく関係するため，最も重要で優先すべき点である。	―	―	43
CQ4　胆石性膵炎の診断に際し，EUS は ERCP，MRCP に比較して有用か？	EUS は小胆石の検出率にも優れ，胆石性膵炎の成因診断を行ううえで，診断的 ERCP よりも合併症が少ない点で，有用である。	弱い推奨	低	45
	EUS と MRCP を比較した場合，結石の検出率と治療的 ERCP への移行率は同等であり，いずれを選択してもよい。	―	低	
CQ5　急性膵炎の成因診断に MRI は有用か？	急性膵炎の成因検索において MRI は総胆管結石や膵管破絶の評価に有用である。	弱い推奨	低	49
第Ⅴ章●急性膵炎の重症度診断				
1. 厚生労働省急性膵炎重症度判定基準（2008）				
2. 重症度判定の有用性				
BQ8　急性膵炎症例に対して重症度判定は有用か？	軽症例と比較して，いまだ致命率が高い重症例を早期に診断し，適切に対処するために重症度判定を行うことは有用であり使用する。	―	―	57
3. 重症度判定のタイミング				
CQ6　どのタイミングで重症度判定を行うことが有用か？	入院時（入院中の場合は診断時），24 時間以内，24〜48 時間に厚生労働省重症度判定基準を用いて重症度判定を行うことを推奨する。	強い推奨	低	59
4. 重症度判定と血液・尿検査				
CQ7　重症化予測に血中インターロイキン-6（IL-6）は有用か？	血中 IL-6 は入院時の重症化予測に有用であり，測定することを提案する。	弱い推奨	低	61
5. 重症度スコアリングシステム				
BQ9　重症度判定にスコアリングシステムは有用か？	厚生労働省重症度判定基準などのスコアリングシステムは急性膵炎の重症度判定や予後予測に有用であり用いる。	―	―	63
6. 重症度判定と画像検査				
BQ10　急性膵炎の重症度判定に造影 CT は有用か？	急性膵炎の重症度判定では壊死部（膵造影不良域）の検出，炎症波及域の評価において造影 CT を施行する。	―	低	66
BQ11　重症急性膵炎での造影 CT 実施率は？	日本では 95％の患者で造影 CT が施行されている。	―	低	67
BQ12　重症急性膵炎では，造影 CT は診断後どれくらいの時間で撮影されているか？	2016 年の全国調査では，重症急性膵炎の 86％で初療後 3 時間以内に造影 CT が施行されていた。	―	低	68
CQ8　急性膵炎における血管系合併症の診断に造影 CT は有用か？	急性膵炎において生じ得る血管系合併症（仮性動脈瘤および門脈系血栓）の描出に造影 CT は有用である。	強い推奨	低	68

BQ/CQ/FRQ	推奨文	推奨度	エビデンスの確実性	頁
CQ9 CTで液体貯留がみられた急性膵炎患者において被包化壊死（WON）と仮性囊胞（PPC）の鑑別にMRIは有用か？	WONとPPCの鑑別においてMRIでの形状および内部性状の評価が有用である。	弱い推奨	非常に低	70
7. 転送基準・地域連携				
BQ13 転送を考慮する急性膵炎とその転送先は？	発症時に重症度判定基準で重症と判定され，自施設で重症例に対応できない場合や，経過中の重症化や感染合併などにより自施設で対応困難な状況になった場合には，対応可能な施設への転送を行う。	―	―	71
FRQ1 急性膵炎の治療成績向上に地域連携ネットワーク構築は有用か？	急性膵炎の治療成績向上には，地域連携ネットワークを構築することが望ましい。	―	―	72
第Ⅵ章●急性膵炎の治療				
1. 基本的治療方針				
2. 輸液				
CQ10 急性膵炎の初期治療として積極的輸液療法は推奨されるか？	急性膵炎初期には脱水・循環不全を伴うため，急性膵炎の初期治療として積極的輸液療法を実施することを提案する。ただし，過剰輸液とならないようモニタリングを行い，特に高齢者・心不全患者・腎不全患者では精度の高い綿密なモニタリングを行うことが必要である。	弱い推奨	非常に低	84
CQ11 急性膵炎の初期輸液として晶質液と比較して膠質液は有用か？	急性膵炎患者への初期輸液療法において，晶質液を使用することを提案する。	弱い推奨	非常に低	87
CQ12 急性膵炎の初期輸液として晶質液（細胞外液）を用いる場合，緩衝液は0.9%食塩液より有用か？	急性膵炎患者への初期輸液療法において，晶質液（細胞外液）を用いる場合は，緩衝液を使用することを提案する。	弱い推奨	低	89
3. 経鼻胃管				
BQ14 経鼻胃管は急性膵炎に有用か？	軽症急性膵炎においてルーチンの胃内減圧や胃液の吸引を目的とした経鼻胃管の挿入は不要である。	―	―	92
4. 薬物療法				
BQ15 急性膵炎に対する鎮痛薬はどのように使用するのか？	急性膵炎に対しては迅速に鎮痛薬を使用する。アセトアミノフェン，NSAIDs，ペンタゾシンなどの非オピオイドの投与を行い，その後，疼痛の程度に応じてオピオイドの使用も考慮する。	―	―	93
CQ13 予防的抗菌薬は急性膵炎の予後改善に有用か？	軽症の急性膵炎に対して予防的抗菌薬の投与は行わないことを推奨する。	強い推奨	高	94
	重症急性膵炎または壊死性膵炎に対する予防的抗菌薬投与の，生命予後や感染性膵合併症発生に対する明らかな改善効果は証明されていない。	なし	中	
CQ14 蛋白分解酵素阻害薬は急性膵炎の病態改善に有用か？	急性膵炎において蛋白分解酵素阻害薬の生命予後や合併症発生に対する明らかな改善効果は証明されていない。	なし	中	97
CQ15 急性膵炎において胃酸分泌抑制薬の投与は有用か？	急性膵炎において胃酸分泌抑制薬の投与を行わないことを提案する。	弱い推奨	低	98

BQ/CQ/FRQ	推奨文	推奨度	エビデンスの確実性	頁
5. 栄養療法				
BQ16 急性膵炎における栄養の意義と至適投与経路は何か？	重症例における栄養は，全身性炎症反応により必要量が増加したエネルギーを補給する意味に加えて，経腸栄養は感染予防策として重要であり，重篤な腸管合併症のない重症例には経腸栄養を行う。	—	—	99
CQ16 重症急性膵炎に対する経腸栄養の至適開始時期はいつか？	経腸栄養は発症早期に開始すれば，合併症発生率を低下させ生存率の向上に寄与するので，入院後48時間以内に少量からでも開始する。	強い推奨	高	102
CQ17 経腸栄養ではどこから何を投与するか？	経腸栄養の経路としては，空腸に限らず十二指腸や胃に栄養剤を投与してもよい。	弱い推奨	中	104
CQ18 軽症膵炎ではどのように食事を再開するか？	軽症膵炎では腸蠕動が回復すれば，経口摂取を再開することができる。	弱い推奨	高	107
6. 腹腔洗浄・腹膜灌流				
CQ19 急性膵炎に対する腹腔洗浄は有用か？	急性膵炎に対する腹腔洗浄は行わないことを提案する。	弱い推奨	低	109
7. 血液浄化療法				
CQ20 持続的血液浄化法はいつ，どのような膵炎に導入すべきか？	十分な初期輸液にもかかわらず，循環動態が安定せず，利尿の得られない重症例やACS合併例に対する厳密な体液管理のために持続的血液浄化法を施行することを提案する。	弱い推奨	低	109
CQ21 高トリグリセリド血症（HTG）に伴う急性膵炎（HTG-AP）の治療方針は？	HTG-APではまず，急性膵炎に対する初期治療およびHTGに対する栄養療法および薬物療法を優先する。	弱い推奨	低	111
緊急で血漿交換療法（TPE）を行うことは推奨されるか？	TPEは上記に反応しない場合の補助療法として行うことを検討する。	弱い推奨	低	
8. 蛋白分解酵素阻害薬・抗菌薬膵局所動注療法				
CQ22 急性壊死性膵炎に対し，蛋白分解酵素阻害薬・抗菌薬膵局所動注療法（動注療法）を実施する適応があるか？	急性壊死性膵炎に対し，動注療法を実施することによる有用性は証明されていない。保険収載されていないため通常の診療として実施する適応はない。行う場合は臨床研究として実施する。	なし	低	113
9. 胆石性膵炎における胆道結石に対する治療				
CQ23 胆石性膵炎に対して早期にERCP/ESTを施行すべきか？	胆石性膵炎のうち，胆管炎合併もしくは胆汁うっ滞所見（黄疸や胆管拡張）を認め，画像検査で総胆管内に胆石・胆泥を認める症例には，早期にendoscopic retrograde cholangiopancreatography（ERCP）/endoscopic sphincterotomy（EST）を施行することを推奨する。	強い推奨	高	116
BQ17 急性胆石性膵炎の再発予防に胆嚢摘出術は有用か。	急性胆石性膵炎において，再発や胆石関連合併症の予防のためには胆嚢摘出術が有用である。年齢や全身状態など何らかの理由で手術が回避された症例においては，ERCP/ESTが膵炎再発予防に有用である。	—	—	122
CQ24 急性胆石性膵炎に対して胆嚢摘出術を行う場合の適切な手術時期は？	軽症の急性胆石性膵炎に対して早期に胆嚢摘出術を行うことを推奨する。	強い推奨	中	125
	膵周囲の液体貯留や膵壊死を伴う重症膵炎に対しては，膵炎が鎮静化し液体貯留が消失する時期，または液体が消失しない場合は発症から4～6週以降の待機的手術を提案する。	弱い推奨	低	

BQ/CQ/FRQ	推奨文	推奨度	エビデンスの確実性	頁
10. Abdominal compartment syndrome（ACS）の診断と対処				
BQ18 急性膵炎に対して腹腔内圧（intra-abdominal pressure；IAP）の上昇が及ぼす影響は何か？	IAPの上昇は臓器圧迫による合併症を引き起こすが，IAP≧12 mmHgを腹腔内高血圧症（intra-abdominal hypertension；IAH），IAP>20 mmHgかつ新たな臓器障害/臓器不全が発生した場合をACSと診断する。	—	—	127
FRQ2 IAPを測定することでIAH/ACSを早期に診断できるか？	予後の改善を示す直接的な報告はないが，IAH/ACS合併例は致命率が高く予後不良であり，その診断方法としてIAPの測定が必要である。	—	—	128
CQ25 どのような急性膵炎患者に対してIAPの測定が必要か？	大量輸液，高い重症度，腎障害や呼吸障害の合併，CTで複数部位の液体貯留，高乳酸血症を認めた症例は，IAH/ACSを発症すると致命率が高くなることが報告されており，経時的なIAPの測定が必要である。	弱い推奨	低	129
BQ19 IAPの測定方法は？	通常，膀胱内圧を測定する。	—	—	130
CQ26 IAH/ACSに対する治療はどのように行うか？	IAP≧12mmHgが持続する場合は，適正な水分管理，消化管内の減圧，十分な鎮痛や鎮静，経皮的ドレナージ術などの内科的治療を，IAP≦15 mmHgを管理目標に行うことを提案する。	弱い推奨	低	131
	さらに，内科的治療が無効で，IAP>20 mmHgかつ新規臓器障害を合併した患者に対して，外科的減圧術を考慮する。	弱い推奨	非常に低	
11. 膵局所合併症に対するインターベンション治療				
BQ20 膵・膵周囲液体貯留患者におけるインターベンション治療導入前に，被包化壊死と膵仮性嚢胞の治療成績の考慮が推奨されるか？	被包化壊死では膵仮性嚢胞と比較して臨床的治療不成功率，治療合併症発生率と感染を有する割合が高く，治療成績を考慮する。	—	—	135
CQ27 感染性膵壊死はどのように診断するか？	臨床徴候，血液検査や画像検査にて感染性膵壊死を総合的に診断する。	強い推奨	低	138
CQ28 感染性膵壊死に対して，発症4週以降でインターベンション治療（内視鏡的もしくは経皮的ドレナージ）を導入することは，発症4週未満で導入することと比較して有用か？	感染性膵壊死に対しては，保存的治療で全身状態が保たれていれば，被包化が起こる時期（通常発症4週以降）に内視鏡的もしくは経皮的ドレナージを行う。	弱い推奨	低	140
CQ29 感染性膵壊死に対するインターベーション治療は内視鏡的ステップアップ・アプローチと外科的ステップアップ・アプローチのどちらが有用か？	感染性膵壊死に対するインターベーション治療は，内視鏡的ステップアップ・アプローチが推奨される。ただし，解剖学的に内視鏡的にアプローチができない骨盤腔や右傍結腸溝などに対しては外科的ステップアップ・アプローチの併用が考慮されるが，いずれも選択可能な際には，在院日数が短いという利点から内視鏡的ステップアップ・アプローチが推奨される。	弱い推奨	中	143
CQ30 ドレナージが必要な膵局所合併症に対して内視鏡的ドレナージを行う場合に有用な方法は？	超音波内視鏡下ドレナージによる経消化管的（主に経胃的）ドレナージが推奨される。	弱い推奨	中	146
CQ31 内視鏡的ドレナージのみで改善しない感染性被包化壊死に有用な治療は何か？	内視鏡的ネクロセクトミーを追加することを提案する。	弱い推奨	非常に低	149

BQ/CQ/FRQ	推奨文	推奨度	エビデンスの確実性	頁
CQ32　膵局所合併症に対する超音波内視鏡下ドレナージにおいて用いるステントは？	追加処置が必要な困難例には専用大口径メタルステント（lumen-apposing metal stent）が有用で，それ以外は両端ピッグテイル型プラスチックステントか専用大口径メタルステントが提案される。	弱い推奨	低	151
FRQ3　被包化壊死に対する内視鏡的ステップアップ・アプローチに経皮的治療の追加は有用か？	膵周囲から骨盤腔まで及ぶようなサイズの大きい被包化壊死に対して経消化管的内視鏡治療と経皮的治療の併用療法が有用な可能性がある。	—	非常に低	155
CQ33　感染性膵壊死に対して，後腹膜ネクロセクトミーは開腹ネクロセクトミーより有用か？	感染性膵壊死に対して，外科的ネクロセクトミーを行う場合には，後腹膜ネクロセクトミーを選択する。	弱い推奨	非常に低	156
BQ21　Disconnected pancreatic duct syndrome（DPDS；主膵管破綻症候群）の病態は？	膵管が損傷し壊死することによって主膵管断裂をきたし，頭側と尾側の膵管が連続性を失い，その膵管の断裂部から腹腔・胸腔内あるいは後腹膜腔へ膵液が漏出する病態である。	—	—	159
CQ34　どのような膵局所合併症に対してERCPが推奨されるか？	膵局所合併症に対して，膵管の破綻に伴う有症状例，再発が懸念される症例に対してERCPによる膵管造影評価また経乳頭の処置を行う。	弱い推奨	非常に低	160
BQ22　膵局所合併症に伴うdisconnected pancreatic duct syndrome（DPDS；主膵管破綻症候群）に対してどのような治療があるか？	主に内視鏡的経乳頭的アプローチ法や内視鏡的経消化管的アプローチ法が選択され，これらが奏効しない場合には外科的治療が選択される。	—	—	162
12. 長期予後/合併症				
FRQ4　急性膵炎は膵癌の危険因子か？	急性膵炎は明らかな膵癌の危険因子とはされていないものの，経過観察中に膵癌を認めることもある。また膵癌の初期症状として急性膵炎を呈することもある。	—	—	167
BQ23　急性膵炎は外分泌機能低下や糖尿病の原因となるか。	急性膵炎改善後も外分泌機能低下や糖尿病が持続することがあり，急性膵炎は外分泌機能低下や糖尿病の原因となる。	—	—	168
第Ⅶ章● ERCP後膵炎—消化器内視鏡関連手技後の膵炎—				
1. ERCP後膵炎の診断				
BQ24　ERCP後膵炎の診断基準は何か？	現時点で統一された診断基準は存在しないが，ERCP施行後に発症した急性膵炎と定義され，急性膵炎の診断と重症度判定は厚生労働省の急性膵炎診断基準と重症度判定基準に準ずるのが妥当と考える。ただし，膵酵素上昇の程度については，正常上限の3倍以上とすることが受け入れやすい。早期からの十分な輸液とともに，通常の急性膵炎以上にモニタリングを頻回に行い，重症化を早期に把握することが必要である。	—	—	172
2. ERCP後膵炎の発症頻度				
3. ERCP後膵炎の危険因子				
4. ERCP後膵炎の予防				
CQ35　一時的膵管ステント留置はERCP後膵炎の予防に有用か？	ERCP後膵炎高危険群に対する一時的膵管ステント留置はERCP後膵炎予防に有用である。	弱い推奨	高	175
CQ36　直腸内NSAIDs投与はERCP後膵炎の発症抑制に有用か？	ERCP後膵炎のリスクを有する場合，禁忌事項のない限りNSAIDs（インドメタシンもしくはジクロフェナク）をERCP前もしくは後に直腸内投与することはERCP後膵炎の発症抑制に有用である。	弱い推奨	高	178

BQ/CQ/FRQ	推奨文	推奨度	エビデンスの確実性	頁
FRQ5 硝酸薬はERCP後膵炎の予防に有用か？	硝酸イソソルビド舌下投与とNSAIDs直腸内投与併用はERCP後膵炎予防に有用である可能性があるが，さらなる検討が必要である。	―	中	181
FRQ6 ERCP前後の急速輸液はERCP後膵炎の予防に有用か？	急速輸液はERCP後膵炎予防に有用である可能性があるが，さらなる検討が必要である。	―	中	184

第Ⅰ章
ガイドラインの目的・使用法・作成方法

1　本ガイドラインの改訂の必要性

　診療は新たな知見の出現や医療環境改善などにより進歩し，ガイドラインもそれらに伴った改訂が必要です．急性膵炎診療も，**序文にあるように膵局所合併症に対する低侵襲手技の進歩や全国調査でPancreatitis Bundles遵守の意義が明らかになったなど**をはじめ新たな知見が報告されました．しかしながら，依然として重症急性膵炎での幾多の死亡例が存在することが判明し，これらの対応を「重要臨床課題」とし，ここに改訂第5版を刊行することの重要性を痛感し，本版の出版に至りました．

　今回，出版に携わる委員全員が一体となり，本診療ガイドラインを広く認識し作成していくことを基本として作成しました．今回のテーマは，より多くの医療関係者，学生，患者・家族にもガイドラインの内容を理解していただき，チーム医療を実践していただくことであり，そのために「やさしい解説」を加えました．主治医から，患者さん，ご家族にご説明，ご理解いただくための資料としても使用いただけることを願っています．

2　本ガイドラインの目的

　本ガイドラインの目的は第1版より受け継がれ，急性膵炎の診療にあたる臨床医に実際的な診療指針を提供し，効率的かつ適切な対処が行われること，さらに患者，家族をはじめとした市民にも急性膵炎の理解を深めていただき，医療関係者とそれを受ける立場の方々の相互の納得のもとにより好ましい医療が行われ，急性膵炎患者の予後を改善することは基本的な姿勢であり，変更はありません．

3　対象利用者

　対象利用者は，一般臨床医から重症急性膵炎診療に従事する医師をはじめとして，急性膵炎の診療にあたる全ての医療関係者・学生，医学教育者および患者家族です．今回，出版責任者の発案で，本文内容をわかりやすくするために，模式図や挿絵を盛り込んだ平易な文章で，「やさしい解説」を新設しました．ほとんどのCQの最後に記載しています．主治医が患者家族に説明する資料として，さらに専門医以外の医師，すべての医療者，医学教育者，学生にご利用いただきたいと思います．

4　対象疾患

　対象疾患は，成人の急性膵炎であり，ERCPなどの内視鏡手技に伴う急性膵炎や，慢性膵炎の急性増悪も含めます．なお，本文中の薬剤使用量などは成人を対象としたものであり，小児は対象としていません．

5　本ガイドライン利用上の注意

　本ガイドラインは，エビデンスに基づき記載されており，各医療行為のエビデンスを重視すると共に日本の医療の実態を考慮し，推奨度を決定しました．急性膵炎の診断ならびに重症度判定については，一般的に広く

用いられてきた厚生労働省特定疾患対策研究事業難治性膵疾患に関する調査研究班が提示している基準を用いています。

なお，ガイドラインは，あくまでも最も標準的な指針であり，本ガイドラインは実際の診療行為を強制するものではなく，施設の状況（人員，経験，機器など）や個々の患者の個別性を加味して最終的に対処法を決定してください．また，ガイドラインの記述内容に関しては作成者が責任を負いますが，治療結果に対する責任は直接の治療担当者に帰属しますので，作成者は責任を負わないことをご理解ください．

今回は，本ガイドラインをより充実させるため，多数の情報を提供し，読者のご理解を一層深めるべく，多くの図表を参考資料として，QRコードで閲覧いただけるようになっております．多くのCQに参考資料のQRコードを設定しておりますので，是非，ご利用ください．

6 本ガイドラインの作成過程

1) 診療ガイドライン作成の構想から今日への経緯

1990年，帝京大学高田忠敬教授は日本腹部救急医学会理事長代行就任時，エビデンスに基づく診療ガイドライン作成の構想を掲げ，専門家からの情報収集と勉強会を積み重ねました．

1994年3月，第22回日本腹部救急医学会総会（宝塚市）で高田忠敬理事長代行（当時）から，将来計画に関する検討小委員会で，"ガイドライン作成"が提案され検討が開始されました．

1997年9月，第29回日本腹部救急医学会総会（浦安市）で高田忠敬理事長が"エビデンスに基づく（evidence-based medicine；EBM）腹部救急診療のガイドライン作成"を最重要課題として取り上げ，真弓俊彦先生，吉田雅博先生をワーキンググループ委員長，副長として検討が開始されました．

1999年3月，第32回日本腹部救急医学会総会（横浜市）で，当時，"腹部救急疾患のなかで最も致命率が高い急性膵炎"に焦点を当て，平田公一先生を担当理事に任命し，エビデンスに基づく急性膵炎診療ガイドライン作成が開始されました．

2) 第1版作成・出版

第1版は，EBMの概念を中核にし，日本腹部救急医学会（高田忠敬理事長）で腹部救急疾患診療における専門家からガイドライン作成作業委員会を構成して，より客観的にエビデンスを抽出すべく文献検索および評価作業を行い2001年9月第37回日本腹部救急医学会総会（札幌市）で公開シンポジウムを開催しました．2002年9月第33回日本膵臓学会大会（仙台市）で，サテライトシンポジウムが開催され，日本膵臓学会（松野正紀理事長）の会員，厚生労働省難治性膵疾患調査研究班（大槻眞班長）の班員から多くの評価をいただき，高田忠敬理事長から上記3団体合同での本ガイドラインの完成が提案され，2003年7月，第1版の出版となりました[1]．また，その後の変更点を加筆したものを英文論文として報告しました[2,3]．

3) 第1版の影響・普及の評価・患者の意見の反映

第2版の作成に先立ち，第1版出版後の臨床への影響，評価を得るため，2005年12月から2006年1月に，2,000名の臨床医の協力の下にアンケート調査を行いました[4,5]．アンケートでは，「主治医と患者間でのガイドラインに関する話題」も検討されました．

4）第2版作成

　第2版も第1版と同様に，ワーキンググループを構成し，客観的にエビデンスを抽出すべく文献検索および評価作業を行いつつ，上記調査結果を加味してガイドラインを作成し，2007年2月に公表しました[6]。作成団体は，第1版での作成担当団体である日本腹部救急医学会，日本膵臓学会に加え，厚生労働科学研究班（高田忠敬主任研究者）に加え，日本医学放射線学会（大友邦理事長）から委員の参加をいただき，**画像診断の項が全面的に改訂**されました。実臨床の視点から新規の検討内容を増やし，外部評価には内科，外科，放射線科からの評価に加え，ガイドライン作成方法論の立場からの評価もいただきました。

5）2010年版（第3版）作成

　第2版出版後2年しか経過していませんでしたが，厚生労働省難治性膵疾患調査研究班（下瀬川徹班長）から，急性膵炎重症度判定基準（2008）が新たに報告され，旧判定基準で重症とされた症例のうち約半数が新基準で軽症となるなど抜本的な改訂であり，診療ガイドラインの至急改訂が必要となり検討が始まりました。

　第3版も第1版，第2版と同様にワーキンググループを構成し，客観的にエビデンスを抽出すべく文献検索，評価作業を行いつつ，重症度判定の改訂に伴う重症度の変化を加味してガイドラインを作成し[7]，**世界で初めて臨床指標である Pancreatitis Bundles を提唱し，英語版でも公表しました**[8~10]。

　作成団体は，日本腹部救急医学会，日本膵臓学会，日本医学放射線学会に加え，日本肝胆膵外科学会（高田忠敬理事長），厚生労働省難治性膵疾患調査研究班であり，各団体から多くの委員にご参加いただき，全面改訂を行いました。

6）2015年版（第4版）作成

　第4版のポイントは3項目あります。**ポイント1**：2012年にアトランタ分類が改訂されたことです。「被包化壊死（WON）」「4週間」の重要性については，本文をご覧ください。**ポイント2**：臨床における内視鏡治療（IVE），画像下治療（IVR）低侵襲外科治療の進歩が挙げられます。**ポイント3**：国際的な診療ガイドラインの定義が改訂され，"システマティックレビューの重要性" と "益と害を考慮した推奨作成方法" が明確にされたことです。

　第4版でもワーキンググループを構成し，GRADEの手法を取り入れ，ガイドライン案を作成しました。公聴会，外部評価委員会での意見を参考に改訂を加え，2015年3月に刊行し，英語版でも公表しました[11~13]。

　作成団体は第3版と同様に，日本腹部救急医学会，厚生労働省難治性膵疾患調査研究班，日本肝胆膵外科学会，日本膵臓学会，日本医学放射線学会です。

7）2021年版（第5版）本ガイドライン作成

　第5版は，「8．診療ガイドライン作成方法」に示す手順でガイドライン案を作成しました。公聴会，外部評価委員会での意見を参考に改訂を加え，2021年12月に刊行しました。詳細は，序文，本文を精読ください。

7 2021年版ガイドライン改訂出版委員会

1) 改訂出版責任者

高田　忠敬（帝京大学　名誉教授，日本腹部救急医学会　名誉創立者・名誉理事長，
日本肝胆膵外科学会　名誉創立者・名誉理事長，Founding President, Asian-Pacific HPBA）

2) 改訂出版コアメンバー

真弓　俊彦（産業医科大学医学部救急医学　教授）（作成ワーキンググループ長，事務局）
吉田　雅博（国際医療福祉大学消化器外科　教授）（作成ワーキンググループ副長）
伊佐地秀司（三重大学医学部附属病院　院長）
竹山　宜典（近畿大学医学部外科　教授）
糸井　隆夫（東京医科大学消化器内科　教授）
佐野　圭二（帝京大学医学部外科学講座　教授）

3) ガイドライン作成・出版協力委員

正宗　　淳（東北大学大学院医学系研究科消化器病態学分野　教授）
廣田　衛久（東北医科薬科大学内科学第二（消化器内科）　准教授）
岡本　好司（北九州市立八幡病院外科／消化器・肝臓病センター　副院長）
飯澤　祐介（三重大学医学部附属病院肝胆膵・移植外科，医療安全管理部　講師）
井上　　大（金沢大学附属病院放射線科　助教）
蒲田　敏文（金沢大学附属病院放射線科　教授）
北村　伸哉（君津中央病院救命救急センター　センター長）
桐山　勢生（大垣市民病院消化器内科　副院長）
白井　邦博（兵庫医科大学病院救命救急センター　副センター長）
土谷　飛鳥（東海大学医学部医学科総合診療学系救命救急医学　准教授）
樋口　亮太（東京女子医科大学消化器外科　講師）
平下禎二郎（大分大学消化器・小児外科　助教）
向井俊太郎（東京医科大学消化器内科　講師）
森　　泰寿（九州大学大学院臨床・腫瘍外科　助教）
横江　正道（日本赤十字社愛知医療センター名古屋第二病院総合内科　部長）
和田　慶太（帝京大学医学部外科学講座　准教授）

4) ガイドライン外部評価委員

中山　健夫（京都大学大学院医学研究科社会健康医学系専攻健康情報学分野　教授）
　　　　　（作成方法論専門家）
柴田　義朗（医療事故情報センター　理事長）（弁護士代表）
山口　育子（認定NPO法人ささえあい医療人権センターCOML　理事長）（患者・市民代表）

5) 各委員の所属団体

- 日本腹部救急医学会（理事長　吉田雅博）
- 日本肝胆膵外科学会（理事長　遠藤　格）
- 日本膵臓学会（理事長　竹山宜典）
- 日本医学放射線学会（理事長　青木茂樹）

から作成委員を派遣いただいた。

6) 文献検索

- 聖隷佐倉市民病院図書室　山口直比古

8　診療ガイドライン作成方法

　高田忠敬改訂出版責任者は，作成責任と義務の遂行において，改訂出版委員会の真弓俊彦作成ワーキンググループ長，および吉田雅博作成ワーキンググループ副長と共働して作成作業を実行し，委員全員による討論と納得の確認を繰り返し，委員会全体の「一体化」を目指してきました。

1) 企画（スコープ）作成

　ガイドライン作成委員会（以下，本委員会）は，まず，疾患の臨床的な特徴と疫学的特徴，日本における医療背景を纏めました。**特に，2016 年の急性膵炎症例の全国調査結果を重視し，重要事項として検討しました。**

　この結果をもとに，診療ガイドラインがカバーする内容を検討し，ガイドラインにおいて推奨診療を提示すべき重要な臨床課題を検討しました。

　2019 年 8 月，第 1 回ガイドライン委員会で作成基本方針と作成スケジュールの確認が行われ，ガイドラインは前回同様 GRADE（The Grading of Recommendations Assessment, Development and Evaluation）システム[15～37]の考え方を取り入れて作成することとなりました。同月からクリニカルクエスチョン（clinical question；CQ）作成が開始されました。

2) クリニカルクエスチョン（CQ）作成と文献検索

　ガイドライン作成委員は，企画（スコープ）で決定された重要な臨床課題に基づき，第 1 版～第 4 版で用いたクリニカルクエスチョン（CQ）を再検討し，必要に応じて新規に作成しました。

　具体的な作業として，2019 年 9 月より，それぞれのクリニカルクエスチョン（CQ）からキーワードを抽出し，学術論文を収集しました。**データベース**は，英文論文は MEDLINE，Cochrane Library を，日本語論文は医学中央雑誌を用いました。検索語は，「**膵炎**」または「**pancreatitis**」を基本とし，各章の基本キーワードを追加して検索しました。

　検索期間は，第 1 版～第 4 版での系統的検索に加え，2014 年 1 月～2019 年 9 月とし，この期間外のものは検索期間外論文として取り扱いました。系統的文献検索は山口直比古氏に依頼しました。また，キーワードからの検索では候補論文として挙がらなかったにもかかわらず引用が必要な論文は**ハンドサーチ論文**として取り扱いました。

　収集した論文のうち，ヒトまたは human に対して行われた臨床研究を採用し，動物実験や遺伝子研究に関する論文は除外しました。患者データに基づかない専門家個人の意見は参考にしましたが，エビデンスとして

は用いていません。

3) システマティックレビュー（エビデンス総体の評価）の方法

エビデンス評価は以下の手順で行いました。

(1) CQ から益と害のアウトカム抽出

CQ に対する推奨文を作成するため、CQ ごとに「益」のアウトカムのみでなく「害」のアウトカムも含めて抽出し、各重要度を提示しました。

(2) 各論文の評価：構造化抄録の作成

CQ ごとに検索された各論文を一次、二次選択を通じて選別し、文献の研究デザインの分類[14]（表1）を含め、論文情報を要約しました。なお、厚生労働科学研究として行われた国家的な大規模研究については、二群比較を行っているものについては観察研究（observational study；OS）とし、臨床症例の集積を行って解析した研究は症例集積研究（case series；CS）としました。

表1 研究デザイン分類

各文献へは下記 7 種類の「研究デザイン」を付記した。
CPG　　Clinical practice guidelines：診療ガイドライン
SR　　　Systematic review：システマティックレビュー
MA　　 Meta-analysis：RCT のメタ解析
RCT　　Randomized controlled trial：ランダム化比較試験
OS　　　Observational study, Cohort study, Case control study, Cross sectional study： 　　　　観察研究、コホート研究、症例対照研究、横断研究
CS　　　Case series, Case study：症例集積研究、症例報告
EO　　　Expert opinion：専門家の意見＊ 　　　　（＊患者データに基づかない専門委員会や専門家個人の意見は、本ガイドラインでは EO として作成の 　　　　参考にしたが、エビデンスとしては用いないこととした）

（文献 14 より引用改変）

次に、個々のランダム化比較試験（randomized controlled trial；RCT）や観察研究に対して、バイアスのリスク（論文としての偏り）を判定しました（表2）。

(3) 推奨を支えるエビデンスの確実性の定義方法

CQ に対する推奨文を作成するために下記の作業を行いました。

a. まず、上記 (1) で提示されたアウトカムごとに、(2) で評価された個々の論文を総合して評価・統合した「エビデンス総体（body of evidence）」として評価しました（表3～4）。エビデンス総体としての評価は、GRADE システム[15～37]の考え方を参考にして行いました（表3）。

b. 次に、上記 a の「アウトカムごとのエビデンス総体」を総括して、1つの CQ に対する総括としてのエビデンスの確実性を決定し、表記しました（表4）。

また、論文では有用性が示されていても、保険適用外の場合には解説文章のなかに明記しました。

表2　バイアスリスク評価項目

選択バイアス
（1）ランダム系列生成
　　　患者の割付がランダム化されているかについて，詳細に記載されているか
（2）コンシールメント
　　　患者を組み入れる担当者に，組み入れる患者の隠蔽化がなされているか
　　　（ランダム化の作業が，臨床現場から隔離され独立しているか，中央化されているか）

実行バイアス
（3）盲検化
　　　被験者は盲検化されているか，ケア供給者は盲検化されているか
　　　（患者にも医療者にも，どちらの群に割り付けられたかわからなくなっているか）

検出バイアス
（4）盲検化
　　　アウトカムの評価者は盲検化されているか

症例減少バイアス
（5）ITT 解析（intention-to-treat analysis）
　　　ITT 解析の原則を掲げて，追跡からの脱落者に対してその原則を遵守しているか
　　　（脱落者，追跡不能者は，除外せずに「効果なし」または「無効」例として計算）
（6）不完全アウトカムデータ
　　　それぞれの主アウトカムに対するデータが完全に報告されているか
　　　（解析における採用および除外データを含めて）

その他のバイアス
・選択的アウトカム報告
　　　研究計画書に記載されているにもかかわらず，報告されていないアウトカムがないか
・早期試験中止
　　　利益があったとして試験を早期中止していないか
・その他のバイアス

（文献 26 より引用改変）

表3　アウトカムごと，研究デザインごとの蓄積された複数論文の総合評価

1）初期評価：各研究デザイン群の評価
　　　SR（システマティックレビュー），MA（メタ解析），RCT 群＝初期評価「高」
　　　OS（観察研究）群＝初期評価「低」
　　　CS（症例集積，症例報告）群＝初期評価「非常に低」
2）エビデンスレベルを下げる要因の有無の評価
　　　研究の質にバイアスリスクがある（表2の結果）
　　　結果に非一貫性がある…………複数の論文間で結論が異なる
　　　エビデンスの非直接性がある…論文内容と CQ 間でずれがある，または論文内容を，日本の臨床にそのまま適
　　　　　　　　　　　　　　　　　応できない（医療保険等）
　　　データが不精確である…………症例数が不十分，または予定例数に到達しない
　　　出版バイアスの可能性が高い…都合のいい結果のみが報告されている
3）エビデンスレベルを上げる要因の有無の評価
　　　大きな効果があり，交絡因子がない…全例に大きな効果が期待される
　　　用量-反応勾配がある　……………………用量を増やせば，さらなる効果が期待できる可能性のある交絡因子が，
　　　　　　　　　　　　　　　　　　　　　　真の効果をより弱めている
総合評価：最終的なエビデンスの確実性「高，中，低，非常に低」を評価判定した。

（文献 25 より引用改変）

表4 エビデンスの確実性

高：質の高いエビデンス 　　真の効果がその効果推定値に近似していると確信できる。 中：中程度の質のエビデンス 　　効果の推定値が中程度信頼できる。 　　真の効果は，効果推定値におおよそ近いが，実質的に異なる可能性もある。 低：質の低いエビデンス 　　効果推定値に対する信頼は限定的である。 　　真の効果は，効果の推定値と，実質的に異なる可能性がある。 非常に低：非常に質の低いエビデンス 　　効果推定値がほとんど信頼できない。 　　真の効果は，効果の推定値と実質的におおよそ異なる可能性が高い。

（文献 25 より引用改変）

4）推奨の強さの決定

システマティックレビュー作業によって得られた結果をもとに，治療の推奨文章の案を作成した。推奨の強さを決めるためにコンセンサス会議を開催しました。

推奨の強さは，①エビデンスの確かさ，②患者の意向・希望，③益と害，④コスト評価，の4項目を評価項目としました。**コンセンサス形成方法は，GRADE の推奨決定方法，nominal group technique（NGT）法に準じて投票を用い80％以上の賛成をもって決定しました**。1回目で結論が集約できないときは結果を公表し，日本の医療状況を加味して協議のうえ投票を繰り返しました。本委員会は集計結果を記録し，総合して評価し，表5に示す推奨の強さを決定し，本文中の囲み内に明瞭に表記しました。

推奨の強さの表記方法は「**強い推奨**」，「**弱い推奨**」の2通りですが，「強く推奨する」や「弱く推奨する」という文言は馴染まないため，表5のとおり表記しました。

なお，日本では行うことができない診断・治療については，著しい非直接性ありとして，「推奨度なし」と表記しました。また，投票を繰り返しても賛成票がばらついて1つの推奨の強さに決定できない場合，「実施する」あるいは「実施しない」の同じ方向で80％以上の賛成が得られた場合には「提案する／しない」とし，同一方向に80％未満の場合は，「推奨度を決定できない」と記載しました。

表5 推奨の強さの表現とその意味

強い推奨 　"実施する"ことを推奨する 　"実施しない"ことを推奨する **弱い推奨** 　"実施する"ことを提案する 　"実施しない"ことを提案する なお，CQ 内容や推奨内容に合わせ，適宜適切な表現となるよう工夫しました。

（文献 36 より引用改変）

5) Clinical question（CQ），Background question（BQ），Future research question（FRQ）

　今回のガイドラインでは，Clinical question（CQ）以外に，Background question（BQ），Future research question（FRQ）を設けました．有用性が明らかで，急性膵炎では基本的に実施していただきたい内容に関しては，BQとしました．つまり，BQは推奨度を示していませんが，原則的に実施していただきたい事項です．また，FRQは，現段階では質の高い研究が十分には行われておらず，今後さらなる研究が必要とされる項目で，今後のこれらの項目に関する研究を期待します．

6) メタ解析（Forest Plotなど）のやさしい解説

　チーム医療を実践するためにもより多くの医療関係者，学生，患者・家族にガイドラインの内容を理解していただくため，今回から，平易な言葉でわかりやすく記載した「やさしい解説」を加えました．これによってより多くの医療者の共通の認識のもと医療が実践されることを願うものであります．また，この「やさしい解説」は，患者さん，ご家族にご説明，ご理解いただくための資料としても使いいただけ，共通の理解のもと，より望ましい急性膵炎の診療が実践されることを願っています．
　メタ解析（Forest Plotなど）についてやさしく説明します．

〈メタ解析（Forest Plotなど）の読み方〉
1）Forest Plotの解釈
（1）Forest Plotとは
　　Forest Plotは，下図のようにメタ解析の結果を図に表したもので，複数の研究結果と統合した結果を視覚的に確認することができます．例題として図1に，Ⅵ章CQ13「予防的抗菌薬によって，抗菌薬なしに比べて致命率は改善するか」を用いて解説いたします．フォレストは森林という意味であり，一つひとつの研究報告は木に例えられています．
　例題の図1をご覧ください．Study of Subgroup　の1つ目の論文は，Pederzoli et al. の論文です．予防的抗菌薬を41例に投与し3例が死亡した群に対して，Control（抗菌薬非投与群）では，33例中4例が死亡しています．論文の記載では，オッズ比で0.57，95％信頼区間が0.12から2.76と記載され，1993年に出版されています．

　では，オッズ比，95％信頼区間，さらに，統合結果について説明します．

（2）オッズ比の考え方と95％信頼区間
　　オッズ比は，ある事象（「Events」：例題では「死亡」）の起こりやすさを2群（抗菌薬「Experimental」群対コントロール「Control」群）で比較して示す統計方法です．オッズ比が1の場合は，2群における事象の起こりやすさが同じ事を示しています（図1の右のForest Plotの縦線がオッズ比1を示します）．オッズ比が1より小さければ，介入群（抗菌薬群）で事象（死亡）が，起こりにくいという事を示します．

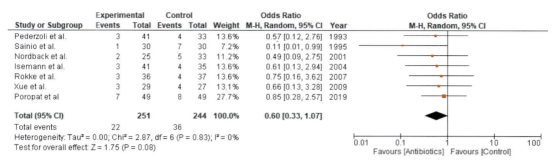

図1 例題，第Ⅵ章 CQ13 予防的抗菌薬の有無での致命率（来院後48時間後または発症後72時間以内に抗菌薬を開始したRCTのみを集計）

　95％信頼区間は，起こった結果（死亡のオッズ比）の95％が含まれる区間を示しています。例題の1つ目の論文（Pederzoli et al）では，最も低いオッズ比は0.12で，最も高いオッズ比は2.76となり，どちらか一方で明らかに死亡が起こりやすいとは言えないことになります。一方で，2編目のSainio et alの報告は，95％信頼区間が，オッズ比1をまたがずに全て「1」よりも左にあり，「統計学的に有意に左側（抗菌薬側）のイベント（死亡）が少ない」と判定されます。

　これを図で示したものが右側で，横棒の長さは95％信頼区間を示し，その「横棒中央の小さな■」は個々の研究で報告されているアウトカム（ここでは致命率）の点推定値（オッズ比，リスク比，平均値など）を，示しています。なお，「横棒中央の小さな■」の大きさは，サンプルサイズ（症例数）を表し，症例数が多い場合には■が大きくなり，横棒は短くなり，信頼性が高くなります。

　例題では，報告論文は7編です。95％信頼区間が，オッズ比1をまたがなければ，「統計学的有意差あり」と判定されますので，2編目のSainio et alの報告のみが，「有意差あり」，それ以外は有意差なしの判定となります。

（3）統合結果
・メタ解析結果の読み方

　7つの論文の「予防的抗菌薬の有無での致命率」のオッズ比を統合する方法が，図の上段に記載されています。「M-H, Random, 95％CI」と記載されているように，Mantel-Haenszel検定を用いて，Random効果モデルの設定で，95％信頼区間を提示する方式をとっています。

　統合結果は，Total（95％CI）の行以下に記載されます。例題では，抗菌薬「Experimental」群の合計251例中22例が死亡「Events」，コントロール「Control」群では，244例中36例の死亡が示されています。「Weight」は，7編の各論文の結果に割り当てられた重み付けを示しています。統合計算は単純な相加平均ではなく，信頼区間の狭い報告（結果がばらついていない報告）程，より大きな重み付けが割り当てられて，統合されます。今回の例題の統合結果は，オッズ比0.60，その95％信頼区間は［0.33～1.07］と記載されています。これを右図で見ると，◆は統合結果の95％信頼区間を示しており，ひし形の左端は0.33，右端は1.07を指し示しています。この例題では，95％信頼区間の上限（ひし形の右端）は，1.07と「1」を超えているため，統合結果は統計学的に有意な結果を示していないと判定されます。

＊・論文間の結論のばらつき（異質性）

　次に，7編の論文間の結論のばらつき（異質性：Heterogeneity）について考えます。

　図1の下から2行目，Heterogeneityにおける記載を見ると，Tau2乗検定で0.00，カイ2乗検定で2.87，P＝0.83と計算され，有意（P＜0.05）な異質性は無しと判定されます。I2乗検定でも異質性は0％と判定されています。つまり，7編のRCTは，予防的抗菌薬の有無での致命率に関して結論が同じで

あるといえます。

　なお，7つの論文の内で，2つ目の論文（Sainio et al）だけが有意な結論を示しているので，7つの論文間には異質性があると考えるかもしれません。しかし，2つ目の論文は抗菌薬群 30 例中死亡 1 例，コントロール群 30 例中死亡 7 例の RCT で，95％信頼区間が [0.01～0.99] と広く，メタ解析で割り当てられた重み付け「Weight」は 7.2％に過ぎず，報告結果の重要性が乏しいと考えられ，全体の異質性にはあまり影響していない評価となります。

＊・メタ解析による総合評価

　最下段の本検討の総合評価（Test for overall effect）は，P＝0.08 と記載されていることから，今回の仮説「予防的抗菌薬を使うと，抗菌薬なしに比べて致命率は改善する」には，有意差（P＜0.05）は認められない，という判定となりました。

2）エビデンス総体

　以前は各研究の p.7，表 1 の研究のデザインでエビデンスの確かさ（確実性）を評価していました。しかし，近年は，「致命率」「感染性合併症」などのアウトカムごとに，エビデンスの確かさを上記のような Forest plot を作成し評価します。その際に，p.8，表 3 の「エビデンスレベルを下げる要因」や「エビデンスレベルを上げる要因」がある場合には，p.9，表 4 のエビデンスの確実性を 1 ランクまたは 2 ランク，下げたり，上げたりします。各アウトカムの臨床上の重要性を重み付けし，全てのアウトカムでの知見（「エビデンス総体」）から，エビデンスの確実性（p.9，表 4）が定まります。

> このやさしい解説「メタ解析（Forest Plot など）の読み方」は右の QR コードからもご覧いただけます。ガイドラインでの Forest Plot の解釈時には QR コードをご覧いただきながら読み進めてください。

9　公聴会（医療者からの情報収集）と外部評価

　2021 年 1 月に，第 51 回日本膵臓学会大会にてガイドライン草案を提示し，臨床医からパブリックコメントを求めました。

　また，ガイドライン作成方法論の専門家，患者・市民の代表者や弁護士から，それぞれの立場からの外部評価をいただきました。外部委員の先生に AGREE Ⅱ で評価いただいた結果を参考資料（下記の QR コードからご覧いただけます）として掲載するとともに，外部評価の概要については各関連学会のホームページ等に公開予定です。

　2021 年 8 月に，会議を開催し，これらの外部評価の意見を参考にドラフト版の原稿に修正が加えられ，最終化を行い刊行となりました。

　外部委員の先生の AGREE Ⅱ の評価は右の QR コードからご覧いただけます。

10 普及のための工夫

1) 詳細版：各関連学会，研究班のホームページ等で公開
   出版から6カ月を経過後，電子データ（印刷は不可）で公開，閲覧可能とします．
2) 英語版：高田忠敬改訂出版責任者の指導の下，作成出版（予定）
3) 実用版：金原出版株式会社から出版
4) ダイジェスト版：作成中
5) モバイルアプリ：以下のQRコードから無料でダウンロードできます

Android版

iOS版

11 ガイドラインの出版後の評価について

上記10のように，ホームページ等でフィードバックを集計し続け，次回の改訂の参考にいたします．また，Pancreatitis bundlesの遵守率をモニタリングする等の臨床指標を用いてガイドラインの普及・遵守率を評価するとともに，遵守の有無による臨床効果の相違を評価することによりガイドラインの有用性の評価も行います．

これらは，次回の改訂に大きな効果をもたらします．これらの調査結果は出版委員会より英文論文として公開し，次の改訂ガイドラインに引用します．本ガイドラインでは，査読者の評価を得た論文を，診療ガイドラインのエビデンスとして，長年取り扱っています．これらの方法についても，次回の出版・改訂委員会に引き継ぎます．

なお，出版後もホームページ等でフィードバックを集計していき，次回の改訂の参考にします．ガイドライン利用者からのご意見（パブリックコメント）を広く募集いたします．下記またはQRコードからご入力ください．

https://forms.gle/mfiCAqcnDMS3EQXXA

メールの場合，下記へご送付ください．必ず，ご氏名，ご所属，メールアドレス，電話番号を記載してください．
a910pancreatitis@gmail.com

12 改訂について

本診療ガイドラインは，急性膵炎診療ガイドライン改訂出版委員会を中心として，約4年後の改訂を予定しています．本文内容について，定期的に学会等で情報収集解析を行います．また，臨床医療の急激な変化や保険適用，分類定義の改訂にも対応し，適宜改訂作業を行う予定です．

13 診療ガイドライン作成過程および作成内容の普遍性

1) 利益相反（COI）

　本診療ガイドライン改訂出版委員会のすべての構成員は，診療ガイドライン作成作業に先立ち，利益相反（COI）の自己申告を行い，内容に経済的および学術的関連で偏りが生じる可能性を避ける努力がなされました．具体的には，ガイドライン作成委員が論文の著者である場合や，または臨床治験や臨床研究に関与していた場合には，関連CQの推奨の強さ決定の投票には参加しないこととしました．また，複数の関連学会や研究組織との協力体制を構築することで，単独学会の学術的利益相反を避けるべく努力がなされました．さらに，各専門領域の医療者の外部評価に加えて，患者・市民代表および弁護士の外部評価についても本委員会で再度十分検討し，推奨内容の中立性を保つ努力をしました．

2) 経済的な独立性

　今回の改訂出版にあたり，改訂・出版委員会単独で作業に臨むこととしました．

　2015年版出版までは，関係各学会からの共催金をもとに，急性膵炎診療ガイドラインを作成しましたが，2015年版出版を一区切りに収支決算を行い，2019年に各学会に報告しました．その時点での繰越金と，高田忠敬改訂出版責任者の個人資金を出版作業の資金として，また，金原出版からの入金予定の著作物利用料も含めて，2021年版改訂・出版作業に臨んできました．

　なお，2015年までの印税は，共催学会から改訂・出版委員会にいただいた資金に対して，金原出版社から共催学会に相当分が支払われています．製薬会社等の他企業からの資金提供・寄付等は一切ありません．

　また，ガイドライン内容は，資金源からの影響はなく，独立しています．

　さらに，今後の改訂出版のための資金管理は，当委員会のワーキンググループ長（事務局）が管理する口座をもって行います．

■引用文献

1) 急性膵炎の診療ガイドライン作成出版委員会．エビデンスに基づいた急性膵炎の診療ガイドライン［第1版］．金原出版，東京，2003.
2) Takada T, Kawarada Y, Hirata K, et al; JPN. JPN Guidelines for the management of acute pancreatitis: cutting-edge information. J Hepatobiliary Pancreat Surg 2006; 13: 2-6.
3) Mayumi T, Takada T, Kawarada Y, et al. Management strategy for acute pancreatitis in the JPN Guidelines. J Hepatobiliary Pancreat Surg 2006; 13: 61-67.
4) 真弓俊彦，高田忠敬，平田公一，他．急性膵炎診療ガイドラインのアンケート調査結果と改訂について．膵臓 2006; 21: 514-518.
5) 吉田雅博，高田忠敬，真弓俊彦，他．エビデンスに基づいた急性膵炎の診療ガイドライン出版後の普及活動と今後—インターネット化，ダイジェスト版，英文化．日腹部救急医会誌 2007; 27: 487-490.
6) 高田忠敬編．エビデンスに基づいた急性膵炎の診療ガイドライン［第2版］．金原出版，東京，2007.
7) 大槻 眞．急性膵炎全国疫学調査．厚生労働科学研究補助金難治性疾患克服研究事業　難治性膵疾患に関する調査研究．平成14年度-平成16年度総合研究報告書 2005; 31-39.
8) 高田忠敬編．急性膵炎診療ガイドライン 2010［第3版］．金原出版，東京，2009.
9) Takada T, Hirata K, Mayumi T, et al. Cutting-edge information for the management of acute pancreatitis. J Hepatobiliary Pancreat Sci 2010; 17: 3-12.
10) Mayumi T, Takada T, Hirata K, et al. Pancreatitis bundles. J Hepatobiliary Pancreat Sci 2010; 17: 87-89.
11) 高田忠敬編．急性膵炎診療ガイドライン 2015［第4版］．金原出版，東京，2015.
12) Yokoe M, Takada T, Mayumi T, et al. Japanese guidelines for the management of acute pancreatitis: Japanese Guidelines 2015. J Hepatobiliary Pancreat Sci 2015; 22: 405-432.
13) Isaji S, Takada T, Mayumi T, et al. Revised Japanese guidelines for the management of acute pancreatitis 2015: revised concepts and updated points. J Hepatobiliary Pancreat Sci 2015; 22: 433-445.
14) 福井次矢，山口直人監，森實敏夫，吉田雅博，小島原典子編．Minds診療ガイドライン作成の手引き 2014，医学書院，東京，2014.
15) 相原守夫，三原華子，村山隆之，他．診療ガイドライン

のためのGRADEシステム．凸版メディア，弘前，2010．

16) Atkins D, Best D, Briss PA, et al; GRADE working group. Grading quality of evidence and strength of recommendations. BMJ 2004; 328: 1490.
17) Guyatt GH, Oxman AD, Vist G, et al; GRADE working group. GRADE: an emerging consensus on rating quality of evidence and strength of recommendations. BMJ 2008; 336: 924-926.
18) Guyatt GH, Oxman AD, Kunz R, et al; GRADE working group. What is "quality of evidence" and why is it important to clinicians? BMJ 2008; 336: 995-998.
19) Schünemann HJ, Oxman AD, Brozek J, et al; GRADE working group. Grading quality of evidence and strength of recommendations for diagnostic tests and strategies. BMJ 2008; 336: 1106-1110.
20) Guyatt GH, Oxman AD, Kunz R, et al; GRADE working group. Incorporating considerations of resources use into grading recommendations. BMJ 2008; 336: 1170-1173.
21) Guyatt GH, Oxman AD, Kunz R, et al; GRADE working group. Going from evidence to recommendations. BMJ 2008; 336: 1049-1051.
22) Jaeschke R, Guyatt GH, Dellinger P, et al; GRADE working group. Use of GRADE grid to reach decisions on clinical practice guidelines when consensus is elusive. BMJ 2008; 337: a744.
23) Guyatt G, Oxman AD, Akl EA, et al. GRADE guidelines: 1. Introduction-GRADE evidence profiles and summary of findings tables. J Clin Epidemiol 2011; 64: 383-394.
24) Guyatt GH, Oxman AD, Kunz R, et al. GRADE guidelines: 2. Framing the question and deciding on important outcomes. J Clin Epidemiol 2011; 64: 395-400.
25) Balshem H, Helfand M, Schünemann HJ, et al. GRADE guidelines: 3. Rating the quality of evidence. J Clin Epidemiol 2011; 64: 401-406.
26) Guyatt GH, Oxman AD, Vist G, et al. GRADE guidelines: 4. Rating the quality of evidence-study limitation (risk of bias). J Clin Epidemiol 2011; 64: 407-415.
27) Guyatt GH, Oxman AD, Montori V, et al. GRADE guidelines: 5. Rating the quality of evidence-publication bias. J Clin Epidemiol 2011; 64: 1277-1282.
28) Guyatt GH, Oxman AD, Kunz R, et al. GRADE guidelines 6. Rating the quality of evidence-imprecision. J Clin Epidemiol 2011; 64: 1283-1293.
29) Guyatt GH, Oxman AD, Kunz R, et al; GRADE working group. GRADE guidelines: 7. Rating the quality of evidence-inconsistency. J Clin Epidemiol 2011; 64: 1294-1302.
30) Guyatt GH, Oxman AD, Kunz R, et al; GRADE working group. GRADE guidelines: 8. Rating the quality of evidence-indirectness. J Clin Epidemiol 2011; 64: 1303-1310.
31) Guyatt GH, Oxman AD, Sultan S, et al; GRADE working group. GRADE guidelines: 9. Rating up the quality of evidence. J Clin Epidemiol 2011; 64: 1311-1316.
32) Brunetti M, Shemilt I, Pregno S, et al. GRADE guidelines 10. Considering resource use and rating the quality of economic evidence. J Clin Epidemiol 2013; 66: 140-150.
33) Guyatt G, Oxman AD, Sultan S, et al. GRADE guidelines: 11. Making an overall rating of confidence in effect estimates for a single outcome and for all outcomes. J Clin Epidemiol 2013; 66: 151-157.
34) Guyatt GH, Oxman AD, Santesso N, et al. GRADE guidelines: 12. Preparing summary of findings tables-binary outcomes. J Clin Epidemiol 2013; 66: 158-172.
35) Guyatt GH, Thorlund K, Oxman AD, et al. GRADE guidelines: 13. Preparing summary of findings tables and evidence profiles-continuous outcomes. J Clin Epidemiology 2013; 66: 173-183.
36) Andrews J, Guyatt G, Oxman AD, et al. GRADE guidelines 14. Going from evidence to recommendations: the significance and presentation of recommendations. J Clin Epidemiol 2013; 66: 719-725.
37) Andrews JC, Schünemann HJ, Oxman AD, et al. GRADE guidelines: 15. Going from evidence to recommendation-determinants of a recommendation's direction and strength. J Clin Epidemiol 2013; 66: 726-735.

第II章
全国調査結果からみた急性膵炎診療ガイドラインの課題と本改訂における対応

1. 急性膵炎の致命率は近年，著明に改善しているが，重症膵炎ではいまだ死亡例が存在していることが大きな課題である。今後，致命率の特に高い症例を適切に絞り込み，その予後を改善する必要がある。
2. 重症膵炎での致命率改善は発症2週間以内での改善が主たる要因であり，発症後期の改善は明らかではない。さらなる致命率改善のためには，発症後期の予後改善が急務である。
3. 早期経腸栄養の実施や予防的抗菌薬投与不要については診療ガイドラインが十分に理解されておらず，さらなる啓蒙が急務である。
4. Pancreatitis Bundles を7項目あるいは8項目以上遵守した場合，致命率が低かった。

■解 説

　本邦では2011年調査までは厚生労働省難治性膵疾患調査研究班が，2016年調査では日本膵臓学会が主導し，急性膵炎全国疫学調査が約4～5年おきに行われてきた（OS）[1~6]。2016年受療患者を対象とした最新の全国調査では，年間受療患者数は78,450（95％信頼区間：72,380～84,520）人，人口10万人あたり61.8人と推計されている[6]。2011年の年間推計受療患者数63,080[5]人に比べて24％の増加であった。二次調査では2,994例に関する臨床情報が得られた。男女比は2.0，発症年齢は男性59.9歳，女性66.5歳であった。成因に性差がみられ，男性ではアルコール性（42.8％），胆石性（19.8％），特発性（16.2％）であったのに対し，女性では胆石性が37.7％と最多で，以下特発性（24.8％），アルコール性（12.0％）の順であった。

　厚生労働省急性膵炎重症度判定基準（2008）に基づき行われた本調査では，706例（23.6％）が重症，2,288例（76.4％）が軽症と診断された。重症例のうち429例（60.8％）は造影CT Gradeのみ，188例（26.6％）は予後因子のみ，89例（12.6％）は予後因子ならびに造影CT Gradeの両方で重症と判定された。初期治療においては，入院後24時間以内の輸液量が軽症例では平均3,297 mL，重症例では平均4,277 mLと重症度に応じた輸液管理が行われていた。経腸栄養は軽症例の17.2％，重症例の31.8％に施行されていたに過ぎなかったが，施行例のうち20.5％は48時間以内に，76.2％は1週間以内に開始されており，前回2011年調査に比べて早期に開始されていた。抗菌薬投与は軽症例の94.5％，重症例の98.7％と大部分の症例に施行されており，軽症例においてもカルバペネム系が40.5％の症例に投与されていた。このように早期経腸栄養の実施や予防的抗菌薬投与不要については，診療ガイドラインでの推奨がいまだ十分に理解されていないことがうかがわれた。

　図1に急性膵炎致命率の年次変化を示す。1982～86年時から，年々，致命率の改善がみられていた。しかし，2008年に重症度判定基準が改訂され，重症は以前より重症度の高い症例に絞りこまれた形で改訂されたため，それ以前の2007年調査に比べ，2011年調査では，重症例の致命率の上昇がみられた。その後，2016年調査では，2011年調査で用いた重症度判定基準が使用されており，2011年調査と比べて急性膵炎全体の致命率は2.6％から1.8％へ，重症膵炎の致命率は10.1％から6.1％へと大幅な改善がみられた。これは，本邦における急性膵炎，特に重症膵炎管理の向上を示すものと考えられる。重症例の致命率は病院階層別では大学病院・救命救急センターでは9.1％から6.0％へ，病床数500床以上の施設では6.7％から5.5％へ，500床未満の施設では16.0％から7.0％へと，特に病床数500床未満の施設での致命率改善が顕著であった。

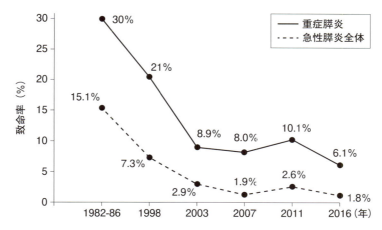

図1　全国調査における急性膵炎致命率の経年変化（文献6から引用改変）

重症とした要因別では，CT Gradeのみ重症であった重症例の致命率は2.1％に対して，予後因子のみ重症例では9.0％と高く，特に**予後因子ならびにCT Grade共に重症例では19.1％**であった（表1）。今後，致命率の特に高い症例を適切に絞り込み，その予後を改善する必要がある。

表1　全国調査における急性膵炎重症度と致命率

		予後因子スコア		計
		軽症	重症	
造影CT Grade	軽症	0.5%（11/2,288）	9.0%（17/188）	1.1%（28/2,476）
	重症	2.1%（9/429）	19.1%（17/89）	5.0%（26/518）
	計	0.7%（20/2,717）	12.3%（34/277）	

（文献6から引用改変）

一方，死亡時期別では，膵炎発症2週間以内の致命率は2011年の6.6％から2016年の2.7％へと著明に改善していたものの，発症2週間以降では3.5％から3.4％とほぼ変わらなかった。発症2週間以降に死亡した重症膵炎症例では，42.3％で被包化壊死（WON；walled-off necrosis）を合併していた。急性膵炎全体においても，被包化壊死を合併した症例の致命率が6.7％（13/195）であり，合併しなかった症例の致命率1.3％（34/2,634）に比べて有意に高かった。重症膵炎致命率のさらなる改善には，後期合併症を適切に管理し，発症後期の予後を改善することが急務である。

■引用文献

1) Yamamoto M, Saitoh Y. Severe acute pancreatitis in Japan. J Hepatobiliary Pancreat Surg. 1996; 3: 203-209. (OS)
2) Tamakoshi A, Hayashi O, Ohno Y, et al. Nationwide epidemiological survey of acute pancreatitis; 1999 Report of the Research Committee of Intractable Pancreatic Diseases, under the support of the Ministry of Health, Labour, and Welfare of Japan. Kumamoto; 2000. p. 36-41. (in Japanese) (OS)
3) Otsuki M, Hirota M, Arata S, et al. Consensus of primary care in acute pancreatitis in Japan. World J Gastroenterol. 2006; 12: 3314-3323. (OS)
4) Satoh K, Shimosegawa T, Masamune A, et al. Nationwide epidemiological survey of acute pancreatitis in Japan. Pancreas. 2011; 40: 503-507. (OS)
5) Hamada S, Masamune A, Kikuta K, et al. Nationwide epidemiological survey of acute pancreatitis in Japan. Pancreas. 2014; 43: 1244-1248. (OS)
6) Masamune A, Kikuta K, Hamada S, et al. Clinical practice of acute pancreatitis in Japan: An analysis of nationwide epidemiological survey in 2016. Pancreatology. 2020; 20: 629-636. (OS)

> **CQ1** 急性膵炎診療において Pancreatitis Bundles は推奨されるか？

[推　奨]
Pancreatitis Bundles の実施は致命率低下につながるので，遵守する。

（強い推奨，エビデンスの確実性：低）
▶投票結果：行うことを推奨する-14/14 名：100%

■解　説

　Pancreatitis Bundles は本ガイドライン 2010 年版（第 3 版）から提唱されるようになった，急性膵炎診療における臨床指標である．

　2011 年全国調査において，項目は一部異なるものの，8 項目以上実施できたものの致命率は 7.6% と，実施が 7 項目以下の場合の 13.7% より有意に低かった（OS）[1]．

　2016 年全国調査[2] で報告された重症急性膵炎 706 例において，Pancreatitis Bundles 各項目の遵守状況と致命率を検討した[3]．項目 2 の「適切な施設への転送」，項目 5 の「造影 CT を行い CT Grade による重症度判定」，項目 10 の「膵炎鎮静後の胆嚢摘出術」の 3 項目について，遵守例が非遵守例に比べて致命率が低かった（表 1）．Pancreatitis Bundles 10 項目のうち，8 項目以上を実施できたものの致命率は 1.0% と非実施例の 7.1% に比べて，7 項目以上では 4.1% と非実施例の 8.0% に比べて，いずれも低かった（OS）．予後因子陽性数ならびに CT Grade は実施例と非実施例間で差を認めなかった．

　このように，Pancreatitis Bundles 遵守例では非遵守例に比べて致命率が低く，その遵守が致命率低下に寄与していることが示唆された．

　以上より，Pancreatitis Bundles の実施は致命率低下につながるので，遵守することが望ましい．

　なお，第Ⅲ章に Pancreatitis Bundles，そのチェックリストやチェックフローがあるので，ご参照ください．

表1　重症急性膵炎症例における Pancreatitis bundles 2015 の項目ごとの遵守状況と致命率

項目	有効回答数（%）	遵守例数（%）	致命率（%） 遵守例	致命率（%） 非遵守例	P 値*
1	658（93.2）	499（75.8）	6.2（31/499）	7.5（12/159）	0.58
2	597（84.6）	353（59.1）	5.1（18/353）	9.4（23/244）	0.048
3	659（93.3）	621（94.2）	6.1（38/621）	13.2（5/38）	0.093
4	188（26.6）	148（78.7）	3.4（5/148）	7.5（3/40）	0.37
5	652（92.4）	562（86.2）	5.3（30/562）	14.4（13/90）	0.004
6	657（93.1）	566（86.1）	5.8（33/566）	11.0（10/91）	0.07
7	661（93.6）	587（88.8）	6.0（35/587）	10.8（8/74）	0.13
8	676（95.8）	570（84.3）	6.3（36/570）	6.6（7/106）	0.83
9	644（91.2）	39（6.1）	2.6（1/39）	6.8（41/605）	0.50
10	185（26.2）	81（43.8）	0（0/81）	7.7（8/104）	0.01

*：遵守例 vs. 非遵守例

（文献 3 より引用改変）

■引用文献

1) Hirota M, Mayumi T, Shimosegawa T. Acute pancreatitis bundles: 10 clinical regulations for the early management of patients with severe acute pancreatitis in Japan. J Hepatobiliary Pancreat Sci 2014; 21: 829-830. (OS)
2) Masamune A, Kikuta K, Hamada S, et al; Japan Pancreas Society. Clinical practice of acute pancreatitis in Japan: An analysis of nationwide epidemiological survey in 2016. Pancreatology 2020; 20: 629-636. (OS)
3) Masamune A, Hamada S, Kikuta K. Implementation of pancreatitis bundles is associated with reduced mortality in patients with severe acute pancreatitis in Japan. Pancreas 2021; 50: e24-e25. (OS)

第Ⅲ章
基本的診療方針と診療フローチャート, Pancreatitis Bundles

急性膵炎の診療内容を項目別に整理し，時系列としてまとめたフローチャートを以下に示す。詳細については本文を参照されたい。

1 急性膵炎の基本的診療方針

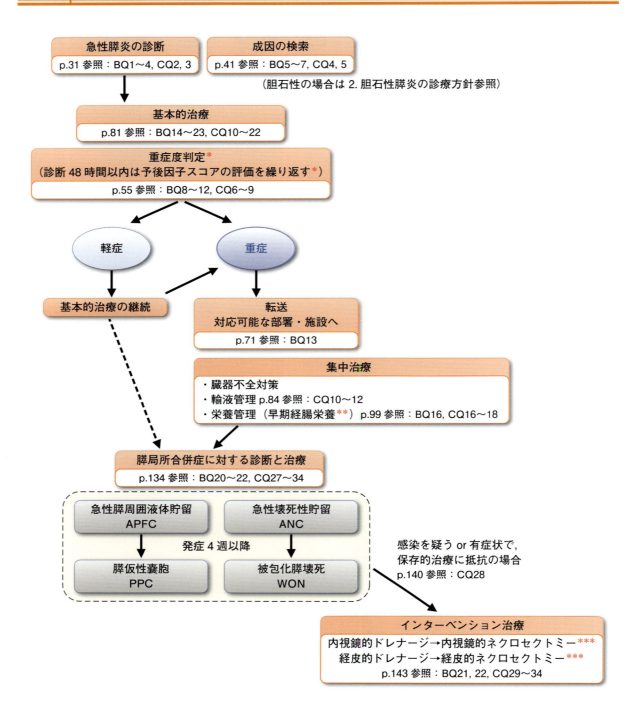

APFC；acute peripancreatic fluid collection，ANC；acute necrotic collection，PPC；pancreatic pseudocyst，WON；walled-off necrosis，ACS；abdominal compartment syndrome
* 診断時，診断後24時間以内，24〜48時間以内に判定を繰り返す
** 診断後48時間以内に開始する
***ネクロセクトミーは，できれば発症4週間以降まで待機し，壊死巣が十分に被包化されたWONの時期に行うことが望ましい。（ただし，ドレナージは必要な際には発症4週間待つ必要はない）

2　胆石性膵炎の診療方針

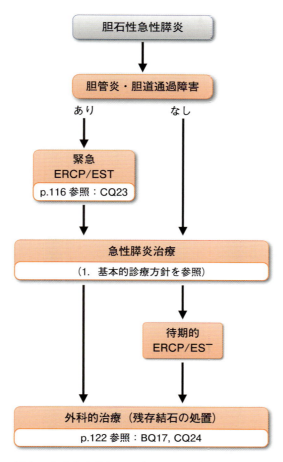

軽症では早期に，重症でも膵炎沈静化後の速やかな胆道検索と胆嚢摘出術が望ましい。
膵周囲の液体貯留が持続する場合は発症から4〜6週以降の待機的手術が安全である。

ERCP/EST；endoscopic retrograde cholangiopancreatography with or without endoscopic sphincterotomy
注）胆石性膵炎症例にERCP/ESTを行う際には，膵管造影を可能な限り回避することが望ましい。

表1　急性膵炎の診断基準（厚生労働省難治性膵疾患に関する調査研究班 2008年）

1. 上腹部に急性腹痛発作と圧痛がある。
2. 血中または尿中に膵酵素の上昇がある。
3. 超音波，CTまたはMRIで膵に急性膵炎に伴う異常所見がある。

上記3項目中2項目以上を満たし，他の膵疾患および急性腹症を除外したものを急性膵炎と診断する。ただし，慢性膵炎の急性増悪は急性膵炎に含める。

注）膵酵素は膵特異性の高いもの（膵アミラーゼ，リパーゼなど）を測定することが望ましい。

（文献1より引用）

表2 急性膵炎の重症度判定基準（厚生労働省難治性膵疾患に関する調査研究班 2008年）

A. 予後因子（予後因子は各1点とする）
① Base Excess≦−3 mEq/L，またはショック（収縮期血圧≦80 mmHg）
② PaO_2≦60 mmHg（room air），または呼吸不全（人工呼吸管理が必要）
③ BUN≧40 mg/dL（or Cr≧2 mg/dL），または乏尿（輸液後も1日尿量が400 mL以下）
④ LDH≧基準値上限の2倍
⑤ 血小板数≦10万/mm^3
⑥ 総Ca≦7.5 mg/dL
⑦ CRP≧15 mg/dL
⑧ SIRS診断基準※における陽性項目数≧3
⑨ 年齢≧70歳

※SIRS診断基準項目：(1) 体温＞38℃または＜36℃，(2) 脈拍＞90回/分，(3) 呼吸数＞20回/分または$PaCO_2$＜32 torr，(4) 白血球数＞12,000/mm^3か＜4,000 mm^3または10％幼若球出現

B. 造影CT Grade
① 炎症の膵外進展度

前腎傍腔	0点
結腸間膜根部	1点
腎下極以遠	2点

② 膵の造影不良域
　膵を便宜的に3つの区域（膵頭部，膵体部，膵尾部）に分け判定する。

各区域に限局している場合，または膵の周辺のみの場合	0点
2つの区域にかかる場合	1点
2つの区域全体を占める，またはそれ以上の場合	2点

①＋② 合計スコア

1点以下	Grade 1
2点	Grade 2
3点以上	Grade 3

重症の判定
① 予後因子が3点以上，または② 造影CT Grade 2以上の場合は重症とする。

（文献1より引用）

■引用文献
1) 武田和憲, 大槻 眞, 北川元二, 他. 急性膵炎の診断基準・重症度判定基準最終改訂案. 厚生労働科学研究補助金難治性疾患克服研究事業難治性膵疾患に関する調査研究. 平成17年度総括・分担研究報告書 2006; 27-34. (OS)

3　Pancreatitis Bundles 2021

「急性膵炎診療ガイドライン 2010」で初めて Pancreatitis Bundles が提唱され[1]（CPG），また「急性膵炎診療ガイドライン 2015」でも提示され[2]（CPG），前述のようにその意義も報告されるようになってきた（2 章参照）（OS）[3,4]。しかしながら，予防的抗菌薬の非使用，入院 48 時間以内の早期経腸栄養の実施など，まだ十分には実施されていないことから[5]，今回の改訂では，「軽症急性膵炎では，予防的抗菌薬は使用しない」と予防抗菌薬の非使用の項目に変更し，感染性膵壊死の介入を行う場合のステップアップ・アプローチを項目として掲げた。

今後，これらの臨床的な有用性や意義についてさらに評価されるとともに，ガイドラインの普及や有用性の評価に利用されることも期待している。

付録として Pancreatitis Bundles 2021 のチェックリスト，チェックフローも掲載した。また，無料でダウンロードできるモバイルアプリも作成した。このモバイルアプリでは，診断や重症度判定が容易に実施でき，チェックリストやチェックフローで Pancreatitis Bundles 2021 項目の実施の有無も確認できますので，入手しご活用ください。以下の QR コードからモバイルアプリを入手できます。

Android 版

iOS 版

表 3　Pancreatitis Bundles 2021

急性膵炎では，特殊な状況以外では原則的に以下のすべての項が実施されることが望ましく，実施の有無を診療録に記載する。

1. 急性膵炎診断時，診断から 24 時間以内，および，24〜48 時間の各々の時間帯で，厚生労働省重症度判定基準の予後因子スコアを用いて重症度を繰り返し評価する。
2. 重症急性膵炎では，診断後 3 時間以内に，適切な施設への転送を検討する。
3. 急性膵炎では，診断後 3 時間以内に，病歴，血液検査，画像検査などにより，膵炎の成因を鑑別する。
4. 胆石性膵炎のうち，胆管炎合併例，黄疸の出現または増悪などの胆道通過障害の遷延を疑う症例には，早期の ERCP＋EST の施行を検討する。
5. 重症急性膵炎の治療を行う施設では，造影可能な重症急性膵炎症例では，初療後 3 時間以内に，造影 CT を行い，膵造影不良域や病変の拡がりなどを検討し，CT Grade による重症度判定を行う。
6. 急性膵炎では，発症後 48 時間以内はモニタリングを行い，初期には積極的な輸液療法を実施する。
7. 急性膵炎では，疼痛のコントロールを行う。
8. 軽症急性膵炎では，予防的抗菌薬は使用しない。
9. 重症急性膵炎では，禁忌がない場合には診断後 48 時間以内に経腸栄養（経胃でも可）を少量から開始する。
10. 感染性膵壊死の介入を行う場合には，ステップアップ・アプローチを行う。
11. 胆石性膵炎で胆嚢結石を有する場合には，膵炎沈静化後*，胆嚢摘出術を行う。

＊：同一入院期間中か再入院かは問わない。

■**引用文献**

1) 高田忠敬編. 急性膵炎診療ガイドライン 2010［第3版］. 金原出版, 東京, 2009.（CPG）
2) 高田忠敬編. 急性膵炎診療ガイドライン 2015［第4版］. 金原出版, 東京, 2015.（CPG）
3) Hirota M, Mayumi T, Shimosegawa T. Acute pancreatitis bundles: 10 clinical regulations for the early management of patients with severe acute pancreatitis in Japan. J Hepatobiliary Pancreat Sci 2014; 21: 829-830.（OS）
4) Masamune A, Hamada S, Kikuta K. Implementation of pancreatitis bundles is associated with reduced mortality in patients with severe acute pancreatitis in Japan. Pancreas 2021; 50: e24-e25.（OS）
5) Masamune A, Kikuta K, Hamada S, et al; Japan Pancreas Society. Clinical practice of acute pancreatitis in Japan: An analysis of nationwide epidemiological survey in 2016. Pancreatology 2020; 20: 629-636.（OS）

4 Pancreatitis Bundles 2021　チェックリスト

急性膵炎診断時
- ☐ 厚生労働省重症度判定基準の予後因子スコアを用いて重症度を繰り返し評価する
- ☐ （～発症48時間以内）重症度に応じたモニタリングを実施する
- ☐ 初期には積極的な輸液療法を実施する
- ☐ （～適切な期間）疼痛のコントロールを行う
- ☐ 軽症急性膵炎では，予防的抗菌薬は使用しない

診断から3時間以内
- ☐ 病歴，血液検査，画像検査などにより，膵炎の成因を鑑別する
- ☐ 重症急性膵炎では，適切な施設への転送を検討する
- ☐ 重症急性膵炎の治療を行う施設では，造影可能な重症急性膵炎症例では，造影CTを行い，膵造影不良域や病変の拡がりなどを検討し，造影CT Gradeによる重症度判定を行う

診断から24時間以内
- ☐ 厚生労働省重症度判定基準の予後因子スコアを用いて重症度を繰り返し評価する
- ☐ 胆石性膵炎のうち，胆管炎合併例，黄疸の出現または増悪などの胆道通過障害の遷延を疑う症例には，早期のERCP＋ESTの施行を検討する

診断から48時間以内
- ☐ 厚生労働省重症度判定基準の予後因子スコアを用いて重症度を繰り返し評価する
- ☐ 重症急性膵炎では，禁忌がない場合には診断後48時間以内に経腸栄養（経胃でも可）を少量から開始する

診断から24～48時間以内
- ☐ 厚生労働省重症度判定基準の予後因子スコアを用いて重症度を繰り返し評価する

2週以降
- ☐ 感染性膵壊死の介入を行う場合には，ステップアップ・アプローチを行う
- ☐ 胆石性膵炎で胆嚢結石を有する場合には，膵炎沈静化後*，胆嚢摘出術を行う
    - *：同一入院期間中か再入院かは問わない。

5　Pancreatitis Bundles 2021　チェックフロー

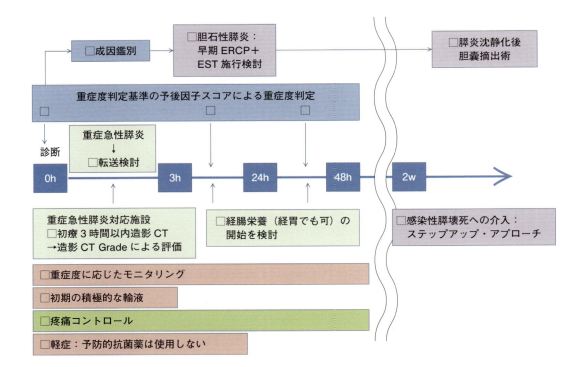

Pancreatitis Bundles とは？

　Bundle とは「束」という意味です。有効性のある治療を1つだけ実施するよりは，有効性のある治療を多数まとめて「束」として実行した方が，効果が出やすいと考えられます。

　そこで，診療の主に早期に実施すべき有効性が明らかとなっている診療行為を列挙したものが，Bundles です。それぞれ，治療開始あるいは診断後からいつまでに実施すべきかが示されています。

　この Bundles は臨床指標の一種であり，その実施の有無によって，診療の質，ガイドラインの普及程度が評価できます。また，Bundles を遵守すると予後が改善するかなどの検討によってガイドラインの有効性も評価が可能です。

　Pancreatitis Bundles はこのガイドラインの第3版（2010年版）から世界で初めて設定された，急性膵炎の診療において実施することが望まれる診療内容です。2011年および2016年の全国調査で，いずれも，遵守する項目数が多い場合には，致命率が低くなることが示されています。そのため，診療においても，Pancreatitis Bundles の遵守が推奨されています（詳細に第2章をご参照ください）。

第Ⅳ章
急性膵炎の診断

1 診断基準

BQ1 急性膵炎の診断基準は？

1. 上腹部に急性腹痛発作と圧痛がある
2. 血中または尿中に膵酵素の上昇がある
3. 超音波，CT または MRI で膵に急性膵炎に伴う異常所見がある

上記3項目中2項目以上を満たし，他の膵疾患および急性腹症を除外したものを急性膵炎と診断する。ただし，慢性膵炎の急性増悪は急性膵炎に含める。

注：膵酵素は膵特異性の高いもの（膵アミラーゼ，リパーゼなど）を測定することが望ましい。

（急性膵炎の診断基準　厚生労働省難治性膵疾患に関する調査研究班 2008年より）

■解　説

本邦では 2008 年に厚生労働省難治性膵疾患調査研究班により急性膵炎の診断基準が定められ（OS）[1]，急性膵炎に特徴的な上腹部の急性腹痛発作と圧痛，膵酵素の上昇ならびに膵の画像所見を総合的に判断して行い，これら3項目のうち2項目以上を満たせば急性膵炎と診断する。2013 年に報告された急性膵炎改訂版アトランタ分類（CPG）[2] においても，急性膵炎の診断は基本的にはこれら3項目のうち2項目以上を満たすものと定義づけられており，国際的に確立された診断基準といえる。

鑑別診断の対象は，腹痛をきたす急性腹症で，消化管穿孔，急性胆嚢炎，腸閉塞，腸間膜動脈閉塞や急性大動脈解離などが挙げられる。

■引用文献

1) 武田和憲，大槻　眞，北川元二，他．急性膵炎の診断基準・重症度判定基準最終改訂案．厚生労働科学研究補助金難治性疾患克服研究事業難治性膵疾患に関する調査研究，平成17年度総括・分担研究報告書 2006; 27-34. (OS)

2) Banks PA, Bollen TL, Dervenis C, et al; Acute Pancreatitis Classification Working Group. Classification of acute pancreatitis — 2012: revision of the Atlanta classification and definitions by international consensus. Gut 2013; 62: 102-111. (CPG, CS)

2 臨床症状・徴候

BQ2 どのような臨床症状・徴候の患者に対して急性膵炎を疑うか？

急性発症の上腹部を中心にした腹痛と圧痛を認める患者では，急性膵炎も鑑別に挙げる。

■解　説

本邦において 2016 年に行われた急性膵炎の全国調査において，腹痛が 92.1％ と最も多く，次いで嘔吐，発熱，背部痛であった（表1）[1]。なお，2013 年に厚生労働省難治性膵疾患調査研究班により行われた全国調査によれば，初発症状として心窩部痛が 71.2％ と最も多く，次いで嘔吐，背部痛が多かった（参考資料1）[2]。

従来より，急性膵炎患者の 90％ 以上が腹痛を訴えると報告され（CS）[3,4]（表2），急性膵炎の最も特徴的な臨床症状・徴候は上腹部の急性腹痛発作と圧痛である。腹痛部位は上腹部，次いで腹部全体が多く，圧痛部位は腹部全体が，次いで上腹部，右上腹部が多いと報告されている（参考資料2）（OS）[5]。腹痛の他には，嘔気・嘔吐，背部への放散痛，食欲不振，発熱，腸蠕動音の減弱などが頻度の高い症状，徴候である（表2）（CS）[3,4]。

しかし，いずれの症状も急性膵炎にのみ特異的なものでないため，他の急性腹症との鑑別を要する（表3）。

なお，ごく稀ではあるが，腹痛のない急性膵炎もあり（CS）[6]，また脳血管障害などの基礎疾患のため意識障害がある患者では自覚症状として腹痛を認めないことがあり注意が必要である。

一方，腹痛患者全体での急性膵炎の割合は，一定期間に来院したすべての腹痛患者（n＝1,520）を対象に調査すると2.9％に過ぎず，血中膵酵素の測定は腹痛患者に対してルーチンに行う必要はないと報告されている（OS）[7]。他の報告においても，腹痛患者全体での急性膵炎の割合は，0.9％（n＝1,000）（OS）[8]，急性発症の腹痛患者では急性膵炎は50歳以下で1.6％（n＝6,317），50歳以上で7.3％（n＝2,406）（OS）[9]，急性腹症においては2～3％とされている（CS）[10, 11]。

Grey-Turner徴候（側腹壁），Cullen徴候（臍周囲），Fox徴候（鼠径靱帯下部）などの皮膚着色斑は急性膵炎に特徴的な臨床徴候としてしばしば紹介されるが，その出現頻度は3％と低く（CS）[12]，また膵炎以外の患者でも観察される（CS）[13]。これらの徴候は，膵炎発症後48～72時間を経て出現することが多いため，その診断的意義は極めて限定的である。また，このような皮膚着色斑は重症化の兆候であるとする報告（CS）[12]があるが，必ずしも重症度を反映しないとの報告（CPG）[14]もあり，評価は定まっていない。

表1　急性膵炎の初発症状（急性膵炎2016年全国調査）

初発症状	n（％）
腹痛	2,704（92.1）
嘔吐	791（27.0）
発熱	497（16.9）
背部痛	491（16.7）
食欲低下	463（15.8）
腹部膨満感	305（10.4）
全身倦怠感	298（10.2）
黄疸	186（6.3）
下痢	123（4.2）
意識障害	64（2.2）
ショック	33（1.1）
その他	45（1.5）
計	2,935（100）

（　）内は出現頻度（％）を示す。（文献1より和訳引用）

表2　急性膵炎の臨床症状・臨床所見

症状*	出現頻度（％）	症状**	出現頻度（％）
腹痛	90	腹痛	95
筋性防御	80	背部への放散痛	50
発熱	80	食欲不振	85
嘔気，嘔吐	70	嘔気，嘔吐	75
鼓腸	60	腸蠕動音の減弱	60
腸閉塞	55	発熱	60
黄疸	30	筋性防御	50
ショック	20	ショック	15
神経学的所見	10	黄疸	15
		吐血	10

（＊文献3より引用，＊＊文献4より引用，一部改変）

表3 高アミラーゼ血症の原因となる病態

膵疾患
　膵炎
　膵炎の合併症（膵仮性囊胞，膵膿瘍）
　外傷（手術，ERCPを含む）
　膵管閉塞
　膵腫瘍
　囊胞性線維症
唾液腺疾患
　感染（mumps）
　外傷（手術を含む）
　放射線照射
　導管狭窄
消化管疾患
　消化性潰瘍の穿通もしくは穿孔
　腸管の穿通もしくは穿孔
　腸間膜動脈の閉塞
　虫垂炎
　肝疾患（肝炎，肝硬変）
婦人科疾患
　異所性妊娠（子宮外妊娠）の破裂
　卵巣囊胞
　骨盤感染

膵以外の腫瘍性病変
　卵巣，前立腺，肺，食道，胸腺の充実性腫瘍
　多発性骨髄腫
　褐色細胞腫
その他
　腎不全
　腎移植
　マクロアミラーゼ血症
　火傷
　アシドーシス（ケトン性，非ケトン性）
　妊娠
　頭部外傷
　薬剤性（モルヒネ，利尿薬，ステロイド）
　急性大動脈解離
　術後（外傷以外）
　食思不振，神経性食思不振
　特発性

（文献15より引用）

▶第Ⅳ章-BQ2の参考資料1，2は右のQRコードからご覧いただけます。

参考資料1 急性膵炎の初発症状（厚生労働省難治性膵疾患調査研究班：急性膵炎全国調査（2013年）
参考資料2 急性膵炎の腹痛，圧痛部位（%）

■引用文献

1) Masamune A, Kikuta K, Hamada S, et al; Japan Pancreas Society. Clinical practice of acute pancreatitis in Japan: An analysis of nationwide epidemiological survey in 2016. Pancreatology 2020; 20: 629-636.（OS）
2) 下瀬川徹，濱田　晋，正宗　淳，他．急性膵炎全国疫学調査．厚生労働科学研究補助金難治性疾患克服研究事業難治性膵疾患に関する調査研究，平成24年度総括・分担研究報告書 2013; 51-56.（OS）
3) Malfertheiner P, Kemmer TP. Clinical picture and diagnosis of acute pancreatitis. Hepatogastroenterology 1991; 38: 97-100.（CS）
4) Corsetti JP, Arvan DA. Acute pancreatitis. Diagnostic strategies for common medical problems [2nd ed], Black ER, Bordley DR, Tape TG, et al, eds. American College of Physician, Philadelphia, 1999; 205.（CS）
5) Staniland JR, Ditchburn J, De Dombal FT. Clinical presentation of acute abdomen: study of 600 patients. Br Med J 1972; 3: 393-398.（OS）
6) Read G, Braganza JM, Howat HT. Pancreatitis—a retrospective study. Gut 1976; 17: 945-952.（CS）
7) Phillip V, Schuster T, Hagemes F, et al. Time period from onset of pain to hospital admission and patients' awareness in acute pancreatitis. Pancreas 2013; 42: 647-654.（OS）
8) Brewer BJ, Golden GT, Hitch DC, et al. Abdominal pain. An analysis of 1,000 consecutive cases in a university hospital emergency room. Am J Surg 1976; 131: 219-223.（OS）
9) Telfer S, Fenyö G, Holt PR, et al. Acute abdominal pain in patients over 50 years of age. Scand J Gastroenterol 1988; 144 (Suppl) : 47-50.（OS）
10) de Dombal F. Acute abdominal pain—an O.M.G.E. survey. Scand J Gastroenterol 1979; 56 (Suppl) : 29-43.（CS）
11) de Dombal FT. Diagnosis of acute abdominal pain [2nd ed]. Churchill Livingston, Edinburgh, 1991; 19-30.（CS）
12) Dickson AP, Imrie CW. The incidence and prognosis of body wall ecchymosis in acute pancreatitis. Surg Gyne-

col Obstet 1984; 159: 343-347. (CS)
13) Bem J, Bradley EL 3rd. Subcutaneous manifestations of severe acute pancreatitis. Pancreas 1998; 16: 551-555. (CS)
14) Dervenis C, Johnson CD, Bassi C, et al. Diagnosis, objective assessment of severity, and management of acute pancreatitis. Santorini consensus conference. Int J Pancreatol 1999; 25: 195-210. (CPG)
15) Vissers RJ, Abu-Laban RB, McHugh DF. Amylase and lipase in the emergency department evaluation of acute pancreatitis. J Emerg Med 1999; 17: 1027-1037.

3 血液・尿検査

　急性膵炎の診断には，血中の膵酵素上昇を確認することが重要であり，現在，臨床で測定可能な膵酵素としては，血中リパーゼ，アミラーゼ，尿中アミラーゼ，p型アミラーゼ（アミラーゼ・アイソザイム），血中トリプシン，血中ホスホリパーゼA2（PLA2），Latex凝集法による血中エラスターゼ1，尿中トリプシノーゲン2が挙げられる。

CQ2　急性膵炎の診断のために，どの血中膵酵素の測定を行うか？

[推　奨]
急性膵炎の診断には，血中リパーゼの測定を推奨する。
ただし，血中リパーゼの測定が困難な場合は，血中アミラーゼを測定する。

（強い推奨，エビデンスの確実性：中）

▶投票結果：1回目：行うことを推奨する-11/15名：73%，行うことを提案する-4/15名：27%
　　　　　　2回目：行うことを推奨する-15/15名：100%

■解　説

　急性膵炎の診断には，一般的には迅速に測定が可能な血中アミラーゼ，リパーゼの測定が行われている。血中アミラーゼと血中リパーゼの急性膵炎の診断に対する感度，特異度は，急性膵炎の診断根拠とcut-off値の設定の違いのため報告により一定していないが，両者を比較した報告（**参考資料1**）[1～19]では，血中リパーゼが血中アミラーゼを上回ったとしている[2,6,7,10,11,13,14]。急性膵炎の診断には血中アミラーゼより血中リパーゼの測定が推奨される。しかし，血中リパーゼを測定できる検査体制が整備されていない等で，血中リパーゼの測定が困難な場合は，血中アミラーゼを測定する。

　近年施行された膵酵素測定の診断能に関するCochraneのシステマティックレビューによるメタ解析[12]では，cut-off値を正常値上限の3倍とした結果，感度，特異度は，アミラーゼで72%，93%，リパーゼで79%，89%で，ほぼ同等の診断能であった（SR）。なお，このcut-off値では，感度に関してリパーゼが上回るものの80%程度であり，20%の急性膵炎患者が診断できないという結果であった。さらに，多くの報告で血中リパーゼ，血中アミラーゼの感度は，少なくともどちらか一方で80%を下回っていた（SR，OS）[8～16]。海外の診療ガイドライン（CPG，CS）[20,21]，最近の多くの報告では正常値上限の3倍をcut-off値として設定しているが，エビデンスには乏しくコンセンサスに基づくものであり，cut-off値に関しては今後の検証が求められる。なお，本邦ではcut-off値は提示されていない。

▶第Ⅳ章-CQ2の参考資料1は右のQRコードからご覧いただけます。

参考資料1 リパーゼ，アミラーゼの診断能

■引用文献

1) Chen YT, Chen CC, Wang SS, et al. Rapid urinary trypsinogen-2 test strip in the diagnosis of acute pancreatitis. Pancreas 2005; 30: 243-247.（OS）
2) Wilson RB, Warusavitarne J, Crameri DM, et al. Serum elastase in the diagnosis of acute pancreatitis: a prospective study. ANZ J Surg 2005; 75: 152-156.（OS）
3) Sáez J, Martínez J, Trigo C, et al. Clinical value of rapid urine trypsinogen-2 test strip, urinary trypsinogen activation peptide, and serum and urinary activation peptide of carboxypeptidase B in acute pancreatitis. World J Gastroenterol 2005; 11: 7261-7265.（OS）
4) Jang T, Uzbielo A, Sineff S, et al. Point-of-care urine trypsinogen testing for the diagnosis of pancreatitis. Acad Emerg Med 2007; 14: 29-34.（OS）
5) Petrov MS, Gordetzov AS, Emelyanov NV. Usefulness of infrared spectroscopy in diagnosis of acute pancreatitis. ANZ J Surg 2007; 77: 347-351.（OS）
6) Sutton PA, Humes DJ, Purcell G, et al. The role of routine assays of serum amylase and lipase for the diagnosis of acute abdominal pain. Ann R Coll Surg Engl 2009; 91: 381-384.（OS）
7) Chang JWY, Chung CH. Diagnosing acute pancreatitis: amylase or lipase? Hong Kong J Emerg Med 2011; 18: 20-25.（OS）
8) Abraham P. Point-of-care urine trypsinogen-2 test for diagnosis of acute pancreatitis. J Assoc Physicians India 2011; 59: 231-232.（OS）
9) Mayumi T, Inui K, Maetani I, et al; Urinary Trypsinogen-2 Dipstick for Acute Pancreatitis Study Group of Japanese Society of Abdominal Emergency Medicine (UtrAP Study Group). Validity of the urinary trypsinogen-2 test in the diagnosis of acute pancreatitis. Pancreas 2012; 41: 869-875.（OS）
10) Gomez D, Addison A, De Rosa A, et al. Retrospective study of patients with acute pancreatitis: is serum amylase still required? BMJ Open 2012; 2: e001471.（OS）
11) Hofmeyr S, Meyer C, Warren BL. Serum lipase should be the laboratory test of choice for suspected acute pancreatitis. S Afr J Surg 2014; 52: 72-75.（OS）
12) Rompianesi G, Hann A, Komolafe O, et al. Serum amylase and lipase and urinary trypsinogen and amylase for diagnosis of acute pancreatitis. Cochrane Database Syst Rev 2017; 4: CD012010（SR）
13) Treacy J, Williams A, Bais R, et al. Evaluation of amylase and lipase in the diagnosis of acute pancreatitis. ANZ J Surg 2001; 71: 577-582.（OS）
14) Smith RC, Southwell-Keely J, Chesher D. Should serum pancreatic lipase replace serum amylase as a biomarker of acute pancreatitis? ANZ J Surg 2005; 75: 399-404.（OS）
15) Steinberg WM, Goldstein SS, Davis ND, et al. Diagnostic assays in acute pancreatitis. A study of sensitivity and specificity. Ann Intern Med 1985; 102: 576-580.（OS）
16) Ventrucci M, Pezzilli R, Naldoni P, et al. A rapid assay for serum immunoreactive lipase as a screening test for acute pancreatitis. Pancreas 1986; 1: 320-323.（OS）
17) Thomson HJ, Obekpa PO, Smith AN, et al. Diagnosis of acute pancreatitis: a proposed sequence of biochemical investigations. Scand J Gastroenterol 1987; 22: 719-724.（OS）
18) Pezzilli R, Morselli-Labate AM, d'Alessandro A, et al. Time-course and clinical value of the urine trypsinogen-2 dipstick test in acute pancreatitis. Eur J Gastroenterol Hepatol 2001; 13: 269-274.（OS）
19) Cevik Y, Kavalci C, Ozer M, et al. The role of urine trypsinogen-2 test in the differential diagnosis of acute pancreatitis in the emergency department. Ulus Travma Acil Cerrahi Derg 2010; 16: 125-129.（OS）
20) Banks PA, Bollen TL, Dervenis C, et al; Acute Pancreatitis Classification Working Group. Classification of acute pancreatitis — 2012: revision of the Atlanta classification and definitions by international consensus. Gut 2013; 62: 102-111.（CPG, CS）
21) Tenner S, Baillie J, DeWitt J, et al; American College of Gastroenterology. American College of Gastroenterology guideline: management of acute pancreatitis. Am J Gastroenterol 2013; 108: 1400-1415.（CPG）

腹痛がある患者で急性膵炎を疑った場合，血液や尿検査で膵臓の消化酵素の値が上昇して，CTや超音波検査などの画像検査で膵臓に炎症の所見があれば，急性膵炎と診断します。急性膵炎の診断のために膵酵素の測定は非常に重要となります。

急性膵炎の診断のために有用な膵酵素の条件として，急性膵炎の患者の血液や尿で確実に値が上昇している（＝感度が高い）こと，急性膵炎以外の腹痛の患者では高くならない（＝特異度が高い）ことが求められます。さらに急性膵炎のように珍しくない疾患でしかも急激に発症して病状が変化する急性疾患の診断には，多くの病院や診療所で簡単に測定できてすぐに検査結果がわかる（＝汎用性，簡便性，迅速性が高い）こと，そしてコストがかからないことが求められます。

アミラーゼ，リパーゼ，エラスターゼ，トリプシンなどの多くの膵酵素がありますが，上記の急性膵炎の診断に求められる条件をクリアして，実際に用いられているのがアミラーゼとリパーゼです。

アミラーゼは，最も古くから用いられ最も普及しています。しかし，膵臓由来以外に唾液腺由来のアミラーゼもあり，さらに膵臓由来のアミラーゼだけ（膵型アミラーゼ，アミラーゼ・アイソザイム）を測定する必要があり，また腎不全など急性膵炎以外の患者でも上昇することが知られています。

リパーゼは，アミラーゼに比べて診断能（感度，特異度）が優れているとされています。以前は，アミラーゼに比べて測定できる医療施設が少ないという欠点がありましたが，最近では多くの医療施設で測定されるようになってきています。

CQ3 急性膵炎の診断に，尿中トリプシノーゲン2簡易試験紙検査は有用か？

[推 奨]
尿中トリプシノーゲン2簡易試験紙検査は，急性膵炎を疑う患者に対して，迅速にその場で診断が可能となり，血液検査を実施できない医療機関において有用である。

（弱い推奨，エビデンスの確実性：中）

▶投票結果：行うことを推奨する−1/15名：7％，行うことを提案する−14/15名：93％

■解 説

膵酵素であるトリプシンの前駆物質トリプシノーゲン2は，急性膵炎の発症早期から尿中に排泄される。近年，急性膵炎をより迅速，かつ簡便に診断するために，試験紙状のスティックを用い，尿中トリプシノーゲン2（UT-2）を約5分で判定可能な手法が報告されている。本法の感度，特異度などを含めたclinical valueは，アミラーゼ・リパーゼと比較して遜色ない（**参考資料1**）[1〜16]。

急性膵炎の診断におけるUT-2のメタ解析が2編報告されている（MA）[14, 15]。UT-2の診断能（**表1, 2**）は，感度・特異度・AUC（area under curve）・DOR（diagnostic odds ratio）で血中アミラーゼと同等，血中リパーゼとは感度・特異度・AUCで同等であるものの，DORにおいてやや劣るとの結果であった（MA）[15]。

さらに，近年施行されたCochraneのシステマティックレビューによるメタ解析においても，感度，特異度は各々72％，90％とリパーゼ（79％，89％），アミラーゼ（72％，93％）と，血中アミラーゼ，リパーゼとほぼ同等の診断能であった（SR）[6]。

したがって，UT-2試験紙法による急性膵炎の診断は，静脈採血を要しないこと，検査に要する時間が短時

間（5分）であること，さらに血中膵酵素による診断能とおおむね同等であることから，急性膵炎の診断に有用といえる．一方，UT-2試験紙法は，現在のところ血中リパーゼ，アミラーゼの測定に比べてコストが高く，迅速に血液検査を実施できない医療機関において行われるべきといえる．

表1　尿中トリプシノーゲン2の急性膵炎診断能（メタ解析）

	研究数(n)	患者数(n)	AUC	DOR(95%CI)	Q	P値
Predicting AP	14	852	0.96	65.63 (31.35〜139.09)	57.5	0.0000
Study subgroup						
STARD≧16	10	651	0.97	120.11 (44.57〜323.65)	47.74	0.0000
Sample size≧50	10	728	0.96	61.17 (27.31〜137.01)	40.42	0.0000
Admission≦72 h	7	381	0.96	76.51 (30.20〜193.84)	16.55	0.0111
Severe AP	8	132	0.99	361.35 (147.21〜887.00)	14.98	0.9693
Predicting post-ERCP pancreatitis	3	28	0.92	77.68 (24.99〜241.48)	1.34	0.5108

AUC: area under curve, DOR: diagnostic odds ratio

（文献15より引用改変）

表2　急性膵炎診断能における尿中トリプシノーゲン2（UT-2）と血中アミラーゼとリパーゼの比較（メタ解析）

	研究数（n）	感度	特異度	AUC	DOR（95%CI）
[UT-2 vs. serum amylase for diagnosing AP]					
UT-2	10	80%	92%	0.96	56.41（24.00〜132.57）
Serum amylase	10	78%	93%	0.94	44.22（31.64〜61.82）
[UT-2 vs. serum lipase for diagnosing AP]					
UT-2	9	77%	91%	0.95	43.54（19.74〜96.00）
Serum lipase	9	81%	96%	0.96	84.13（40.34〜175.49）

（文献15より引用改変）

▶第Ⅳ章-CQ3の参考資料1は右のQRコードからご覧いただけます．

参考資料1　尿中トリプシノーゲン2の急性膵炎診断能

引用文献

1) Chen YT, Chen CC, Wang SS, et al. Rapid urinary trypsinogen-2 test strip in the diagnosis of acute pancreatitis. Pancreas 2005; 30: 243-247.（OS）
2) Sáez J, Martínez J, Trigo C, et al. Clinical value of rapid urine trypsinogen-2 test strip, urinary trypsinogen activation peptide, and serum and urinary activation peptide of carboxypeptidase B in acute pancreatitis. World J Gastroenterol 2005; 11: 7261-7265.（OS）
3) Jang T, Uzbielo A, Sineff S, et al. Point-of-care urine trypsinogen testing for the diagnosis of pancreatitis. Acad Emerg Med 2007; 14: 29-34.（OS）
4) Abraham P. Point-of-care urine trypsinogen-2 test for diagnosis of acute pancreatitis. J Assoc Physicians India 2011; 59: 231-232.（OS）
5) Mayumi T, Inui K, Maetani I, et al; Urinary Trypsinogen-2 Dipstick for Acute Pancreatitis Study Group of

Japanese Society of Abdominal Emergency Medicine (UtrAP Study Group). Validity of the urinary trypsinogen-2 test in the diagnosis of acute pancreatitis. Pancreas 2012; 41: 869-875.（OS）
6) Rompianesi G, Hann A, Komolafe O, et al. Serum amylase and lipase and urinary trypsinogen and amylase for diagnosis of acute pancreatitis. Cochrane Database Syst Rev 2017; 4: CD012010（SR）
7) Pezzilli R, Morselli-Labate AM, d'Alessandro A, et al. Time-course and clinical value of the urine trypsinogen-2 dipstick test in acute pancreatitis. Eur J Gastroenterol Hepatol 2001; 13: 269-274.（OS）
8) Cevik Y, Kavalci C, Ozer M, et al. The role of urine trypsinogen-2 test in the differential diagnosis of acute pancreatitis in the emergency department. Ulus Travma Acil Cerrahi Derg 2010; 16: 125-129.（OS）
9) Kylänpää-Bäck M, Kemppainen E, Puolakkainen P, et al. Reliable screening for acute pancreatitis with rapid urine trypsinogen-2 test strip. Br J Surg 2000; 87: 49-52.（OS）
10) Kylänpää-Bäck ML, Kemppainen E, Puolakkainen P, et al. Comparison of urine trypsinogen-2 test strip with serum lipase in the diagnosis of acute pancreatitis. Hepatogastroenterology 2002; 49: 1130-1134.（OS）
11) Kamer E, Unalp HR, Derici H, et al. Early diagnosis and prediction of severity in acute pancreatitis using the urine trypsinogen-2 dipstick test: a prospective study. World J Gastroenterol 2007; 13: 6208-6212.（OS）
12) Aysan E, Sevinc M, Basak E, et al. Effectivity of qualitative urinary trypsinogen-2 measurement in the diagnosis of acute pancreatitis: a randomized, clinical study. Acta Chir Belg 2008; 108: 696-698.（OS）
13) Andersen AM, Novovic S, Ersbøll AK, et al. Urinary trypsinogen-2 dipstick in acute pancreatitis. Pancreas 2010; 39: 26-30.（OS）
14) Chang K, Lu W, Zhang K, et al. Rapid urinary trypsinogen-2 test in the early diagnosis of acute pancreatitis: a meta-analysis. Clin Biochem 2012; 45: 1051-1056.（MA）
15) Jin T, Huang W, Jiang K, et al. Urinary trypsinogen-2 for diagnosing acute pancreatitis: a meta-analysis. Hepatobiliary Pancreat Dis Int 2013; 12: 355-362.（MA）
16) Yasuda H, Kataoka K, Takeyama Y, et al. Usefulness of urinary trypsinogen-2 and trypsinogen activation peptide in acute pancreatitis: A multicenter study in Japan. World J Gastroenterol 2019; 25: 107-117.

　実際の救急医療の現場では，腹痛患者は非常に多くみられますが，急性膵炎の診断に血中・尿中膵酵素の測定が役立つには，測定してから時間がかからずに迅速に結果がわかる必要があります。しかし，リパーゼやアミラーゼの測定は，夜間などの時間外では測定できない病院も多く，さらに多くの診療所では測定機器がないため自施設で測定できず，結果が判明するまでに時間がかかってしまいます。

　急性膵炎は膵臓の消化酵素による自己消化が原因の炎症とされていますが，この消化酵素で一番重要な酵素としてトリプシンが考えられています。最近，このトリプシンの前駆物質であるトリプシノーゲン2が急性膵炎の発症早期から尿中に排泄されることを利用した，試験紙法（テステープ）による定性測定法が開発されました。これは，採尿カップに少量の尿を取り，検査用のスティックを尿につけて判定するもので，どこでも判定できるものです。そして，最近の研究から診断能もリパーゼやアミラーゼに劣るものではないことがわかりました。ただし，検査代が高くコストがかかるため，どの医療施設でも行われるものではなく，一般的な膵酵素測定が迅速にできない医療施設で行われる検査法といえます。

4 画像診断

BQ3 急性膵炎を疑う症例に超音波検査は有用か？

急性膵炎が疑われる場合には，超音波検査は有用である．

■解　説

　超音波検査は，CTと比較すると診断能に劣るものの，被曝がなく，低侵襲で，検査のアクセスも容易で，膵腫大や膵周囲の炎症性変化を捉えることが可能であり，急性膵炎の診断に有用である．超音波検査における膵の描出率は62～90％，膵周囲の炎症性変化の描出率は，前腎傍腔が100％，小網腔が90％，腸間膜が65％であると報告（OS）[1,2]されている．また，腹水，胆道結石，総胆管拡張などの急性膵炎の原因や病態に関連する異常所見を描出し得る他に，大動脈瘤など併存疾患のスクリーニングにも有用である．特に，総胆管結石や総胆管拡張の有無のチェックは，胆石性膵炎に対する内視鏡的乳頭処置の必要性を判断する場合にも必要である．初回検査で胆道結石を描出しない場合でも，繰り返し施行して，見落としがないかをチェックすべきである．

　なお，重症例では，腸管内にうっ滞したガス像などの影響で膵臓や膵周囲組織の描出が不良なことがある（OS）[1,2]．仮性囊胞内に生じた仮性動脈瘤の診断にはカラードプラ超音波が有用であり，仮性囊胞内に血流が認められれば仮性動脈瘤と診断できる（CS）[3]．また，急性膵炎に伴う門脈系の血栓と側副路形成の有無の評価にもカラードプラ超音波は有用である（CS）[3]．

■引用文献

1) Silverstein W, Isikoff MB, Hill MC, et al. Diagnostic imaging of acute pancreatitis: prospective study using CT and sonography. AJR Am J Roentgenol 1981; 137: 497-502.（OS）
2) Jeffrey RB Jr, Laing FC, Wing VW. Extrapancreatic spread of acute pancreatitis: new observations with real-time US. Radiology 1986; 159: 707-711.（OS）
3) Dörffel T, Wruck T, Rückert RI, et al. Vascular complication in acute pancreatitis assessed by color duplex ultrasonography. Pancreas 2000; 21: 126-133.（CS）

BQ4 急性膵炎の診断にCTは有用であるか？

超音波検査などの画像診断で急性膵炎の診断がつかない場合にはCTを実施する．

■解　説

　急性膵炎の診断には臨床所見，血液/尿検査が用いられるが膵臓の形態変化（腫大，周囲炎症，浮腫）などの評価も診断の傍証として重要であり，急性膵炎を疑った際には超音波検査などの画像診断で診断がつかない場合にはCTを施行する．CTは超音波検査に比較して腸管ガスなどによる観察不良域がなく，常に膵臓全体の形態評価が可能なだけでなく，造影ダイナミックCTを施行することにより膵実質の灌流状態，壊死や浮腫等の評価が可能である[1]（p.51, 画像1, 2）．また膵周囲の炎症波及領域や液体貯留の評価も可能であり，重症度判定に有用である他，合併症の予後予測にも有用との報告がなされている[1~3]（p.52, 画像3, 4）．また，膵腫瘍などによる膵管通過障害が原因の急性膵炎においても造影ダイナミックCTを追加することにより同定が可能となる[4]（p.53, 画像5）．これらのことより急性膵炎を疑った際には，腎機能障害やヨードアレルギー等のない場合に造影ダイナミックCTを施行することで，診断のみでなく重症度評価，合併症，成因の精査にも有用である．さらに客観的な画像が保存されるため，膵実質の状態（腫大，灌流不全，壊死など）や周囲の炎症波及の経時的変化の追跡にも有用である他，血管系合併症（仮性動脈瘤，門脈血栓など）の評価も同時に可

能である（CQ8）。

■引用文献

1) Silverstein W, Isikoff MB, Hill MC, et al. Diagnostic imaging of acute pancreatitis: prospective study using CT and sonography. AJR Am J Roentgenol 1981; 137: 497-502. (CS)
2) Ishikawa, K., Idoguchi, K., Tanaka, H, et al. Classification of acute pancreatitis based on retroperitoneal extension: application of the concept of interfascial planes. Eur J Radiol. 2006; 60: 445-452. (CS)
3) Taydas O, Unal E, Karaosmanoglu AD, et al. Accuracy of early CT findings for predicting disease course in patients with acute pancreatitis. Jpn J Radiol.2018; 36: 151-158. (CS)
4) Mujica VR, Barkin JS, Go VL. Acute pancreatitis secondary to pancreatic carcinoma. Study Group Participants. Pancreas 2000; 21: 329-332. (CS)

急性膵炎の診断は症状や血液/尿検査などの臨床情報に加えて実際の膵臓の様子を画像検査で評価することで診断を行います。超音波検査（エコー検査）がよく用いられますが，超音波検査では腸管などに重なって膵臓全体が十分には評価できないことがあります。そういった場合にはCTで膵臓の評価を行います。CTは身体を輪切りにしたような画像が得られるため，腸管の状態に関係なく，膵臓全体の評価が可能なので急性膵炎の診断に重要な役割を果たしています。

またヨード造影剤を投与してからCTを撮像する造影CTを用いることで，膵炎の原因となっている腫瘍などを発見するきっかけになることや，急性膵炎がどの程度重症なのか（BQ8，BQ10をご参照ください）や膵臓の周囲の血管の合併症（CQ8をご参照ください）なども把握することができます。さらに撮像されたCT画像は毎回保存されるため，経時的に膵臓の様子を評価することが可能で，治療効果の評価や重症度の変遷についても評価できるといったメリットがあります。

反面，X線被曝を生じることやヨード造影剤によるアレルギーや腎機能への影響も知られているため，漫然と何度も行うような検査ではありません。CTに限ったことではありませんが，各検査は必要な患者さんに必要な時期に行うということが重要です。

5 成因診断

BQ5 急性膵炎の診療において，成因診断は必要か？

急性膵炎と診断された場合には，速やかに成因診断を行う必要がある。

■解　説

日本ではアルコールと胆石が急性膵炎の2大成因であり，男性ではアルコール性膵炎が多く，女性では胆石性膵炎が多い。アルコール性膵炎と胆石性膵炎が急性膵炎全体に占める割合は，国や地域により大きく異なる。なお，成因を特定できないものを特発性とするが，成因がわからないときは適切な検査を行い，その頻度を少なくする努力をすべきである。

2016年の本邦の全国調査データによれば，急性膵炎の原因は，アルコール性，胆石性と特発性が3大要因となっている（表1）。男性では，アルコール性が最も多く（42.8％），次いで胆石性（19.8％），特発性（16.2％）となっていた。女性では胆石性が最も多く（37.7％），次いで特発性（24.8％），アルコール性（12.0％）となっ

表1　2016年の本邦での全国調査による急性膵炎の成因の割合

Etiology	Male, n (%)	Female, n (%)	Total, n (%)
Alcohol	833 (42.8)	115 (12.0)	948 (32.6)
Gallstone	386 (19.8)	363 (37.7)	749 (25.8)
Idiopathic	316 (16.2)	239 (24.8)	555 (19.1)
Pancreatic tumor	65 (3.3)	38 (4.0)	103 (3.5)
Surgery	65 (3.3)	26 (2.7)	91 (3.1)
Diagnostic ERCP	44 (2.3)	41 (4.3)	85 (2.9)
Therapeutic ERCP	48 (2.5)	31 (3.2)	79 (2.7)
Hyperlipidemia	46 (2.4)	20 (2.1)	66 (2.3)
Chronic pancreatitis	35 (1.8)	15 (1.6)	50 (1.7)
Drugs	14 (0.7)	18 (1.9)	32 (1.1)
Pancreas divisum	16 (0.8)	8 (0.8)	24 (0.8)
Duodenal papulla diseases	9 (0.5)	14 (1.5)	23 (0.8)
Occlusion of pancreatic stent	5 (0.3)	5 (0.5)	10 (0.3)
Other endoscopic procedures*	7 (0.4)	2 (0.2)	9 (0.3)
Pancreaticobiliary maljunction	7 (0.4)	2 (0.2)	9 (0.3)
Autoimmune pancreatitis	7 (0.4)	2 (0.2)	9 (0.3)
Non-pancreatobiliary tumors/lymph nodes	7 (0.4)	2 (0.2)	9 (0.3)
Pancreatic anastomotic stenosis	3 (0.2)	3 (0.3)	6 (0.2)
Biliary tumor	4 (0.2)	2 (0.2)	6 (0.2)
Abdominal injury	3 (0.2)	0 (0)	3 (0.1)
Hereditary	0 (0)	1 (0.1)	1 (0.0)
Others	26 (1.3)	15 (1.6)	41 (1.4)
Total	1,947 (100)	962 (100)	2,908 (100)

* includes AP cases associated with endoscopic ultrasonography-fine needle aspiration. AP acute pancreatitis: ERCP, endoscopic retrograde cholangiopancreatography

（文献1より引用）

ていた．アルコール性急性膵炎は40代に多く，胆石性急性膵炎は高齢者に多かった．年齢と性別を考慮した場合，胆石性急性膵炎は女性の高齢者に多く，アルコール性急性膵炎は中年男性に多い（図1）．特発性急性膵炎は男女ともに似たような年齢で起こっていた（OS）[1]．

　急性膵炎との診断が下された場合には，速やかに成因診断，すなわち原因病態の検索を行う必要がある（p.24，「第Ⅲ章-1．急性膵炎の基本的診療方針」を参照）（CPG）．

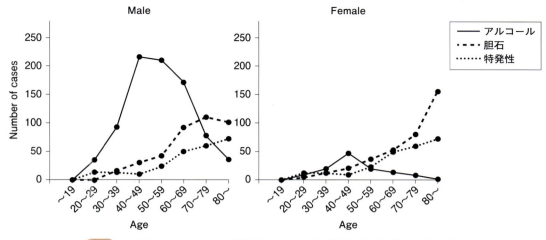

図1 2016年の本邦での全国調査における年代別の成因の割合（男女別）

（文献1より引用）

■引用文献
1) Masamune A, Kikuta K, Hamada S, et al; Collaborators. Nationwide epidemiological survey of autoimmune pancreatitis in Japan in 2016. J Gastroenterol 2020; 55: 462-470.（OS）

BQ6　成因診断の目的は？

成因診断の目的は，原因病態を明らかにすることにより，急性膵炎の治療方針を決定することである．原因病態の治療は，急性膵炎の鎮静化の他，急性膵炎の再発予防のためにも重要である．

■解　説

　胆石性急性膵炎はもちろんのこと，脂質異常症，外傷，膵管癒合不全，自己免疫，上皮小体機能亢進症，膵胆道系腫瘍などに伴う急性膵炎の場合においても，それぞれの成因ごとに治療法が異なるため，成因診断を速やかに行わなければならない．また，膵癌や膵管内乳頭粘液性腫瘍が急性膵炎の原因である可能性もあるので，膵臓の画像検査も必要である．

BQ7　成因診断において最も優先して検討すべき病態は？

胆石性急性膵炎かどうかの診断は，内視鏡的乳頭処置を行うか否かなどの治療方針にも大きく関係するため，最も重要で優先すべき点である．

■解　説

　胆石性急性膵炎で，①黄疸の出現，または増悪などの胆道通過障害の遷延を疑う症例，②胆管炎合併例，の場合は，緊急の内視鏡的乳頭処置（ERCP/EST）により予後が改善すると報告されている．胆石性急性膵炎かどうかの鑑別は，成因診断のなかで治療方針にも関係して最も重要で優先すべき点である．
　血液検査で黄疸やALP，γGTP，トランスアミナーゼの上昇があり，（体外式）超音波検査（以下，超音波検査）で総胆管結石が描出される場合には，胆石性急性膵炎の診断が可能である．しかし，超音波検査では必ずしも全例で描出できるわけではない．また，血液検査だけで胆石性膵炎を診断できるわけではない（CS）[1]．
　血液検査で黄疸や肝胆道系酵素値の上昇があり，胆石性急性膵炎の疑いが強いにもかかわらず，超音波検査で総胆管結石を描出できない場合には，超音波検査を繰り返し行うか，あるいは，より感度・特異度の高い

MRCP，EUS を行う必要がある．内視鏡的乳頭処置を前提として，ERCP を行う場合もある．

1）病歴・家族歴の聴取

飲酒歴，胆石症・脂質異常症などの既往，ERCP・内視鏡的乳頭処置・手術・薬剤投与など，膵炎発症に関与する検査・処置の有無などをチェックする必要がある．

2）血液検査

ビリルビン，トランスアミナーゼ（ALT，AST），およびアルカリホスファターゼ（ALP）値は，胆石性急性膵炎かどうかを鑑別するために，全例で測定すべきである（CPG）[2]．血中中性脂肪値が 1,000 mg/dL を超えていると，脂質異常症が成因である可能性が高く，高カルシウム血症を伴う場合には，上皮小体機能亢進症が成因である可能性がある（CPG）[2]．また，血中 carbohydrate-deficient transferrin（CDT）濃度と血中トリプシン活性はアルコール性急性膵炎で上昇するため，アルコール性急性膵炎と非アルコール性急性膵炎の鑑別診断に有用である（OS）[3]．

血中 ALT が 150 IU/L 以上であるか（感度 48〜93％，特異度 34〜96％，陽性尤度比 1.4〜12.0，陰性尤度比 1.8〜4.9）（OS, MA）[4, 5]，あるいは，血液検査で，ビリルビン，ALP，γGTP，ALT，ALT/AST 比の 5 項目のうち，3 項目以上に異常がある場合には（感度 85％，特異度 69％，陽性尤度比 2.7，陰性尤度比 4.6）（OS）[6]，胆石性膵炎である可能性が高い．超音波検査と血液検査を組み合わせると，感度 95〜98％，特異度 100％，陽性尤度比 ∞，陰性尤度比 20.0〜50.0 で胆石性急性膵炎との成因診断が可能である（CPG, OS）[2, 6, 7]．

血中トリプシノーゲン 1 は胆石性急性膵炎に特異的に上昇するため，血中トリプシン-2-α1 アンチトリプシン複合体とトリプシノーゲン 1 の比が，胆石性急性膵炎の成因診断に有用との報告がある（OS）[8]．

3）超音波検査

前述のように，超音波検査と血液生化学検査を組み合わせると，ほとんどの場合に（感度 95〜98％，特異度 100％，陽性尤度比 ∞，陰性尤度比 20.0〜50.0），胆石性急性膵炎との成因診断が可能である（OS）[6, 7]．

なお，超音波検査における総胆管結石の描出率は 20〜90％ と報告により差があり，超音波検査で胆道結石や胆管拡張が認められなくても胆石性膵炎を否定することはできないため（OS, CS）[9, 10, 11]，初回検査で胆道結石を描出しない場合でも，胆石性膵炎を疑う場合には超音波検査を繰り返し行うか，あるいは MRCP を施行する必要がある．

基本的初期治療を開始するとともに，まず，超音波検査を行う．超音波検査は，胆道結石，総胆管拡張など，急性膵炎の成因に関連する異常所見の描出に有用である．

4）CT

胆道結石は CT では描出されない場合も多く（感度 40〜53％），CT は胆石性急性膵炎の診断には適してはいない（OS）[6, 11]．

成因が明らかではない場合には，膵癌や膵管内乳頭粘液性腫瘍が急性膵炎の原因である可能性もあるので，CT を施行する必要がある．慢性膵炎の急性増悪や外傷性膵炎の場合も CT 所見は有用である．

5）MRI/MRCP

MRI/MRCP は，総胆管結石の他，膵・胆管合流異常，膵管癒合不全などを描出し，急性膵炎の成因診断に有用である（OS, CS）[4, 12, 13]．MRCP-セクレチンテスト（セクレチン静注により膵外分泌を刺激する前後で，主膵管径，膵液の十二指腸への排出などを比較する）は，乳頭括約筋の機能不全の診断が可能で（OS）[14]，特

発性膵炎を繰り返す場合の成因診断に有用といわれているが，現在，日本ではセクレチンが販売されていないため，行うことができない。

総胆管結石描出の感度は，超音波検査，CT ではそれぞれ 20％，40％であるのに対して，MRI/MRCP では 80％であり，内視鏡的乳頭処置（ERCP/EST）の適応決定法として MRI/MRCP を勧める意見がある（CPG）[15]。ERCP と比して，乳頭部の操作を必要としないので，急性膵炎の病状を増悪させる危険性がなく非侵襲的であることから，比較的早期にも撮像が可能である。

■引用文献

1) van Santvoort HC, Bakker OJ, Besselink MG, et al; Dutch pancreatitis study group. Prediction of common bile duct stones in the earliest stages of acute biliary pancreatitis. Endoscopy 2011; 43: 8-13.（CS）
2) Pezzilli R, Uomo G, Zerbi A, et al; Italian Association for the Study of the Pancreas Study Group. Diagnosis and treatment of acute pancreatitis: the position statement of the Italian Association for the study of the pancreas. Dig Liver Dis 2008; 40: 803-808.（CPG）
3) Aparicio JR, Viedma JA, Aparisi L, et al. Usefulness of carbohydrate-deficient transferrin and trypsin activity in the diagnosis of acute alcoholic pancreatitis. Am J Gastroenterol 2001; 96: 1777-1781.（OS）
4) Liu CL, Fan ST, Lo CM, et al. Clinico-biochemical prediction of biliary cause of acute pancreatitis in the era ofendoscopic ultrasonography. Aliment Pharmacol Ther 2005; 22: 423-431.（OS）
5) Tenner S, Dubner H, Steinberg W. Predicting gallstone pancreatitis with laboratory parameters: a meta-analysis. Am J Gastroenterol 1994; 89: 1863-1866.（MA）
6) Wang SS, Lin XZ, Tsai YT, et al. Clinical significance of ultrasonography, computed tomography, and biochemical tests in the rapid diagnosis of gallstone-related pancreatitis: a prospective study. Pancreas 1988; 3: 153-158.（OS）
7) Ammori BJ, Boreham B, Lewis P, et al. The biochemical detection of biliary etiology of acute pancreatitis on admission: a revisit in the modern era of biliary imaging. Pancreas 2003; 26: e32-e35.（OS）
8) Andersén JM, Hedström J, Kemppainen E, et al. The ratio of trypsin-2-α1- antitrypsin to trypsinogen-1 discriminates biliary and alcohol-induced acute pancreatitis. Clin Chem 2001; 47: 231-236.（OS）
9) Liu CL, Lo CM, Chan JK, et al. Detection of choledocholithiasis by EUS in acute pancreatitis: a prospective evaluation in 100 consecutive patients. Gastrointest Endosc 2001; 54: 325-330.（OS）
10) Fogel EL, Sherman S. Acute biliary pancreatitis: when should the endoscopist intervene? Gastroenterology 2003; 125: 229-235.（CS）
11) Moon JH, Cho YD, Cha SW, et al. The detection of bile duct stones in suspected biliary pancreatitis: comparison of MRCP, ERCP, and intraductal US. Am J Gastroenterol 2005; 100: 1051-1057.（OS）
12) Hirohashi S, Hirohashi R, Uchida H, et al. Pancreatitis: evaluation with MR cholangiopancreatography in children. Radiology 1997; 203: 411-415.（CS）
13) Lomas DJ, Bearcroft PW, Gimson AE. MR cholangiopancreatography: prospective comparison of a breath-hold 2D projection technique with diagnostic ERCP. Eur Radiol 1999; 9: 1411-1417.（OS）
14) Testoni PA, Mariani A, Curioni S, et al. MRCP-secretin test-guided management of idiopathic recurrent pancreatitis: long-term outcomes. Gastrointest Endosc 2008; 67: 1028-1034.（OS）
15) United Kingdom guidelines for the management of acute pancreatitis. British Society of Gastroenterology. Gut 1998; 42（Suppl 2）: S1-S13.（CPG）

CQ4 胆石性膵炎の診断に際し，EUS は ERCP，MRCP に比較して有用か？

[推 奨]
EUS は小胆石の検出率にも優れ，胆石性膵炎の成因診断を行ううえで，診断的 ERCP よりも合併症が少ない点で，有用である。

（弱い推奨，エビデンスの確実性：低）
▶投票結果：行うことを提案する-12/12 名：100％

EUS と MRCP を比較した場合，結石の検出率と治療的 ERCP への移行率は同等であり，いずれを選択してもよい。

（エビデンスの確実性：低）

■解説

6) EUS

EUSは，超音波検査に比して，総胆管結石の描出能が優れている（OS）[1,2,3]。胆道結石の他にも，慢性膵炎，膵癌，膵管内乳頭粘液性腫瘍，膵・胆管合流異常，膵管癒合不全などの診断ができ，急性膵炎の成因診断に有用である（OS）[4,5]。

超音波検査で成因が明らかではない場合，EUSの施行により59〜78％の症例に総胆管結石が描出される（OS）[2,4,5]。胆道結石の精査法としては，ERCPとEUSの2つがgold standardとされているが，ERCPでは胆道造影ができないことがある（14％）のに対して，EUSは全例で胆道精査が可能であったというRCTがある（RCT）[6]。また，急性膵炎発作時に行うERCPは炎症をさらに悪化させる可能性もある。胆石性が疑われる急性膵炎において，胆石・総胆管結石の存在診断に対してEUSを行うか，診断的ERCPを行うかを比較した場合，致死率，合併症発生率，在院日数，集中治療の必要率に関して，統計学的有意差はなかったものの，合併症発生率は，EUS群で7.1％，ERCP群で14.3％とEUS群の方が低かった（RCT）[6]。よって，診断的ERCPに比して，EUSの方が安全に胆石を検出できると考えられる。軽症〜中等症の急性膵炎において胆石・総胆管結石の検出率はEUSとMRCPとでは，変わらない（RCT）[7]。

ただし，患者の状況，診療施設における検査機器の整備・実施体制，対応する医師の技術については，一様ではないため，患者の検査に対する身体的負担などの諸条件を勘案して適切な検査が行われることが望まれる。

7) ERCP

急性膵炎の診断そのものに対して，（診断的）ERCPは不要である。ERCPは，急性膵炎の成因診断としての膵管，胆道系精査のために，あるいは，胆石性膵炎の内視鏡的治療（ERCP/EST）を前提として行われる。急性膵炎発作時に行うERCPは炎症をさらに悪化させる可能性もあるため，その適応は限定すべきである。

ERCPが急性膵炎の成因となる場合には，一般的にERCP後膵炎と呼ばれる。診断目的のERCPでは約0.74〜5.1％，治療目的のERCPでは約1.4〜6.9％に急性膵炎が起きるといわれている（OS）[8]。2016年の本邦での全国調査における急性膵炎の成因において，ERCPによるものは2.7〜2.9％であった（OS）[9]。

British Society of Gastroenterologyのガイドラインでは，黄疸，肝障害，総胆管拡張を認め総胆管結石の存在が強く疑われる場合や，急性膵炎発作を繰り返す場合（待機的）にERCPの施行を勧めている（CS）[10]。膵炎発作を繰り返す場合には，解剖学的異常〔膵・胆管合流異常，膵管癒合不全，副膵管閉塞，long common channel（CS）[10]など〕，腫瘍の合併，他の検査では描出不能な総胆管結石などが存在する可能性があり（CS）[11]，これらの成因鑑別検査としての膵管，胆道系精査のために，待機的にERCPを施行する。重症化が予想される胆石性膵炎での早期ERCPは致命率の低下には有意に影響しないものの，急性膵炎の合併症低下には有意に影響する（MA）[12]。

8) 遺伝子検査

カチオニックトリプシノーゲン（遺伝子名は*protease, serine type 1*；*PRSS1*），膵分泌性トリプシンインヒビター（遺伝子名は*serine protease inhibitor Kazal type 1*；*SPINK1*）などの遺伝子異常で，急性膵炎を発症する，あるいは急性膵炎を発症しやすくなる場合がある。これらの遺伝子検査は，ルーチン検査としては勧められない。しかし，若年発症の場合や家族内に集積性のある場合には，遺伝性膵炎が指定難病ならびに小児慢性特定疾病であることも踏まえ，成因診断として行う意味がある（CPG）[13]（OS）[14]。ただし，限られた一部の施設でしか検査できない。また，遺伝子異常の検査であるので，倫理的な側面にも留意する必要がある。

日本の現状では，遺伝性膵炎の遺伝子検査はごく限られた施設で主として研究目的に行われているのみであ

る。以下に施設名と窓口を記す。

■ 東北大学病院消化器内科：正宗　淳（教授）e-mail: hisyo@gastroente.med.tohoku.ac.jp

9）その他

　急性膵炎の成因として，頻度は不明であるがウイルス感染症もあり，SARS-CoV-2 によって発症したのではないかと思われる急性膵炎も報告されている（CS）[15, 16]。

■引用文献

1) Liu CL, Lo CM, Chan JK, et al. Detection of choledocholithiasis by EUS in acute pancreatitis: a prospective evaluation in 100 consecutive patients. Gastrointest Endosc 2001; 54: 325-330.（OS）
2) Chak A, Hawes RH, Cooper GS, et al. Prospective assessment of the utility of EUS in the evaluation of gallstone pancreatitis. Gastrointest Endosc 1999; 49: 599-604.（OS）
3) Liu CL, Lo CM, Chan JF, et al. EUS for detection of occult cholelithiasis in patients with idiopathic pancreatitis. Gastrointest Endosc 2000; 51: 28-32.（OS）
4) Norton SA, Alderson D. Endoscopic ultrasonography in the evaluation of idiopathic acute pancreatitis. Br J Surg 2000; 87: 1650-1655.（OS）
5) Frossard JL, Sosa-Valencia L, Amouyal G, et al. Usefulness of endoscopic ultrasonography in patients with "idiopathic" acute pancreatitis. Am J Med 2000; 109: 196-200.（OS）
6) Liu CL, Fan ST, Lo CM, et al. Comparison of early endoscopic ultrasonography and endoscopic retrograde cholangiopancreatography in the management of acute biliary pancreatitis: a prospective randomized study. Clin Gastroenterol Hepatol 2005; 3: 1238-1244.（RCT）
7) Alper E, Akay S, Buyraç Z, et al. Endosonography and magnetic resonance cholangiopancreatography show similar efficacy in selecting patients for ERCP in mild-moderate acute biliary pancreatitis. Turk J Gastroenterol 2012; 23: 580-584.（RCT）
8) Kahaleh M, Freeman M. Prevention and management of post-endoscopic retrograde cholangiopancreatography complications. Clin Endosc 2012; 45: 305-312.（OS）
9) Masamune A, Kikuta K, Hamada S, et al; Collaborators. Nationwide epidemiological survey of autoimmune pancreatitis in Japan in 2016. J Gastroenterol 2020; 55: 462-470.（OS）
10) Kamisawa T, Tu Y, Nakajima H, et al. Acute pancreatitis and a long common channel. Abdom Imaging 2007; 32: 365-369.（CS）
11) Kamisawa T, Egawa N, Matsumoto G, et al. Pancreatographic findings in idiopathic acute pancreatitis. J Hepatobiliary Pancreat Surg 2005; 12: 99-102.（CS）
12) Moretti A, Papi C, Aratari A, et al. Is early endoscopic retrograde cholangiopancreatography useful in the management of acute biliary pancreatitis? A meta-analysis of randomized controlled trials. Dig Liver Dis 2008; 40: 379-385.（MA）
13) Ellis I, Lerch MM, Whitcomb DC; Consensus Committees of the European Registry of Hereditary Pancreatic Diseases, Midwest Multi-Center Pancreatic Study Group, International Association of Pancreatology. Genetic testing for hereditary pancreatitis: guidelines for indications, counselling, consent and privacy issues. Pancreatology 2001; 1: 405-415.（CPG）
14) Jalaly NY, Moran RA, Fargahi F, et al. An evaluation of factors associated with pathogenic PRSS1, SPINK1, CTFR, and/or CTRC genetic variants in patients with idiopathic pancreatitis. Am J Gastroenterol 2017; 112: 1320-1329.（OS）
15) Hadi A, Werge MP, Kristiansen KT, et al. Coronavirus Disease-19（COVID-19）associated with severe acute pancreatitis: case report on three family members. Pancreatology 2020; 20: 665-667.（CS）
16) Aloysius MM, Thatti A, Gupta A, et al. COVID-19 presenting as acute pancreatitis. Pancreatology 2020; 20: 1026-1027.（CS）

〈原因〉

急性膵炎の原因は男性ではアルコールが多く，女性では胆石によるものが多いです。

図1　2016年の本邦での全国調査における男女別の成因の割合

〈胆石性膵炎〉

　胆石が流れ落ちてきて，膵管の出口を塞ぐと膵液の流れが悪くなり急性膵炎が起こります。胆石が原因になっているときは，石の除去により急性膵炎が改善する可能性があり，超音波検査やCT，MRI，内視鏡を用いての検査が行われます。超音波検査では胆石の有無はわかりやすいのですが，膵臓全体を評価することが難しい場合があります。そのような場合にはCT，もしくはMRIを行います（CTとMRIに関しては次のやさしい解説を参照してください）。また，胆石が原因で急性膵炎になり，黄疸が出現したり，胆管にも炎症が及んだ場合には，内視鏡で治療を行うこともあります。

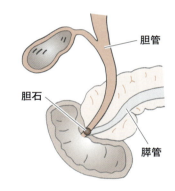

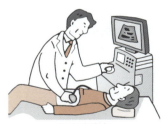

超音波検査

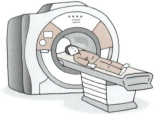

CT，MRI検査

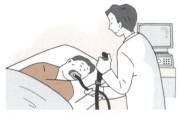

内視鏡検査

CQ5　急性膵炎の成因診断に MRI は有用か？

[推　奨]

急性膵炎の成因検索において MRI は総胆管結石や膵管破格の評価に有用である。

（弱い推奨，エビデンスの確実性：低）

▶投票結果：行うことを推奨する-1/13 名：8%，行うことを提案する-12/13 名：92%

■解　説

　急性膵炎の成因は多岐にわたるが総胆管結石もその要因として重要である。MRI/MRCP では膵実質の評価に加え，胆管/膵管の全体像を非侵襲的に評価可能であり，特に総胆管結石の描出において有用であり，ERCP と同等の感度が報告されている（CS）[1〜3]。また再発性膵炎のリスクとなる膵管破格の評価も可能であるため（CS）[4,5]，臨床所見や超音波，CT で原因のはっきりしない膵炎や，胆管拡張を有するものの CT で石灰化結石のはっきりしない急性膵炎の成因検索には MRI を施行する（p.53, 54, 画像 6, 7）。この際，小さな総胆管結石の見逃しを防止するために MRCP の MIP 画像のみでなく，thin slice の元画像や脂肪抑制 T1 強調像，T2 強調像の横断像を併せて評価する必要がある。ただ MRI は検査時間が 20 分間以上かかり，約 5 分程度で終わる CT に比較して長く，検査室に金属類の持ち込みができないため，集中治療を要するような重症患者への MRI の適応については慎重に判断する必要がある。また MRI の画質は撮像機器や患者の状態（体動など）により大きく影響を受けるため，可能な限り 1.5 T 以上（3T 機器が望ましい）の撮像機器で撮像することが望ましい。また CT と異なり，MRCP などでは撮像後放射線技師による画像処理が必要であることや検査時間をなるべく短くするため，必要なシーケンスのみで撮像することが重要であるため，MRI に精通した放射線技師，放射線科医が協力して検査，診断にあたることが重要である。

■引用文献

1) Lomas DJ, Bearcroft PW, Gimson AE. MR cholangiopancreatography: prospective comparison of a breath-hold 2D projection technique with diagnostic ERCP. Eur Radiol 1999; 9: 1411-1417. (CS)
2) Hallal AH, Amortegui JD, Jeroukhimov IM, et al. Magnetic resonance cholangiopancreatography accurately detects common bile duct stones in resolving gallstone pancreatitis. J Am Coll Surg 2005; 200 (6): 869-875. (CS)
3) Makary MA, Duncan MD, Harmon JW, et al. The role of magnetic resonance cholangiography in the management of patients with gallstone pancreatitis. Ann Surg 2005; 241 (1): 119-124. (CS)
4) Hirohashi S, Hirohashi R, Uchida H, et al. Pancreatitis: evaluation with MR cholangiopancreatography in children. Radiology 1997; 203: 411-415. (CS)
5) Hayashi TY, Gonoi W, Yoshikawa T, et al. Ansa pancreatica as a predisposing factor for recurrent acute pancreatitis. World J Gastroenterol 2016; 22: 8940-8948. (CS)

〈膵炎の原因は？〉

　急性膵炎の原因は様々ですがその原因の一つに総胆管結石があります。総胆管は胆汁という消化液を十二指腸に運ぶための管ですが十二指腸に入る直前で膵液を運ぶ膵管と近接して走行します。このため，この総胆管に結石（多くは胆嚢にあった胆石が総胆管に移動したもの）が詰まると膵液の流れも邪魔してしまい，膵炎を起こすことがあります。その他，膵液を十二指腸に運ぶ膵管そのものに異常があるため，膵液が上手く流れずに膵炎を起こす場合もあります。

〈なぜ MRI を撮像するの？　CT だけでは足りないの？〉

　総胆管結石は CT で検出できることもありますが，なかには CT では描出できない（結石を構成して

いる成分によります）ものがあり，CT だけだと見逃されてしまう可能性があります。MRI では結石の種類によらず，描出できることが知られており，CT では総胆管結石がはっきりしないが総胆管結石による急性膵炎が疑われる場合には，MRI を追加することで総胆管結石を発見し，治療につなげることが可能になります。また，稀ですが膵液を十二指腸に運ぶ膵管に異常があり，膵炎を引き起こすことがあります。こういった異常は CT で発見することが難しいことが多いのですが，MRCP 検査（MRI 検査の撮像法の一種で膵臓の病気で MRI を撮像する際にはほとんどの場合一緒に撮像します）では膵管や上で述べた総胆管の全体像を撮像することが可能であり，この検査によって膵管の異常を描出できることが期待できます。

〈MRI の注意点や問題点は？〉

CQ5 では急性膵炎において MRI が有用である点について書いてきました。これだけをみると"最初から CT ではなく MRI をやればいいのではないか"，"MRI は CT よりも優れた検査ということか"と思われる方もおられるかもしれません。急性膵炎の患者さんに MRI 検査を行うことで有用な情報が得られることは事実ですが，同時に短所や問題点，注意点があります。

まず，MRI 検査は CT 検査よりも検査時間が長い，検査機器が少ない（国内では CT は約 14,000 台，MRI は約 6,500 台といわれています）といったデメリットがあります。CT は検査時間が約 5 分間程度であるのに対して MRI 検査は 20 分以上かかります。この検査中に患者さんの状態が急変したりした場合にすぐに気付いたり，対応できない危険性があるのです。

MRI では検査室に高磁場が発生するため，ペースメーカーの入っている患者さんや入れ墨，骨折などで MRI 非対応の金属が体内にある方などでは検査自体ができない場合もある他，検査機器自体が狭いことや検査中にガンガンと音がなるため（イヤホンや耳栓をしていただいて緩和します），CT に比較して検査自体にストレスを感じられる方や閉所恐怖症のため，検査自体を拒否される方もおられます。最近ではペースメーカーの入っている患者さんでも受けることのできる MRI 機器や圧迫感を感じないような工夫のされた機器も開発されていますがまだ十分に普及していません。

MRI は撮像する機器によって得られる画像の画質が異なります。画質を決める要素はいくつかあるのですがその一つが磁場の強さです。これは T（テスラ）という単位で表されますが一般的には 1.5T や 3.0T という強さのものが使用されます。最近では 3.0T の機器も普及が進みましたがまだ病院によっては十分な磁場強度を有していない機器が使用されていることもあり，得られる画質が十分でない場合もあるのです。また CT は検査時間が短く，膵臓のある腹部のみでなく，骨盤部や胸部も同時に撮像することが可能です（例えば急性膵炎の患者さんが発熱した場合に"肺炎を合併していないかどうか"も一度に調べることができます）が MRI は一度に撮像出来る範囲は膵臓とその周囲に限られます。

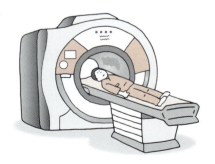

MRI 検査に限ったことではありませんがどんな検査にも利点と問題点があるため，各患者さんの状態に合わせて，常に"メリットとデメリット"のバランスを考えながら各検査の適応を判断することが重要なのです。

〈第Ⅳ章：急性膵炎の診断　画像〉

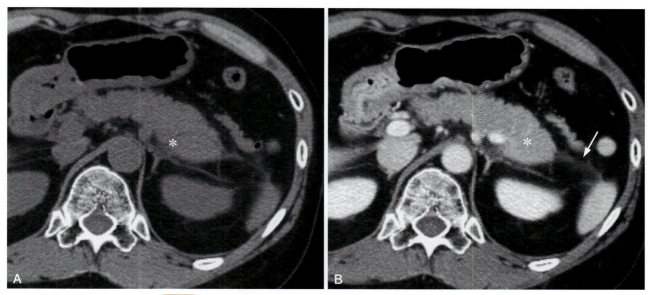

画像1　間質性浮腫性膵炎（interstitial edematous pancreatitis）

膵尾部が腫大（＊）している（A）。造影CT（B）では均一に造影されており，浮腫性膵炎と考えられる。膵腫大部周囲の脂肪織の濃度が上昇しており（矢印），膵周囲に炎症の波及があることがわかる。

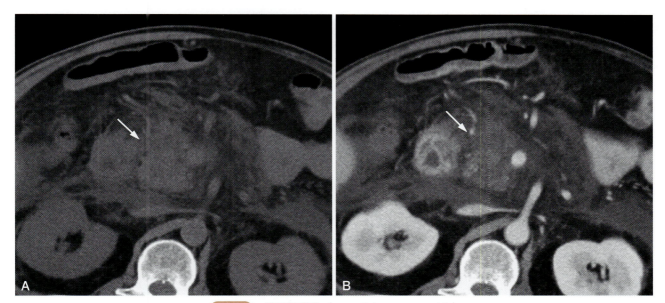

画像2　壊死性膵炎（necrotizing pancreatitis）

単純CT（A）では膵頭部の腫大（矢印）を認める。造影ダイナミックCT動脈相（B）では腫大した膵頭部は造影効果を認めず（矢印），膵壊死を強く疑うことができる。膵壊死は単純CTでは診断困難なことが多く，正確な膵壊死の評価には造影CTが必要である。

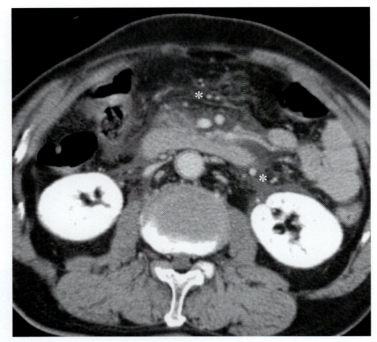

画像3 間質性浮腫性膵炎に伴う急性膵周囲液体貯留（acute peripancreatic fluid collection；APFC）
前腎傍腔および横行結腸間膜に液体貯留（浸出液貯留）（＊）を認める。

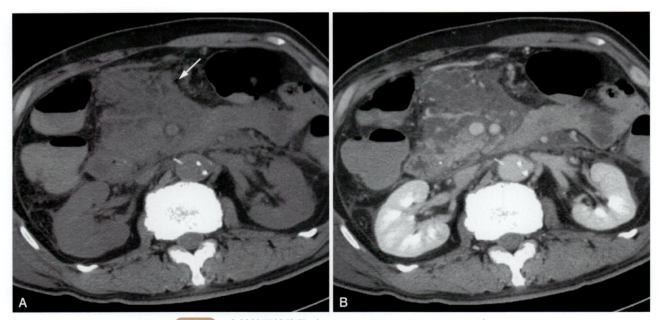

画像4 急性壊死性貯留（acute necrotic collection；ANC）
単純CT（A）では膵頭部前方の横行結腸間膜にやや濃度の高い液体貯留（矢印）が広がっている。造影CT（B）では内部は不均一な造影効果を認める。脂肪壊死を伴う液体貯留である。

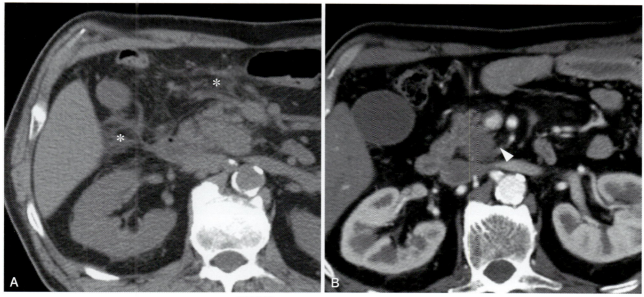

画像5　膵鉤部癌による急性膵炎

単純CT（A）では右前腎傍腔，横行結腸間膜に液体貯留（＊）を認める。6日後に施行されたダイナミックCT（B）では炎症は改善しているが，膵鉤部に乏血性の膵癌（矢頭）が発見された。単純CTのみでは原因となる膵癌が見逃される危険性が高い。

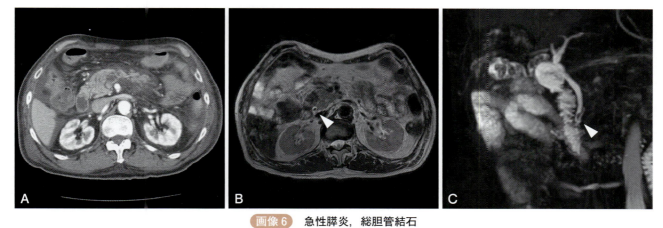

画像6　急性膵炎，総胆管結石

造影CT（A）では膵炎の所見は指摘できるが，総胆管結石は指摘困難。
MRIのT2強調像（B）およびMRCP（C）では低信号を呈する総胆管結石（矢頭）が明瞭に描出されている。

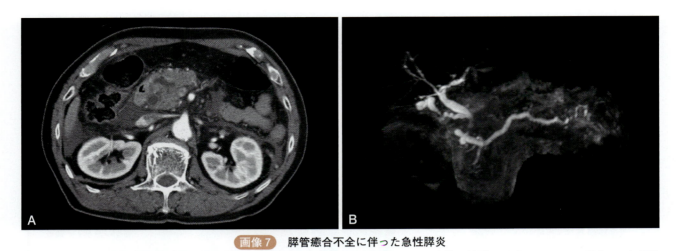

画像7　膵管癒合不全に伴った急性膵炎

造影CT（A）では膵の腫大，周囲液体貯留を認める。主膵管は拡張を認め，副膵管の拡張が目立つ。MRCP（B）では副膵管の径は主膵管の径より大きく（dominant dorsal duct sign），副膵管と主膵管との間に細い交通枝を認め，不完全型の膵管癒合不全（divisum）を疑う。

第V章
急性膵炎の重症度診断

1 厚生労働省急性膵炎重症度判定基準（2008）

表1 急性膵炎の重症度判定基準（厚労省難治性膵疾患に関する調査研究班 2008年）

A．予後因子（予後因子は各1点とする）
1. Base Excess≦−3 mEq/L，またはショック（収縮期血圧≦80 mmHg）
2. PaO_2≦60 mmHg（room air），または呼吸不全（人工呼吸管理が必要）
3. BUN≧40 mg/dL（or Cr≧2 mg/dL），または乏尿（輸液後も1日尿量が400 mL以下）
4. LDH≧基準値上限の2倍
5. 血小板数≦10万/mm³
6. 総Ca≦7.5 mg/dL
7. CRP≧15 mg/dL
8. SIRS診断基準＊における陽性項目数≧3
9. 年齢≧70歳

＊SIRS診断基準項目：(1) 体温＞38℃または＜36℃，(2) 脈拍＞90回/分，(3) 呼吸数＞20回/分または $PaCO_2$＜32 torr，(4) 白血球数＞12,000/mm³か＜4,000 mm³または10％幼若球出現

B．造影CT Grade

①炎症の膵外進展度

前腎傍腔	0点
結腸間膜根部	1点
腎下極以遠	2点

①＋② 合計スコア

1点以下	Grade 1
2点	Grade 2
3点以上	Grade 3

②膵の造影不良域
膵を便宜的に3つの区域（膵頭部，膵体部，膵尾部）に分け判定する。

各区域に限局している場合，または膵の周辺のみの場合	0点
2つの区域にかかる場合	1点
2つの区域全体を占める，またはそれ以上の場合	2点

重症の判定
①予後因子が3点以上，または ②造影CT Grade 2以上の場合は重症とする。

（文献1より引用）

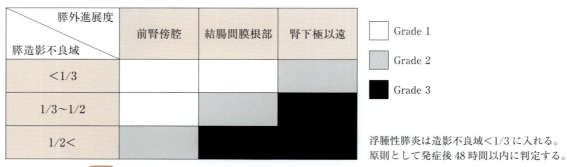

図1 造影CTによるCT Grade分類（予後因子と独立した重症度判定項目）

浮腫性膵炎は造影不良域＜1/3に入れる。
原則として発症後48時間以内に判定する。

■引用文献

1) 武田和憲, 大槻 眞, 須賀俊博, 他. 急性膵炎重症度判定基準最終改訂案の検証. 厚生労働省科学研究費補助金難治性疾患克服研究事業難治性膵疾患に関する調査研究. 平成19年度 総括・分担研究報告書 2008; 29-33. (OS)

2 重症度判定の有用性

BQ8 急性膵炎症例に対して重症度判定は有用か？

軽症例と比較して, いまだ致命率が高い重症例を早期に診断し, 適切に対処するために重症度判定を行うことは有用であり使用する。

■解　説

　急性膵炎は, 数日の入院治療で軽快する軽症例から, 死亡リスクの高い持続する臓器不全や重症感染症を併発する重症例まで, さまざまな臨床像を呈する可能性のある疾患である。そのため, 患者の重症度を適切に判定し, 重症度に応じた管理や治療を選択することが重要である。また, 重篤な状態あるいは重篤な状態になることが予想される患者を対応可能な施設へ搬送するための基準として重症度判定が用いられる。

　日本では厚生労働省難治性膵疾患調査研究班が作成した重症度判定基準がよく用いられている。予後因子スコア（3点以上で重症）と造影 CT Grade（Grade 2以上で重症）からなり, どちらを用いても判定できる（OS）[1]。2016年の症例を用いた全国調査では表1のように, 造影 CT Grade のみ重症であった症例の致命率は2.1%であったが, 予後因子スコアのみ重症と診断された症例の致命率は9.0%, ともに重症と判定された症例は19.1%といまだ高い致命率を呈していたことが報告されている（OS）[2]。また, 同調査では予後因子スコアが上昇するにつれて致命率も上昇することが報告され, 死亡予測における予後因子スコアの AUC は0.86と良好であったことも報告されている（OS）（図1）[2]。

　このように, 重症度判定は有益性が高く, 経済的負担などを含め害が少ない。急性膵炎診療上, 重症度判定は必須である。

表1　重症要因別にみた致命率

		予後因子スコア		計
		軽症	重症	
造影 CT Grade	軽症	0.5% (11/2,288)	9.0% (17/188)	1.1% (28/2,476)
	重症	2.1% (9/429)	19.1% (17/89)	5.0% (26/518)
	計	0.7% (20/2,717)	12.3% (34/277)	

（文献2から引用改変）

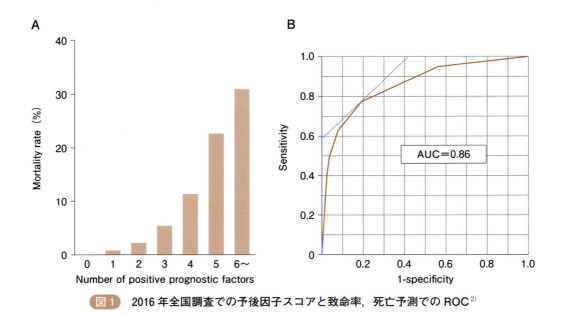

図1 2016年全国調査での予後因子スコアと致命率，死亡予測でのROC[2]

■引用文献

1) 武田和憲, 大槻 眞, 須賀俊博, 他. 急性膵炎重症度判定基準最終改訂案の検証. 厚生労働省科学研究費補助金難治性疾患克服研究事業難治性膵疾患に関する調査研究. 平成19年度 総括・分担研究報告書 2008; 29-33.（OS）

2) Masamune A, Kikuta K, Hamada S, et al; Japan Pancreas Society. Clinical practice of acute pancreatitis in Japan: An analysis of nationwide epidemiological survey in 2016. Pancreatology 2020; 20: 629-636.（OS）

〈急性膵炎の診療で重症度判定は極めて重要です！〉

急性膵炎は，数日の入院治療で回復する「軽症」から，集中的な治療を行っても死亡する危険性のある「重症」まで，具合の悪さの程度が患者さんによって異なる病気です。このため，急性膵炎を治療する時には，患者さんの病状が軽症なのか重症なのかを見極めることがとても重要で，このことを重症度判定と呼びます。重症度判定がなぜ重要かというと，「重症」では必要な検査や治療が「軽症」とは異なることや，場合によっては重症患者を診療できる施設への転送を考慮する必要があるからです。患者さんの病状に合わせ適切に診療するためには重症度判定が極めて重要です。

3 重症度判定のタイミング

CQ6 どのタイミングで重症度判定を行うことが有用か？

[推　奨]
入院時（入院中の場合は診断時），24時間以内，24〜48時間に厚生労働省重症度判定基準を用いて重症度判定を行うことを推奨する。

（強い推奨，エビデンスの確実性：低）

▶投票結果：<u>行うことを推奨する-11/13名：85%</u>，行うことを提案する-2/13名：15%

入院時に軽症と判定されても，後に重症化する例があり，繰り返し重症度判定を行う．

■解　説

厚労省難治性膵疾患調査研究班が作成した重症度判定基準は，予後因子スコア（3点以上で重症と診断）と造影CT Grade（Grade 2以上で重症と診断）からなり，どちらを用いても判定できる．予後因子スコアは造影CT Gradeと比較し，すべての症例で実施可能で，かつ繰り返し実施することに適する．

急性膵炎診療ガイドライン作成ワーキンググループで入院時の予後因子スコアの診断精度解析（diagnostic test accuracy review）を，死亡をアウトカムとした7つの観察研究（OS）[1〜7]を用いて行った（n=24,243）（図1）．予後因子スコアで重症と判定（3点以上）した場合の死亡予測の診断精度は，感度0.62（95%CI：0.58〜0.65），特異度0.90（95%CI：0.89〜0.90）で，予後因子スコアによる死亡予測の精度は，**感度が比較的低いものの，特異度が高い**という特徴が示された．

Prognostic score 3

Study	TP	FP	FN	TN	Sensitivity (95% CI)	Specificity (95% CI)
Hamada S 2016	29	123	26	1812	0.53 [0.39, 0.66]	0.94 [0.92, 0.95]
Hamada T 2013	240	1498	216	15748	0.53 [0.48, 0.57]	0.91 [0.91, 0.92]
Ikeura T 2017	127	506	23	503	0.85 [0.78, 0.90]	0.50 [0.47, 0.53]
Masamune A 2020	34	237	20	2703	0.63 [0.49, 0.76]	0.92 [0.91, 0.93]
Shirai S 2010	2	9	3	90	0.40 [0.05, 0.85]	0.91 [0.83, 0.96]
Takeda K 2008	4	17	0	135	1.00 [0.40, 1.00]	0.89 [0.83, 0.93]
Ueda T 2009	37	56	3	42	0.93 [0.80, 0.98]	0.43 [0.33, 0.53]

CT Grade 2

Study	TP	FP	FN	TN	Sensitivity (95% CI)	Specificity (95% CI)
Hamada S 2016	32	344	13	1229	0.71 [0.56, 0.84]	0.78 [0.76, 0.80]
Hamada T 2013	200	3555	256	13691	0.44 [0.39, 0.49]	0.79 [0.79, 0.80]
Masamune A 2020	26	492	28	2448	0.48 [0.34, 0.62]	0.83 [0.82, 0.85]
Takeda K 2008	4	23	0	115	1.00 [0.40, 1.00]	0.83 [0.76, 0.89]

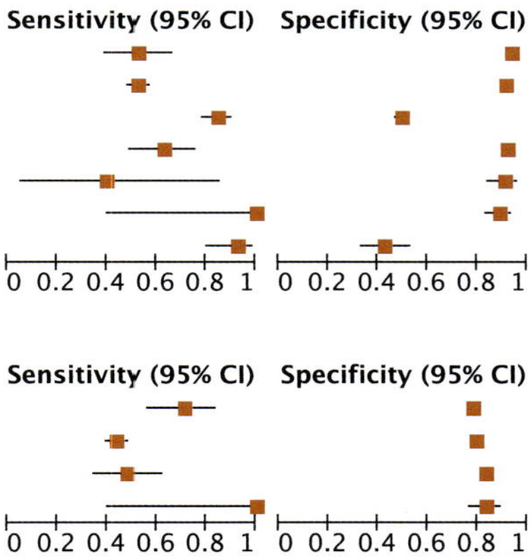

図1 入院時の予後因子スコア，造影CT Gradeの診断精度解析でのForest plots
（メタ解析のやさしい解説は第1章の10ページまたはそのQRコードからご覧ください）

同様に，ワーキンググループで入院時の造影CT Gradeの診断精度解析を，死亡をアウトカムとした4つの観察研究（OS）[1,4,5,7]を用いて行ったところ，ROC曲線は予後因子スコアと類似した特徴を示した（**参考資料1**）．造影CT Gradeについては，論文数が少なくさらなる検討が必要である．

このように，厚生労働省重症度判定基準の予後因子スコアと造影CT Gradeは共に感度が比較的低いが，特異度が高いという特徴がある．したがって，入院時（入院中に発症した場合は急性膵炎の診断時）に重症と判定された場合には病状が重篤となり致命的経過を辿る可能性があると認識することができ，診療方針決定にお

いて有用である。一方，感度が低いため入院時に軽症と判定されても，その後重症化する患者がいることに留意が必要である。

　Mounzerらは厚生労働省重症度判定基準の予後因子スコアを含むさまざまな重症度スコアによる診断精度を，持続する臓器不全発症をアウトカムとして比較し報告した（OS）[8]。彼らは，2つのコホート，training cohort（n＝256）とvalidation cohort（n＝397）を用いて，入院時と48時間後の重症度判定を行った。その結果，入院時における予後因子スコアの診断精度は，training cohortで感度0.59，特異度0.92，AUC 0.76，validation cohortで感度0.42，特異度0.89，AUC 0.66であった。それに対し，48時間後ではtraining cohortで感度0.78，特異度0.90，AUC 0.84，validation cohortで感度0.65，特異度0.92，AUC 0.79であり，入院時と比較して48時間後に重症度判定の精度が上昇したことが示された。さらに，予後因子スコアとAPACHE Ⅱ，Ranson，BISAP，SIRSなど他のスコアリングシステムを比較した結果，48時間後の診断精度は予後因子スコアが最も高かったと報告している（OS）[8]。

　急性膵炎は診断後できるだけ早く，重症例をトリアージする目的で重症度判定を行う。しかし，**予後因子スコアと造影CT Gradeのどちらを用いても入院時は感度が低い**という特徴があるため，入院時に軽症と判定されたとしても，その後重症化する可能性がある。予後因子スコアはバイタルサインや採血項目などにより評価できるため，低侵襲であり繰り返し実施することが可能である。経時的に繰り返し予後因子スコアによる重症度判定を行うことで，入院後に重症化する患者に可及的速やかに対処することが可能となる。したがって，**予後因子スコアによる重症度判定は少なくとも診断時，翌日，さらにその翌日までは繰り返し実施することを推奨する。必要と思われればより頻繁に，さらに48時間後に増悪している例ではそれ以降も実施する**。

▶第Ⅴ章-CQ6の参考資料1は右のQRコードからご覧いただけます。

参考資料1　入院時の予後因子スコア，造影CT Gradeの診断精度解析でのROC曲線

■引用文献

1) 武田和憲，大槻眞，須賀俊博，他．急性膵炎重症度判定基準最終改訂案の検証．厚生労働省科学研究費補助金難治性疾患克服研究事業難治性膵疾患に関する調査研究．平成19年度総括・分担研究報告書 2008; 29-33.（OS）
2) Ueda T, Takeyama Y, Yasuda T, et al. Utility of the new Japanese severity score and indications for special therapies in acute pancreatitis. J Gastroenterol 2009; 44: 453-459.（OS）
3) 白井聖一，酒匂赤人，朝山直樹，他．新しい急性膵炎重症度判定基準の有用性と問題点―単一施設における後ろ向き検討．日消誌 2010; 107: 48-60.（OS）
4) Hamada T, Yasunaga H, Nakai Y, et al. Japanese severity score for acute pancreatitis well predicts in-hospital mortality: a nationwide survey of 17,901 cases. J Gastroenterol 2013; 48: 1384-1391.（OS）
5) Hamada S, Masamune A, Shimosegawa T. Management of acute pancreatitis in Japan: analysis of nationwide epidemiological survey. World J Gastroenterol 2016; 22: 6335-6344.（OS）
6) Ikeura T, Horibe M, Sanui M, et al. Validation of the efficacy of the prognostic factor score in the Japanese severity criteria for severe acute pancreatitis: a large multicenter study. United European Gastroenterol J 2017; 5: 389-397.（OS）
7) Masamune A, Kikuta K, Hamada S, et al; Japan Pancreas Society. Clinical practice of acute pancreatitis in Japan: An analysis of nationwide epidemiological survey in 2016. Pancreatology 2020; 20: 629-636.（OS）
8) Mounzer R, Langmead CJ, Wu BU, et al. Comparison of existing clinical scoring systems to predict persistent organ failure in patients with acute pancreatitis. Gastroenterology 2012; 142: 1476-1482.（OS）

〈重症度判定とは？〉

急性膵炎は患者さんにより病状が様々であり，数日の治療で治るような軽症ですむ場合だけでなく，病状が重く死亡する危険を伴う重症になってしまう場合もあります。急性膵炎では入院してから1〜2日のうちに病状が大きく変化することが時々あり，入院当初は軽症に見えても，その翌日や翌々日に重症になってしまう場合があります。「軽症」か「重症」かで，大きく致命率が異なりますので，できるだけ早く「軽症」なのか「重症」なのかを判定し，重症であれば，重症患者に対する適切な治療をすぐに始めることや，取り返しがつかないほど悪化する前に重症患者を治療できる施設へ転送することを考慮するなど，軽症とは異なる対応をすることが重要です。

〈日本の重症度判定基準〉

日本では急性膵炎患者の「軽症」「重症」を判定する基準として，厚生労働省難治性膵疾患研究班が作成した重症度判定基準を用いています。この判定基準は，諸外国で使用されている様々な基準に匹敵する精度であることが知られています。重症度判定基準は「予後因子スコア」と「造影CT Grade」という2つの基準から構成されており，どちらか一方でも定められた基準を満たせば重症と判定できます。

〈いつ判定するのが良いでしょうか？〉

しかし，いつ重症度判定を行うのがよいのか，例えば入院時に行うのがよいか？それとも翌日？または2日後に行うのがよいのか？という疑問が出てきます。前述のように急性膵炎は入院後に病状が大きく変化することがあり，入院時に重症の基準を満たさない患者さんでも，後に重症になることがあります。重症度判定基準の予後因子スコアは繰り返して行うことができますので，予後因子スコアを用いて，入院時だけでなく入院から少なくとも2日間は毎日重症度判定を繰り返し行い，入院後に重症化する患者さんも正しく判定しなければなりません。

4　重症度判定と血液・尿検査

CQ7　重症化予測に血中インターロイキン-6（IL-6）は有用か？

[推　奨]
血中IL-6は入院時の重症化予測に有用であり，測定することを提案する。

（弱い推奨，エビデンスの確実性：低）

▶投票結果：行うことを提案する-11/12名：92％，推奨なし-1/12名：8％

■解　説

入院時の重症化予測に血中インターロイキン-6（IL-6）値が有用であることが報告されている。

IL-6は組織が障害された際にマクロファージより放出される炎症性サイトカインの一つであり，急性膵炎の早期に重症度を反映するマーカーとしての有用性が報告されてきた。入院時の血中IL-6値による重症化予

測は Aoun らの7論文のメタ解析によると感度83.6%〔95%信頼区間（CI）：76.6〜88.8%〕，特異度75.6%（95%CI：69.5〜80.7%），Zhang らの9論文のメタ解析によると感度91%（95%CI：78〜97%），特異度79%（95%CI：72〜85%）と報告されている（OS）[1,2]。最近の van den Berg らのメタ解析によると，入院時のIL-6値（>50 pg/mL）による改訂アトランタ分類中等症または重症発症予測は感度87%（95%CI：69〜95%），特異度88%（95%CI：80〜93%）であった。これは，一般的に使用されることの多いCRP値（>150 mg/L）の感度53%（95%CI：35〜71%），特異度82%（95%CI：74〜88%）およびAPACHE IIスコア（≧8）の感度72%（95%CI：64〜79%），特異度76%（95%CI：67〜84%）と比較して高い。さらに，メタ解析によりIL-6とCRPを比較すると，感度はIL-6が有意に高かった（P＝0.03）が，特異度は有意差がなかった（P＝0.71）。また，IL-6とAPACHE IIを同様に比較した場合，感度・特異度の両者で有意差がなかった（OS）[3]。スコアリングが煩雑であるAPACHE IIと同等の感度・特異度であることから，IL-6は臨床的に使いやすい良いマーカーといえる。IL-6測定が2021年1月より全身性炎症反応症候群の重症度判定に有用として保険適用となり，臨床でも測定できるようになったが，現在では院内で測定できる施設は限られており，今後院内検査で測定できる施設が増えることが期待される。

予後因子スコアや造影CT Gradeとの診断精度の比較は報告されていないため，今後比較研究が行われることが期待される。IL-6は入院時の感度が低い傾向にある予後因子スコアや造影CT Gradeの欠点を補う可能性があり，そのような視点での有用性の検討も望まれる。

IL-6以外に，Hct（ヘマトクリット）値やBUN値は入院時の脱水の程度や，輸液療法の効果を判断する目的で用いることができる。海外で行われた急性膵炎患者1,612例の診療データベースの解析から，入院時のHct値≧44%および24時間後のBUN値の上昇は，持続する臓器不全発症とそれぞれ有意に相関した（OR＝3.54と5.84）。さらに，膵壊死形成ともそれぞれ有意に相関した（OR＝3.11と4.07）と報告されている（OS）[4]。また，観察研究のメタ解析によると入院時のHct値≧44%は感度63%（95%CI：55〜69%），特異度69%（95%CI：51〜83%）で膵壊死形成を予測でき，その精度はAPACHE IIと同等であるとされている（OS）[3]。入院時のプロカルシトニン値（>0.5 ng/mL）による中等症/重症を予測する診断精度は，感度75%（95%CI：50〜90%），特異度76%（95%CI：60〜86%）とIL-6と比較して低い（OS）[3]。しかし，プロカルシトニン値（>3.5 ng/mL）は壊死感染を最も良く予測する（感度90%，特異度89%）とも報告されている（OS）[5]。

■引用文献

1) Aoun E, Chen J, Reighard D, et al. Diagnosis accuracy of interleukin-6 and interleukin-8 in predicting severe acute pancreatitis: a meta-analysis. Pancreatology 2009; 9: 777-785.（OS）
2) Zhang J, Niu J, Yang J. Interleukin-6, interleukin-8 and interleukin-10 in estimating the severity of acute pancreatitis: an updated meta-analysis. Hepatogastroenterology 2014; 61: 215-220.（OS）
3) van den Berg FF, de Bruijn AC, van Santvoort HC, et al. Early laboratory biomarker for severity in acute pancreatitis; a systematic review and meta-analysis. Pancreatology 2020; 20: 1302-1311.（OS）
4) Koutroumpakis E, Wu BU, Bakker OJ, et al. Admission hematocrit and rise in blood urea nitrogen at 24 h outperform other laboratory markers in predicting persistent organ failure and pancreatic necrosis in acute pancreatitis: a post hoc analysis of three large prospective databases. Am J Gastroenterol 2015; 110: 1707-1716.（OS）
5) Yang CJ, Chen J, Phillips ARJ, et al. Predictors of severe and critical acute pancreatitis: a systematic review. Dig Liver Dis. 2014; 46: 446-451.（OS）

〈IL-6 とは？〉

インターロイキン-6（IL-6）は，炎症反応などのマーカーとして関節リウマチなどの疾患で用いられている血液検査項目です。以前は検査の外注が必要で結果が出るまで数日かかりました。しかし，最近では一般病院でも IL-6 を院内で測定できる施設が増えつつあり，そのような施設では採血当日に結果が出ます。

〈IL-6 は急性膵炎診療でどのように使われますか？〉

急性膵炎は入院時に軽症と判定されても，その後重症化する可能性がある疾患ですが，IL-6 は入院当日に，その後の重症化を予測する精度が，他の血液検査と比較して高い可能性が示されています。しかし，一般に使用されている厚生労働省重症度判定基準の診断精度との比較は報告されていませんので，今後検討されることが望まれます。

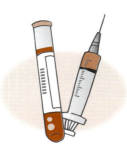

5 重症度スコアリングシステム

BQ9 重症度判定にスコアリングシステムは有用か？

厚生労働省重症度判定基準などのスコアリングシステムは急性膵炎の重症度判定や予後予測に有用であり用いる。

なお，用いるスコアリングシステムの特徴を理解して使用し，IL-6 等を補助的に用いることも有用かもしれない。

■解　説

急性膵炎の重症度を判定あるいは予測する基準は，日本で一般に用いられている厚生労働省重症度判定基準の他にも，さまざまなスコアリングシステムが用いられている。（SR）[1]。主なものとして，APACHE II スコア（OS）[2]，BISAP スコア（OS）[3]，Glasgow スコア（OS）[4〜6]，Ranson スコア（OS）[7]，SIRS スコア（OS）[8]が広く用いられているが，それらの感度，特異度について**参考資料1**に示す*。急性膵炎診療ガイドライン作成ワーキンググループで行った7つの観察研究データを用いた解析では，厚生労働省重症度判定基準の予後因子スコアを用いて重症（3点以上）と判定した場合，死亡をアウトカムとした診断の精度は感度62％，特異度90％であった（CQ6 参照）。APACHE II スコア，Ranson スコア，SIRS スコアは予後因子スコアと比較して感度が高いことが特徴となるが，特異度は低い。BISAP スコアと Glasgow スコアは予後因子スコアと類似し，感度と比較し特異度が高いという特徴がある。

Mounzer らは2つの異なるコホート（training cohort, n=256 と validation cohort, n=397）を用いて，入院時と48時間後における，これらのスコアリングシステムによる持続する臓器不全の発症予測精度を比較した（**表1**）。この検討においても**予後因子スコアは感度が比較的低く，特異度が高い**という特徴が明らかであるが，48時間後の診断精度は他のスコアリングシステムと比較して最も高かったと報告されている（OS）[9]。

このような予後因子スコアの特徴を考えた場合，入院時には他の感度の高いスコアリングシステム，または IL-6 などと組み合わせて評価することも考慮される。例えば IL-6（>50 pg/mL）は，入院時の重症化予測に

*APACHE II スコア，BISAP スコアなどの他の重症度判定基準は参考資料に掲載しています。

有用（感度87％，特異度88％）とされており（CQ7参照），予後因子スコアや造影CT Gradeと組み合わせて使用すると有用かもしれない（OS）[10]。

改訂アトランタ基準は，急性膵炎の重症度を診断する国際基準である（CPG）[11]。改訂アトランタ基準は，急性膵炎の最終的な重症度を決定するための基準として作成されており，厚生労働省重症度判定基準を含めた前述のスコアリングシステムと異なり，発症早期に患者の重症度を予測し診療方針を決定する目的で使用する基準ではない。改訂アトランタ基準では，1つないし複数の臓器不全が48時間を超えて持続する場合を重症と定義している。Modified Marshallスコアは改訂アトランタ基準で臓器不全を診断するためのスコアリングシステムである（表2）。

表1 5つの主なスコアリングシステムと厚生労働省重症度判定基準予後因子スコアとの持続する臓器不全発症予測診断精度の比較

スコア	入院時			48時間後		
	Cut-off	感度	特異度	Cut-off	感度	特異度
APACHE II	7	0.84	0.71	7	0.83	0.71
		0.97	0.44		0.88	0.53
BISAP	2	0.61	0.84	2	0.72	0.83
		0.62	0.76		0.59	0.81
Glasgow	2	0.85	0.83	2	0.85	0.66
		0.65	0.82		0.46	0.88
Ranson	2	0.66	0.78	4	0.69	0.91
		0.46	0.80		0.27	0.95
SIRS	2	0.70	0.71	2	0.72	0.74
		0.69	0.58		0.69	0.71
厚労省基準予後因子スコア	2	0.59	0.92	2	0.78	0.90
		0.42	0.89		0.65	0.92

（文献9より引用，一部改変）

それぞれのスコアにつきtraining cohort（上段）とvalidation cohort（下段）の感度，特異度を表示。Ransonスコアは入院時と48時間後でcut-offが異なる。

表2 Modified Marshallスコア

	臓器不全スコア				
	0	1	2	3	4
呼吸不全（PaO$_2$/FiO$_2$）	>400	301〜400	201〜300	101〜200	≦101
腎不全＊（血清Cr：mg/dL）	<1.4	1.4〜1.8	1.9〜3.6	3.6〜4.9	>4.9
循環不全† （収縮期血圧mmHg）	>90	<90，輸液に反応	<90，輸液に反応しない	<90，pH<7.3	<90，pH<7.2

各臓器不全におけるスコアが2点以上の場合に，臓器不全ありと判定する。
＊：慢性腎不全がある患者でのスコアは，ベースラインの腎機能のさらなる悪化の程度に依存する。ベースラインの血清Cr≧1.4 mg/dLでは正式な補正値は存在しない。
†：カテコラミンなどの使用がない状況下で判断する。

（文献11より引用改変）

▶第V章-BQ9の参考資料1〜6は右のQRコードからご覧いただけます。

参考資料1	5つの主なスコアリングシステムにおける死亡予測診断精度の比較
参考資料2	APACHE II スコア[2]
参考資料3	BISAP スコア[3]
参考資料4	Glasgow スコア[4〜6]
参考資料5	Ranson スコア[7]
参考資料6	SIRS スコア[8]

■引用文献

1) Di MY, Liu H, Yang ZY, et al. Prediction models of mortality in acute pancreatitis in adults: a systematic review. Ann Intern Med 2016; 165: 482-490.（SR）
2) Knaus WA, Draper EA, Wagner DP, et al. APACHE II: A severity of disease classification system. Crit Care Med 1985; 13: 818-829.（OS）
3) Wu BU, Johannes RS, Sun X, et al. The early prediction of mortality in acute pancreatitis: a large population-based study. Gut 2008; 57: 1698-1703.（OS）
4) Imrie CW, Benjamin JS, Ferguson JC, et al. A single-center double-blind trial of Trasylol therapy in primary acute pancreatitis. Br J Surg 1978; 65: 337-341.（OS）
5) Osborne DH, Imrie CW, Carter DC. Biliary surgery in the same admission for gallstone-associated acute pancreatitis. Br J Surg 1981; 68: 758-761.（OS）
6) Blamey SL, Imrie CW, O'Neill J, et al. Prognostic factors in acute pancreatitis. Gut 1984; 25: 1340-1346.（OS）
7) Ranson JH, Rifkind KM, Roses DF, et al. Prognostic signs and the role of operative management in acute pancreatitis. Surg Gynecol Obstet 1974; 139: 69-81.（OS）
8) Bone RC, Balk RA, Cerra FB, et al. Definitions for sepsis and organ failure and guidelines for the use of innovative therapies in sepsis. The ACCP/SCCM Consensus Conference Committee. American College of Chest Physicians / Society of Critical Care Medicine. Chest 1992; 101: 1644-1655.（OS）
9) Mounzer R, Langmead CJ, Wu BU, et al. Comparison of existing clinical scoring systems to predict persistent organ failure in patients with acute pancreatitis. Gastroenterology 2012; 142: 1476-1482.（OS）
10) van den Berg FF, de Bruijn AC, van Santvoort HC, et al. Early laboratory biomarker for severity in acute pancreatitis; a systematic review and meta-analysis. Pancreatology 2020; 20: 1302-1311.（OS）
11) Banks PA, Bollen TL, Dervenis C, et al; Acute Pancreatitis Classification Working Group. Classification of acute pancreatitis – 2012: revision of the Atlanta classification and definitions by international consensus. Gut 2013; 62: 102-111.（CPG）

〈急性膵炎の重症度の判定にスコアリングシステムは有用です〉

急性膵炎を重症と判定する，または重症化を予測する指標として，厚生労働省重症度判定基準の予後因子スコアのように，いくつかの項目を組み合わせて点数化するスコアリングシステムが用いられています。世界的にはAPACHE II スコア，Ranson スコア，BISAP スコアなどがよく用いられていますが，厚生労働省重症度判定基準の予後因子スコアの精度はそれらに匹敵することが報告されています。

6　重症度判定と画像検査

BQ10　急性膵炎の重症度判定に造影 CT は有用か？

急性膵炎の重症度判定では壊死部（膵造影不良域）の検出，炎症波及域の評価において造影 CT を施行する。

（エビデンスの確実性：低）

ただし，造影に伴う膵炎や腎機能の増悪やアレルギー反応などの可能性に留意する必要がある。

■解　説

　急性膵炎の CT Grade による重症度評価は診断 48 時間以内に膵実質の壊死領域および炎症の波及範囲の組み合わせで行われるが（p.74～75，**画像 1～4**）〔**参考資料 1～12**（2015 年版参考画像）〕，膵実質の壊死領域の予測には造影剤急速静注後に数相を撮像する造影ダイナミック CT が有用である（CS）[1~4]。通常膵実質相画像（造影剤急速静注後 40 秒前後での撮像）で最も強く造影されるが，血流不全または壊死部では膵実質相の造影効果が低下する。特に膵実質相，静脈相（造影剤静注後 120 秒以降）ともに CT 値が 30～40 HU 以下である部位に関しては膵血流不全または壊死を強く疑うことになる。ただ発症初期には造影不良でもその後の血流改善に伴い壊死に陥らない部分もあるため，発症後 4～10 日後の再評価が必要な場合もある。近年では perfusion CT を用いた膵実質壊死の予測に関する論文も報告され，良好な感度（92.9％），特異度（85.9～95.3％）が報告されている（CS）[5]。

　さらに急性壊死性貯留（ANC）の範囲の評価は発症初期では急性膵周囲液体貯留（APFC）との鑑別は困難であるものの数日経過した脂肪壊死は出血などを混在し，単純 CT で淡い高吸収域を呈する他，造影 CT では病変内を走行する既存血管を描出できるため，APFC との鑑別に有用である（p.52，第Ⅳ章**画像 4**）。

　これらのことより急性膵炎においては造影 CT のメリットは大きいが急性膵炎患者においては脱水や腎機能低下をきたしている場合があり，造影 CT を施行する際の患者の全身状態を評価し，検査時期に関しては慎重に判断することが重要である。またヨードアレルギーの有無に関しても検査前に必ず確認しておく必要がある。

▶第Ⅴ章-BQ10 の参考資料 1～12 は右の QR コードからご覧いただけます。

参考資料 1	間質性浮腫性膵炎（CT Grade 1），白血病化学療法後（発症初日）
参考資料 2	間質性浮腫性膵炎（CT Grade 1）（発症 2 日後）
参考資料 3	間質性浮腫性膵炎（CT Grade 1）（発症 3 日後）
参考資料 4	急性膵炎再燃（CT Grade 1）（発症初日），高脂血症（カイロミクロン血症）
参考資料 5	重症急性膵炎（CT Grade 2）（発症初日）
参考資料 6	重症急性壊死性膵炎（CT Grade 2），胆石症（発症 3 日後）
参考資料 7	重症急性膵炎（CT Grade 3）（発症 3 日後）
参考資料 8	重症急性膵炎（CT Grade 3）（発症 3 日後）
参考資料 9	重症急性膵炎（CT Grade 3）（発症翌日）
参考資料 10	重症急性膵炎（CT Grade 2）（発症 3 日後）
参考資料 11	重症急性膵炎（CT Grade 3）（発症 7 日後）
参考資料 12	重症急性膵炎に伴う両側胸水

■引用文献

1) Kemppainen E, Sainio V, Haapiainen R, et al. Early localization of necrosis by contrast-enhanced computed tomography can predict outcome in severe acute pancreatitis. Br J Surg 1996; 83: 924-929. (CS)
2) Larvin M, Chalmers AG, McMahon MJ. Dynamic contrast enhanced computed tomography: A precise technique for identifying and localising pancreatic necrosis. BMJ 1990; 300: 1425-1428. (CS)
3) Bradley EL 3rd, Murphy F, Ferguson C. Prediction of pancreatic necrosis by dynamic pancreatography. Ann Surg 1989; 210: 495-503. (CS)
4) London NJ, Leese T, Lavelle JM, et al. Rapid-bolus contrast-enhanced dynamic computed tomography in acute pancreatitis: a prospective study. Br J Surg 1991; 78: 1452-1456. (CS)
5) Tsuji Y, Takahashi N, Isoda H, et al. Early diagnosis of pancreatic necrosis based on perfusion CT to predict the severity of acute pancreatitis. J Gastroenterology 2017; 52: 1130-1139. (CS)

急性膵炎では膵臓が浮腫（腫れぼったくなる）を起こすだけで治まる軽度のものから，膵臓自体が壊死（腐ってしまうこと）を生じたり，膵臓の周りの組織（主に脂肪組織）に炎症を起こし，広がっていくような重症なものまでさまざまです。当然適切な治療を行うためには"急性膵炎"の診断のみではなく，"どの程度重症なのか（重症度）"も評価することが重要です。ヨード造影剤を投与してCTを撮像する造影CTを用いることで膵臓の壊死してしまった部分と残っている膵臓を見分けることが可能になります（51ページの第IV章 **画像2**を参照してください）。また膵臓の周囲にも"しみ出した水分が溜まっているだけ"なのか実際に"膵臓の炎症が波及しているのか"を判断することができるため，患者さんに起こっている"急性膵炎"が"どの程度重症なのか"を客観的に把握し，適切な治療につなげることが出来るようになります。また急性膵炎は特に発症初期には数日で重症度が変化する場合があるため，数日単位で検査を繰り返し行い，膵炎の状態を経時的に評価することがあります。この造影CTは上記のように急性膵炎診療に有用な画像検査ですが，ヨードアレルギーの方や腎機能が高度に低下している患者さんには使用できないため，検査の適応に関しては患者さんごとに判断する必要があります。

BQ11 重症急性膵炎での造影CT実施率は？

日本では95％の患者で造影CTが施行されている。

（エビデンスの確実性：低）

■解 説

急性膵炎診療ガイドライン2015のPancreatitis Bundlesの項目5では，「初療後3時間以内に，造影CTを行い，膵造影不良域や病変の広がりなどを検討し，CT Gradeによる重症度判定を行う」としている（CPG）[1]。2016年の急性膵炎全国疫学調査[2]では，造影CTの実施率は急性膵炎症例全体の90.8％，うち重症例では95.0％で施行されていた（OS）。予後因子スコア軽症例のうち，10.5％の症例では造影CTが施行されていなかった。重症例のうち予後因子軽症，造影CT Grade重症であった症例（重症例の60.8％）の膵炎関連致命率は2.1％と，軽症例の0.5％に比べて高かった。一方，予後因子のみ重症であった症例（重症例の26.6％）の致命率は9.0％であったのに対して，予後因子，造影CT Gradeが共に重症であった症例（重症例の12.6％）の致命率は19.1％と，造影CTを行うことで最重症例が拾い上げられていた。

■引用文献

1) 高田忠敬編．膵炎診療ガイドライン2015［第4版］．金原出版，東京，2015．(CPG)
2) Masamune A, Kikuta K, Hamada S, et al; Japan Pancreas Society. Clinical practice of acute pancreatitis in Japan: An analysis of nationwide epidemiological survey in 2016. Pancreatology 2020; 20: 629-636. (OS)

BQ12 重症急性膵炎では，造影CTは診断後どれくらいの時間で撮影されているか？

2016年の全国調査では，重症急性膵炎の86％で初療後3時間以内に造影CTが施行されていた。

（エビデンスの確実性：低）

■解説

2016年の急性膵炎全国疫学調査[1]では，Pancreatitis Bundlesでの3時間以内の造影CT撮影は86.2％で実施されていた（OS）。実施例での致命率は5.3％と，非実施例の14.4％に比べて低かった。一方，造影CTの膵炎発症後施行時間が記載されていた重症急性膵炎562例のうち，発症後3時間以内に16.0％，6時間以内に36.5％，12時間以内に57.5％，24時間以内に75.8％の症例で造影CTが施行されていた。造影CTの施行時期が発症後3時間以前とそれ以降の致命率は，それぞれ5.6％と5.3％と，有意差を認めなかった。発症早期の造影CT施行による致命率改善の有用性については，さらなる検討が必要である。

■引用文献

1) Masamune A, Kikuta K, Hamada S, et al; Japan Pancreas Society. Clinical practice of acute pancreatitis in Japan: An analysis of nationwide epidemiological survey in 2016. Pancreatology 2020; 20: 629-636. (OS)

CQ8 急性膵炎における血管系合併症の診断に造影CTは有用か？

［推奨］
急性膵炎において生じ得る血管系合併症（仮性動脈瘤および門脈系血栓）の描出に造影CTは有用である。

（強い推奨，エビデンスの確実性：低）

▶投票結果：1回目：行うことを推奨する-7/13名：54％，行うことを提案する-6/13名：46％
　　　　　　2回目：行うことを推奨する-12/13名：92％，行うことを提案する-1/13名：8％

■解説

急性膵炎においては膵内および膵周囲動脈のみでなく，炎症波及の範囲によっては腸間膜および結腸間膜内の動脈に破綻を呈し，動脈性出血/仮性動脈瘤形成を生じることがあり，致命的になり得るため，早期の検出が必要となる。

持続性出血においては血腫内の造影剤の漏出を示すため(CS)[1]，造影CTでの評価が必要であることに加え，動脈相画像では動脈破綻後いったん出血の収まった状態（仮性動脈瘤）の検出にも有用である（p.76，画像5）。特に近年普及した多列検出器CT（Multi-detector row CT；MDCT）を用いた造影CTの急性膵炎における出血の同定能は，感度（94.7％），特異度（90％）と共に高いことが報告されている(CS)[2]。また仮性動脈瘤に対しては血管造影（Interventional Radiology；IR）によるコイル塞栓が有用であるが術前に破綻血管の部位，周囲解剖を把握しておくことが術前のプランニングとして有用である。

急性膵炎の静脈系の合併症としては上腸間膜静脈や脾静脈，門脈血栓形成が知られている(CS)[3]。これらの合併症に関しても造影CTで血管造影（DSA）と同等の検出能が報告されており(CS)[4]，こういった静脈

系合併症に対しても低侵襲で評価可能である（p.76，画像6）。

これらのことより，急性膵炎の経過中に腹痛や貧血進行，肝障害などが生じ，血管系合併症が疑われる際にはアレルギーの有無や腎機能への影響を考慮し，適応判断を慎重に行ったうえで造影 CT にて評価することが有用と考えられる。

■引用文献

1) Mortelé KJ, Mergo PJ, Taylor HM, et al. Peripancreatic vascular abnormalities complicating acute pancreatitis: contrast-enhanced helical CT findings. Eur J Radiol 2004; 52: 67-72.（CS）
2) Hyare H, Desigan S, Nicholl H, et al. Multi-section CT angiography compared with digital subtraction angiography in diagnosing major arterial hemorrhage in inflammatory pancreatic disease. Eur J Radiol 2006; 59: 295-300.（CS）
3) Gonzelez HJ, Sahay SJ, Samadi B, et al. Splanchnic vein thrombosis in severe acute pancreatitis: a 2-year, single-institution experience. HPB (Oxford) 2011; 13: 860-864.（CS）
4) Jiang W, Zhou J, Ke L, et al. Splanchnic vein thrombosis in necrotizing acute pancreatitis: Detection by computed tomographic venography. World J Gastroenterol 2014; 20: 16698-166701.（CS）

〈急性膵炎では経過中に出血を起こすことがある〉

　急性膵炎では炎症が周囲に波及することにより，膵臓の周囲の血管に合併症を起こすことが知られています。特に膵臓の周囲の動脈が炎症によって破れてしまった場合，大量出血につながり，命に関わる事態が生じます。症状として痛みや貧血，血圧の低下などが起こりますが，こういった症状が生じた場合には動脈が破れて出血していないかどうかを速やかに把握しなければなりません。つまり，実際に動脈が破れているのか，破れているとしたらどの部位の血管でどの程度の勢いで出血している（どんどん出ているのか一旦止まっているのかなど）のかを早く判断し，治療する必要があります。この出血の所見はヨード造影剤を投与したあとに撮像する造影 CT で鋭敏に捉えることが出来る他，どの程度の勢いで出ているのかも推測することが可能です。

〈出血が起こった場合どうするか？〉

　こういった出血がみられる場合にはカテーテルと呼ばれる細い管を出血部位の近くまで挿入して塞栓物質（ゼラチン細片や金属コイルなど）を用いて止血を行います。この場合も術前に造影 CT の画像で出血している血管や周囲の状態を把握しておくことで治療の計画を立てやすく，治療を円滑に進める手助けになります（76 ページの画像 5 を参照してください）。

〈急性膵炎では出血以外に血栓を生じる場合もある〉

　膵炎では逆に肝臓に血液を送る門脈という大事な血管に血栓（血の塊）を作って肝臓に向かう血液を減少させてしまうことが知られています。この場合には上記と逆に血栓を溶かす治療が必要になることがあります。この門脈の血栓は初期には無症状のことがありますが，進行すると肝機能障害や腸管のうっ血を起こすことがあります。造影 CT を行うことで早期に発見することが可能になり，門脈血栓の診断にも役に立ちます。このように造影 CT を行うことで膵臓周囲の血管の合併症の早期発見，診断が可能になりますが，造影 CT はヨードを用いた造影剤を使用するため，ヨードアレルギーの方には検査ができません。また腎臓の機能を低下させるリスクもあるため，腎機能が低下している患者さんに使用する際には慎重に適応を判断して行います。

CQ9 CTで液体貯留がみられた急性膵炎患者において被包化壊死（WON）と仮性嚢胞（PPC）の鑑別にMRIは有用か？

[推　奨]
WONとPPCの鑑別においてMRIでの形状および内部性状の評価が有用である。

（弱い推奨，エビデンスの確実性：非常に低）
▶投票結果：行うことを提案する-13/13名：100%

■解　説

　急性膵炎に伴う脂肪壊死（急性壊死性貯留：ANC）は4週間が経過すると壁を伴い被包化壊死（WON）を形成する。これは浮腫性膵炎によって生じる膵周囲液体貯留（AFC）および仮性嚢胞（PPC）との鑑別を要する（p.77～79，画像7～12）。

　PPCは基本的には膵周囲に生じ，境界は明瞭である。内部は比較的均一な水濃度を呈し，MRIでは均一なT1強調像低信号，T2強調像高信号を呈する（p.77，画像7）。これに対してWONは内部に脂肪壊死後の壊死物質や出血を混ずることが多く，内部は不均一にT1強調像で高信号を呈することがある（CS）[1]。またT2強調像でも不均一に高低信号が混在する（p.77, 78，画像8, 9）。

　これらの内容物の不均一さは病変によって差があり，濃度分解能に優れるMRIがCTに比較して優位である（CS）[2]。またWONはPPCに比較して辺縁が分葉形態を示すなどいびつであり，壁も厚いことが多く，膵周囲のみでなく，腸間膜や傍結腸溝にも進展する（CS）[3]。さらにPPCやWONにおいて内容物の感染の有無が重要であるが，感染を生じた場合には内部拡散低下が生じることが知られており，感染の検出にはMRIの拡散強調像が有用である（p.78，画像10）（CS）[4]。これらのことより急性膵炎患者においてCTなど他の画像モダリティーでfluid貯留がみられる場合には，MRIを追加することでより有益な情報が得られるが，MRIには検査時間などデメリットもあり（CQ5解説文参照），特に集中治療を要するような重症患者への適応に関しては慎重に判断する必要がある。またMRIはCTと異なり，さまざまなシークエンスでの撮像が行われ，撮像機器により画質も異なることがあるため，MRIに精通した放射線技師が検査にあたることや，得られた全ての画像の所見を正確に読影できる放射線科医が診断にあたることが重要となる。

■引用文献

1) Martin DR, Karabulut N, Yang M, et al. High signal peripancreatic fat on fat-suppressed spoiled gradient echo imaging in acute pancreatitis: Preliminary evaluation of the prognostic significance. J Magn Reson Imaging 2003; 18: 49-58.（CS）
2) Morgan DE, Baron TH, Smith JK, et al. Pancreatic fluid collections prior to intervention: evaluation with MR imaging compared with CT and US. Radiology 1997; 203: 773-778.（CS）
3) Takahashi N, Papachristou GI, Schmit GD, et al. CT findings of walled-off pancreatic necrosis（WOPN）: differentiation from pseudocyst and prediction of outcome after endoscopic therapy. Eur Radiol 2008; 18: 2522-2529.（CS）
4) Islim F, Salik AE, Bayramoglu S, et al. Non-invasive detection of infection in acute pancreatic and acute necrotic collections with diffusion-weighted magnetic resonance imaging: Areliminary findings. Abdom Imaging 2014; 39: 472-481.（CS）

やさしい解説

急性膵炎では経過中に膵臓の周囲に液体が溜まることがあります。この液体の溜まりには主に炎症に伴ってしみ出した液体成分が溜まってできる貯留嚢胞と，膵炎の際に膵臓および膵臓周囲の脂肪組織などが壊死（炎症や虚血で腐ってしまうこと）を起こし，液状化したものが溜まった被包化壊死があります。

前者は内容物が比較的水に近いような液体なのに対して後者は壊死したものや出血などが混ざってドロドロとした内容物になります。この2つを画像検査で見分けることがその後の治療に大切です。

CT 検査が行われることが多いのですが，MRI では溜まった液体の内容物（水に近い成分，脂肪が壊死した成分，出血成分など）をより正確に画像に映し出せるため，両者を正確に見分ける助けになります（77，78 ページの画像7, 9 を参照してください）。

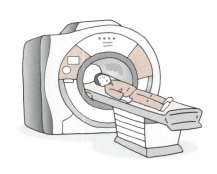

またこの液体の溜まりのなかに感染を起こすことがあります（膿の溜まり＝膿瘍という状態になります）が，感染を起こしているかどうかも MRI を使うとより正確に見分ける助けになります。ここまでみると最初から CT ではなく MRI をすればいいと思われるかもしれませんが，MRI は検査時間などデメリット（CQ5 の項目を参照してください）もあり，その適応に関しては患者さんごとに的確に見極めていく必要があります。

7　転送基準・地域連携

BQ13　転送を考慮する急性膵炎とその転送先は？

発症時に重症度判定基準で重症と判定され，自施設で重症例に対応できない場合や，経過中の重症化や感染合併などにより自施設で対応困難な状況になった場合には，対応可能な施設への転送を行う。

■解　説

急性膵炎は重症度によって大きく予後が異なり，軽症では基本的モニタリングと輸液を含めた初期治療のみで軽快するが，重症例では ICU 管理下で全身モニタリングを行い，起こりうる臓器不全に対応しなければならない。したがって重症と判定されれば ICU 管理が必須であり，自施設に ICU がなければ対応可能な施設への転送を手配する。また，発症後3日間は重症化の可能性があるため，重症度判定を反復する必要があり，経過中に重症化した場合にも速やかに転送を考慮する。さらに，経過中に病態の変化から，内視鏡的胆道ドレナージや感染性 WON に対する内視鏡治療，出血に対する IVR，CHDF（持続的血液濾過透析），外科的治療などが必要となり，自施設での対応が困難な場合にも，それらが可能な施設への転送を手配する。

"重症急性膵炎に対応可能な施設" とは？

ICU 管理，出血に対する IVR，CHDF，胆石症に対する内視鏡治療および合併症に対する外科的治療が可能で，NST（栄養サポートチーム），ICT（感染対策チーム）などを有する医療施設である。

急性膵炎診療における高次医療施設とは，このような重症急性膵炎の救命に必要な全身管理と特殊療法を複

合して提供可能な施設を指す。厚生労働省重症度判定基準で重症と判定された場合には，上述したICU管理，IVR，CHDF，胆石症に対する内視鏡治療，外科的治療，NSTなどの重症急性膵炎に対応可能な施設へ転送を考慮する。したがって，各地域の医療圏における中核病院は可能な限り，重症急性膵炎に対応できる医療環境を整備することが望まれるが，現状では地域の医療現場では必ずしもこれらすべての条件を満たした施設が常に受け入れ可能なわけではなく，転送先決定に時間を要して，治療の時機を逸することのないように留意する。

急性膵炎と診断されれば入院のうえで，重症かどうかを決められた基準により判定します。重症と判定されれば，集中治療室（ICU）で厳重な管理を連続して行う必要があり，その施設に集中治療室の設備がなければ，近くで対応できる施設に転院することになります。
また，軽症であっても重症に変化した場合や，経過中に内視鏡を用いた治療や外科的治療などが必要となりそれがその施設ではできないような場合には，施行可能な施設への転院が必要です。

FRQ1　急性膵炎の治療成績向上に地域連携ネットワーク構築は有用か？

急性膵炎の治療成績向上には，地域連携ネットワークを構築することが望ましい。

■解　説

前述した重症急性膵炎での成績向上に地域連携ネットワークを構築することが望まれる件で，患者の状況に応じて必要な転送を遅滞なく行うためには，平時より周辺地域の医療機関が急性膵炎診療に関する連携ネットワークを構築し，個々の施設がどのような病態に対応可能かについての情報を共有しておくことが有用である。実際に急性膵炎診療に関する地域連携ネットワークを構築する試みが南大阪地域で行われており，その有用性が報告されている（CS）[1,2]。そこでは，地域内の急性膵炎診療に携わる医療機関が参加して，自施設ではどのような症例にいつ対応可能であるか，どのような治療が可能であるかを公開し，その情報をマップにして可視化し，ネットワーク内の急性膵炎診療に関わる医師のみならず，転送に関与する事務担当者や救急隊ともそれらの情報を共有している（図1）。さらに，定期的に報告会を持ち，その成果と問題点が協議され，地域連携ネットワーク構築により転送先の情報が共有されることで，転送がより円滑に行われるようになったと報告されている。今後，このような地域連携のネットワークを構築する試みが各地域の実状に合わせて行われ，急性膵炎の予後改善につながることが期待される。

■引用文献

1) 竹中　完，大本俊介，竹山宜典：急性膵炎およびその合併症治療の最前線　南大阪地域における急性膵炎地域連携モデル構築への取り組み．日消病誌 2020; 117: A624.（CS）

2) 大本俊介，竹中　完，工藤正俊，他．急性膵炎診療における地域連携モデルの構築．肝胆膵 2021; 82: 119-122.（CS）

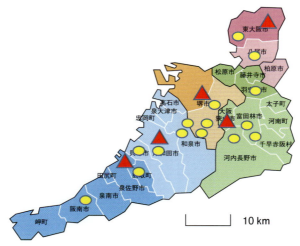

▲ 常に重症例にも対応可能
● 部分的（日勤帯のみ等）に重症例に対応可能

図1　急性膵炎診療地域連携マップの一例*

*実際の運用にあたっては地域で確認をしてください
https://www.med.kindai.ac.jp/files/about/kindai_carelink/carelink7_201902.pdf

> **やさしい解説**
>
> 　重症急性膵炎では最初に受診した医療機関から，必要に応じてより高度な医療を受けるために転院を手配することになりますが，円滑に転院できないこともあります。このような状況を改善させるために，近隣の医療機関が急性膵炎の診療についての情報交換のためのネットワークを作り，どの病院であればどのような治療が可能であるのかの情報と連絡先を，医師や事務職員，救急隊の間であらかじめ共有しておくことが円滑な転院のために役立つと考えられています。

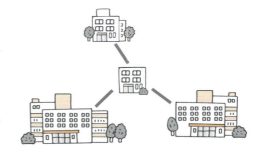

〈第Ⅴ章　急性膵炎の重症度判定　画像〉

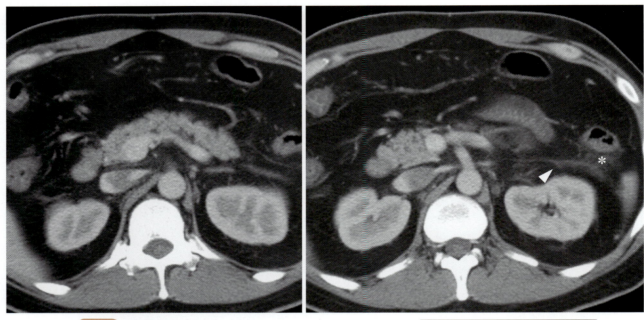

画像1　間質性浮腫性膵炎（造影CT Grade 1）

膵のサイズには個人差があるので，腫大が軽度の場合には異常と判断することは困難である。膵周囲の前腎傍腔の滲出液貯留による濃度上昇（＊）と左前腎筋膜（Gerota筋膜）の肥厚（矢頭）の所見から造影CT Grade 1の急性膵炎と診断可能である。

膵造影不良域＼膵外進展度	前腎傍腔	結腸間膜根部	腎下極以遠	
<1/3	★			□ Grade 1
1/3〜1/2				▨ Grade 2
1/2<				■ Grade 3

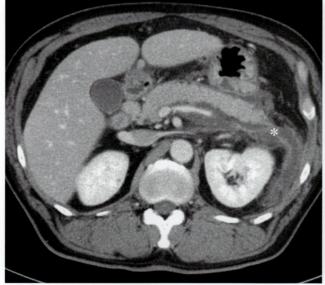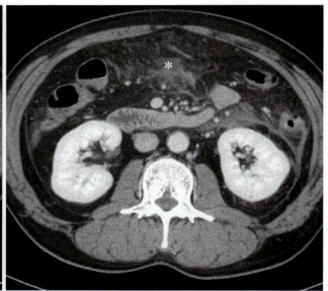

画像2　間質性浮腫性膵炎（造影CT Grade 1）

造影CTでは膵全体が軽度腫大しているが，明らかな造影不良域は認めない。左前腎傍腔と横行結腸間膜根部に液体貯留（＊）を認めることから，急性膵炎造影CT Grade 1と診断できる。

膵造影不良域＼膵外進展度	前腎傍腔	結腸間膜根部	腎下極以遠	
<1/3		★		□ Grade 1
1/3〜1/2				▨ Grade 2
1/2<				■ Grade 3

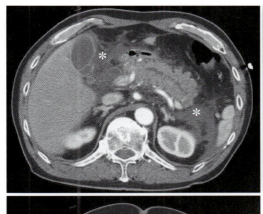
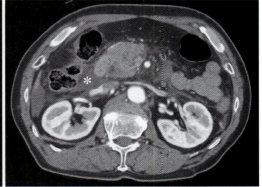

画像3 重症急性膵炎（造影CT Grade 2）

造影CTでは膵は軽度腫大しており，膵周囲の前腎傍腔に脂肪組織の炎症および液体貯留（＊）を認める。膵には明らかな壊死は認めないが，炎症が腎下極より以遠に達しており，造影CT Grade 2と診断した。

膵造影不良域 \ 膵外進展度	前腎傍腔	結腸間膜根部	腎下極以遠
<1/3			★
1/3〜1/2			
1/2<			

□ Grade 1　▨ Grade 2　■ Grade 3

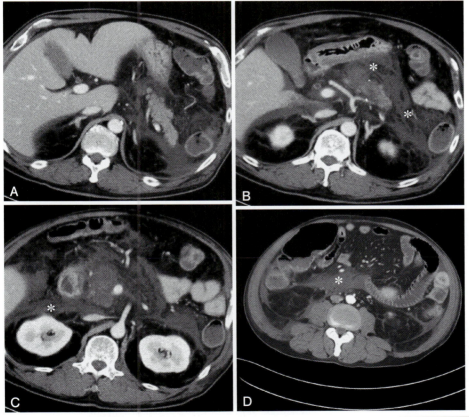

画像4 重症急性膵炎（造影CT Grade 3）

造影CT（A〜C）では膵頭部〜体部が腫大し，膵頭部と膵体部に造影不良域（1/3〜1/2の膵壊死）を認める（A, B）。また，脂肪組織の炎症および液体貯留（＊）が左右の前腎傍腔から腎下極より下方の傍結腸溝に及んでおり，造影CT Grade 3の重症膵炎と診断した。

膵造影不良域 \ 膵外進展度	前腎傍腔	結腸間膜根部	腎下極以遠
<1/3			
1/3〜1/2			★
1/2<			

□ Grade 1　▨ Grade 2　■ Grade 3

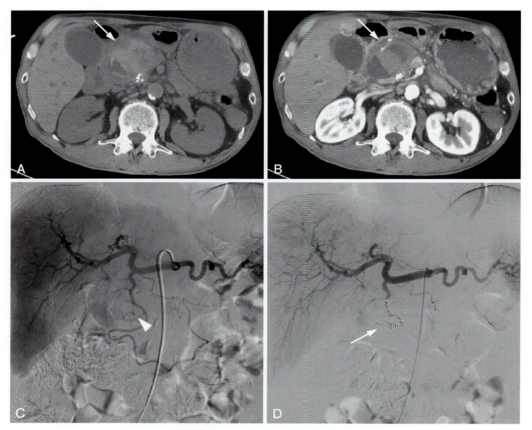

画像5　急性膵炎＋仮性囊胞内出血

単純CT（A）では膵体部に仮性囊胞（矢印）を認める。ダイナミックCT動脈相（B）では，仮性囊胞内に造影剤の漏出を認める（矢印）。腹腔動脈造影（C）では胃十二指腸動脈本幹から血管外漏出像1カ所と細い分枝に形成した仮性動脈瘤（矢頭）を認めた。マイクロコイル（D：矢印）で胃十二指腸動脈の塞栓術を施行し，止血に成功した。

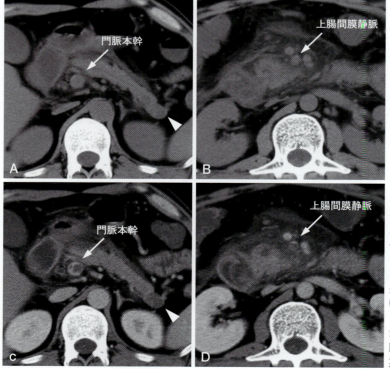

画像6　急性膵炎＋上腸間膜静脈～門脈血栓症

単純CT（A, B）では膵の腫大と膵周囲脂肪組織への炎症波及を認め，急性膵炎と診断できる。しかし，門脈血栓の有無は単純CTでは評価困難である。

造影ダイナミックCT門脈相（C, D）では門脈本幹から上腸間膜静脈の内腔に血栓を認め，静脈うっ血のために右結腸静脈が拡張しているのが分かる。

膵尾部には仮性囊胞（A, C：矢頭）を認める。早期に血栓溶解療法を施行し，門脈血栓は消失した。

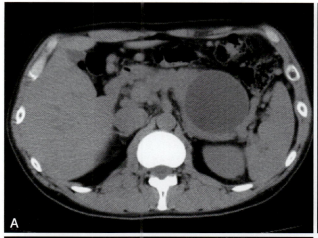
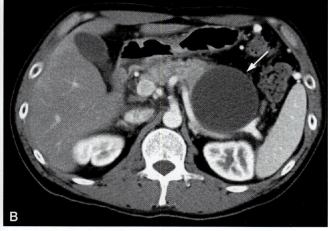
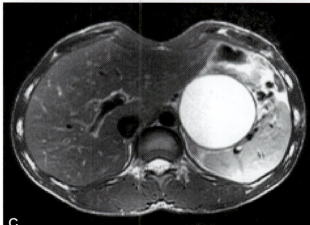

画像7 膵仮性囊胞（pancreatic pseudocyst；PPC）
A：単純CT, B：造影CT, C：MRI T2強調画像。
膵尾部に比較的薄い壁を有する卵円形の囊胞性腫瘤（矢印）を認める。囊胞の輪郭は鮮明であり，MRIのT2強調像（C）でも内部の液体は均一な漿液の信号（高信号）であることがわかる。

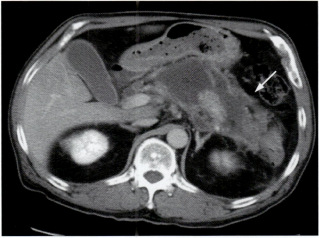
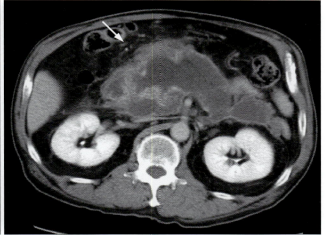

画像8 被包化壊死（walled-off necrosis；WON）
造影ダイナミックCTでは造影効果を示す被膜を有するいびつな形状の液体貯留（矢印）を認める。被包化壊死（WON）と診断できる。

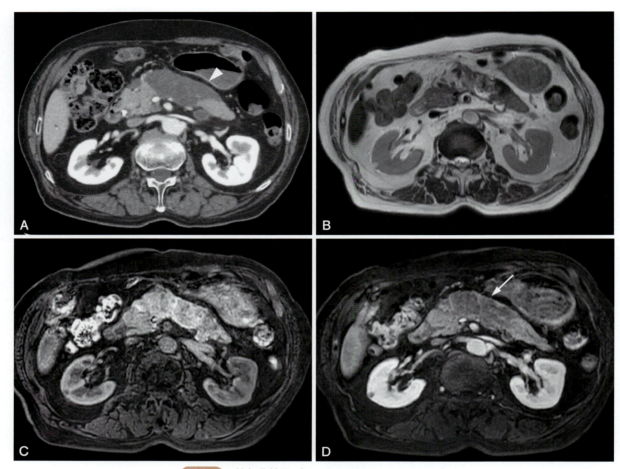

画像9　被包化壊死（walled-off necrosis；WON）

造影ダイナミックCT（A）では膵体尾部周囲に被包化壊死（WON）（矢頭）を認める。
WONはMRIのT2強調像（B）では高信号と低信号が混在し不均一であるが，脂肪抑制T1強調像（C）では著明な高信号を呈し，出血を伴っていることがわかる。造影ダイナミックMRI（D）ではWONの壁に造影効果（矢印）を認める。

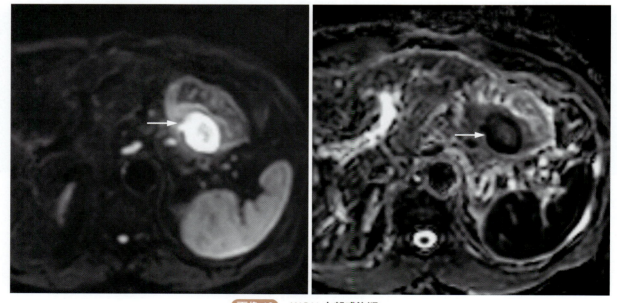

画像10　WON内部感染疑い

壁に近接して壁の厚いfluid貯留を認める（矢印）。内部は拡散強調像で高信号を呈し，ADCも低下している。

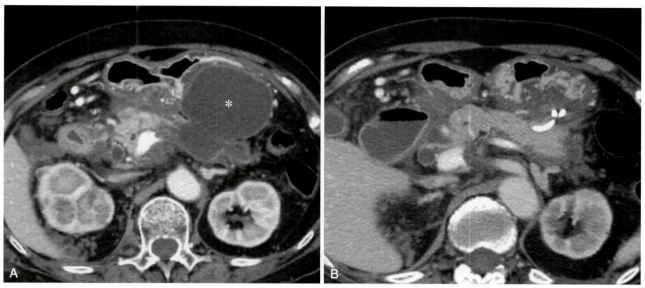

画像11 急性膵炎＋仮性囊胞，胃壁内進展
造影ダイナミックCTでは膵体部より胃壁内に突出する仮性囊胞（＊）を認める（A）。
仮性囊胞に対して経胃的ドレナージ術を施行し，仮性囊胞は消失した（B）。

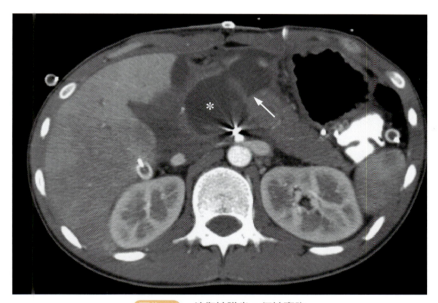

画像12 外傷性膵炎＋仮性囊胞
造影ダイナミックCTでは膵体部の膵の断裂（矢印）と仮性囊胞（＊）を認める。

第VI章
急性膵炎の治療

1　基本的治療方針

1) 急性膵炎を疑った場合には，診断基準に基づいて診断を行うとともに，病歴聴取，血液検査および画像診断により成因を検索する（p.31～54 参照）。

2) 急性膵炎と診断した場合は入院治療を行うが，入室（転送）前から呼吸・循環モニタリングと初期治療を速やかに開始する（p.84～115 参照）。
   * この場合のモニタリングとは意識状態・体温・脈拍数・血圧・尿量・呼吸数・酸素飽和度などのモニタリングである。
   * 急性膵炎に対する初期治療は，絶食による膵の安静（膵外分泌刺激の回避），十分な初期輸液，十分な除痛が基本となる。
   * 胆石性膵炎では指針に従い，診療を進める（p.116～126 参照）。

3) 予後因子スコアおよび CT（可能であれば造影）により重症度判定を行い，重症度に応じたモニタリング，治療を行う。初診時に軽症であっても後に重症化することがあり，経時的に予後因子スコアを計算して繰り返し重症度判定を行うことが重要である（p.55～79 参照）。
   * 予後因子スコア 2 点以下では，上記モニタリングを行い慎重に経過観察する。臨床症状が軽度で全身状態が安定している場合には，一般病棟での管理が可能であり，末梢静脈路を確保し十分に輸液を行う。しかし，予後因子スコア 2 点以下であっても臨床症状が強く持続する場合や全身状態が不安定な場合には，より厳重な呼吸・循環管理が可能な病棟で，十分な輸液を行いながら注意深く経過観察する必要がある。
   * 重症例では，造影 CT による重症度評価とともに厳重な呼吸・循環管理が必要であり，自施設で対応が困難な場合は重症急性膵炎患者に対応可能な施設への転送を考慮しなければならない。静脈路を確保し十分に輸液を行うとともに，意識状態・体温・脈拍数・血圧・尿量・呼吸数・酸素飽和度・循環血液量・酸塩基平衡・電解質などをモニタリングし，呼吸・循環の維持，酸塩基平衡・電解質バランスの補正に努める必要がある。重症例に対しては診断後 48 時間以内に経腸栄養を開始する。なお，予後因子スコア，造影 CT Grade ともに重症例は致命率 19.8% であり，集学的な治療が必要である。

4) 急性膵炎の病態は病期により異なり，急性期を過ぎた後であっても感染合併症への注意が必要である。
   * 造影 CT による膵局所合併症（急性壊死性貯留：acute necrotic collection；ANC や被包化壊死：walled-off necrosis；WON など）の評価を行う（p.134～139 参照）。
   * 局所合併症への感染を疑う場合には，インターベンション治療を考慮する。インターベンション治療はステップアップ・アプローチで行い，ドレナージは必要であれば発症から 4 週以内でも可能であるが，ネクロセクトミーは可能であれば発症から 4 週間以上経過し，壊死が完全に被包化され WON となってから行うことが望ましい。全身状態が安定している場合には，保存的治療を継続することもできる（p.140～166 参照）。

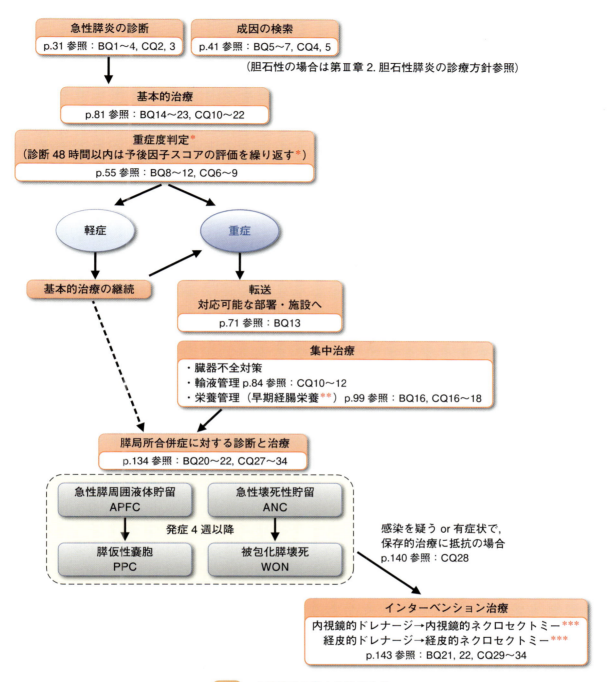

図1 急性膵炎の基本的診療方針

APFC；acute peripancreatic fluid collection, ANC；acute necrotic collection, PPC；pancreatic pseudocyst, WON；walled-off necrosis, ACS；abdominal compartment syndrome
* 診断時，診断後24時間以内，24〜48時間以内に判定を繰り返す
** 診断後48時間以内に開始する
***ネクロセクトミーは，できれば発症4週間以降まで待機し，壊死巣が十分に被包化されたWONの時期に行うことが望ましい。（ただし，ドレナージは必要な際には発症4週間待つ必要はない）

2 輸　液

CQ10 急性膵炎の初期治療として積極的輸液療法は推奨されるか？

[推　奨]
急性膵炎初期には脱水・循環不全を伴うため，急性膵炎の初期治療として積極的輸液療法を実施することを提案する。ただし，過剰輸液とならないようモニタリングを行い，特に高齢者・心不全患者・腎不全患者では精度の高い綿密なモニタリングを行うことが必要である。

（弱い推奨，エビデンスの確実性：非常に低）

▶投票結果：行うことを推奨する-3/17 名：18％，行うことを提案する-14/17 名：82％

■解　説

　輸液療法は急性膵炎患者でほぼ必ず行われる介入であり，特に入院早期の輸液療法は，急性膵炎治療の基礎として重要である。しかし，輸液療法について，輸液量，投与タイミング，輸液の種類などに関する基準は世界的にも確立されていない。そこで，ガイドライン委員会は独自にシステマティックレビューを行い，輸液速度（Early goal-directed therapy；EGDT を含む）に関する 6 編のランダム化比較試験（RCT）[1~6]を選択し，これらを用いたメタ解析を行った。積極的輸液療法と保存的輸液療法の定義は著者の定義（分類）に従った。その結果，積極的輸液療法群（約 4.7 L/日）と保存的輸液療法群（約 3.5 L/日）の間に，在院致命率，入院中の腎障害発生率，入院中もしくは概ね 6 週間以内の膵壊死・感染性膵壊死・膵膿瘍発生率，入院中の臓器障害発生率に有意差を認めなかった（**参考資料 1**：エビデンス評価結果，**参考資料 2**：ランダム化比較試験一覧），（図 1：Forest plot）。また 1 つの研究では，人工呼吸器装着率が保存的輸液療法群で有意に低かった。ただし，すべての RCT において，盲検化が欠如するなど，アウトカム全般にわたるエビデンスの確実性は「非常に低」と判断した。

　積極的輸液療法と保存的輸液療法を比較した観察研究は 10 編が確認され（**参考資料 3～4**）（OS）[7~16]，多くの研究で初期 24 時間以内に約 4 L 以上輸液を投与された場合（積極的輸液群）と，約 4 L 未満の場合（保存的輸液群）が比較され，致命率は積極的輸液群で低い傾向であった。いずれも症例数が比較的少なく交絡調整が不十分であり，エビデンスの質は「低」と判断した。

　現時点での世界の急性膵炎ガイドラインでも，輸液療法に関する項目では輸液量などの具体的な推奨を控えている（**参考資料 5**）（CPG）[17~23]。そこで，既存研究におけるエビデンスの質は低く結果も一定しないが，死亡に対する効果を最重要視し，下記のごとく条件付きの弱い推奨とすることにした。すなわち，急性膵炎初期には脱水，循環不全を伴うため，積極的輸液療法が必要である。ただし，過剰輸液とならないようモニタリングを行い，特に高齢者・心不全患者・腎不全患者では通常以上に精度の高い綿密なモニタリングを行うことが重要である。具体的な輸液投与量を提示するには根拠が薄弱ではあるが，今回検討した文献で記載されている積極的輸液療法群 約 4.8 L/日（200 mL/h）が投与輸液量の一つの目安になる可能性がある。

　過剰輸液を回避するためのモニタリングのためのパラメーターとして，既存のエビデンスにおいて目標設定値として採用されているパラメーターは，BUN，ヘマトクリット，中心静脈圧，心拍数，血圧，尿量などであるが，単独指標としては信頼性が低く，複合的に使用して精度を高める必要がある。さらに，近年熱希釈法を使用したモニターである，PiCCO モニター®（カテーテル）や，動脈圧測定から Cardiac Output（CI），Intra-thoracic Blood Volume Index（ITBI）などを測定できる EV1000 クリティカルケアモニター®，ビジレオモニター®などのデバイスが使用されており，これらのモニターの評価指標を使用することで致命率が低下したことが報告されている（SR）[24]。したがって，循環動態に即した輸液速度の調整にこれらの指標を用いる

ことができる可能性がある。

さらに近年，初期輸液の治療戦略において，来院後4～6時間以内の超早期の初期輸液がより重要であるとする意見があり，これは急性膵炎患者1,000例以上を対象とした観察研究で，来院後の初期4時間以内に1L以上積極的に初期輸液を行うと，以降の集中治療介入の必要性が低くなり，24時間以上（4.3 L以上）積極的に初期輸液投与を行うと，局所合併症のリスクが高くなることに基づいている（OS）[9]。このような病院受診時の極初期から積極的輸液を開始する治療戦略について，今後さらなる検討が望まれる。

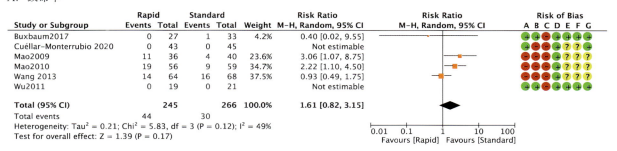

図1 積極的輸液療法群（約4.7 L/日）と保存的輸液療法群（約3.5 L/日）を比較したRCTのメタ解析結果（Forest plot）
（メタ解析のやさしい解説は第1章10ページまたはそのQRコードからご覧ください。）

▶第Ⅵ章-CQ10の参考資料1～5は右のQRコードからご覧いただけます。

- 参考資料1　積極的輸液療法群（約4.7L/日）と保存的輸液療法群（約3.5L/日）を比較したRCTのメタ解析におけるエビデンス評価結果
- 参考資料2　ランダム化比較試験一覧
- 参考資料3～4　積極的輸液療法と保存的輸液療法を比較した観察研究
- 参考資料5　海外の急性膵炎診療ガイドラインにおける輸液に関する推奨

■引用文献

1) Buxbaum JL, Quezada M, Da B, et al. Early aggressive hydration hastens clinical improvement in mild acute pancreatitis. American J Gastroenterology 2017; 112: 797-803.（RCT）

2) Mao EQ, Fei J, Peng YB, et al. Rapid hemodilution is associated with increased sepsis and mortality among patients with severe acute pancreatitis. Chin Med J (Engl) 2010; 123: 1639-1644.（RCT）

3) Mao EQ, Tang YQ, Fei J, et al. Fluid therapy for severe acute pancreatitis in acute response stage. Chin Med J (Engl) 2009; 122: 169-173.（RCT）
4) Wu BU, Hwang JQ, Gardner TH, et al. Lactated Ringer's solution reduces systemic inflammation compared with saline in patients with acute pancreatitis. Clin Gastroenterol Hepatol 2011; 9: 710-717. e1.（RCT）
5) Cuéllar-Monterrubio JE, Monreal-Robles R, González-Moreno EI, et al. Nonaggressive versus aggressive intravenous fluid therapy in acute pancreatitis with more than 24 hours from disease onset: a randomized controlled trial. Pancreas 2020; 49: 579-583.（RCT）
6) Wang MD, Ji Y, Xu J, Jiang DH et al. Early goal-directed fluid therapy with fresh frozen plasma reduces severe acute pancreatitis mortality in the intensive care unit. Chin Med J (Engl) 2013; 126: 1987-1988.（RCT）
7) Yamashita T, Horibe M, Sanui M, et al. Large volume fluid resuscitation for severe acute pancreatitis is associated with reduced mortality: a multicenter retrospective study. J Clin Gastroenterol 2019; 53: 385-391.（OS）
8) Ye B, Mao W, Chen Y, et al. Aggressive resuscitation is associated with the development of acute kidney injury in acute pancreatitis. Dig Dis Sci 2019; 64: 544-552.（OS）
9) Singh VK, Gardner TB, Papachristou GI, et al. An international multicenter study of early intravenous fluid administration and outcome in acute pancreatitis. United European Gastroenterol J 2017; 5: 491-498.（OS）
10) Warndorf MG, Kurtzman JT, Bartel MJ, et al. Early fluid resuscitation reduces morbidity among patients with acute pancreatitis. Clin Gastroenterol Hepatol 2011; 9: 705-709.（OS）
11) de-Madaria E, Soler-Sala G, Sánchez-Payá J, et al. Influence of fluid therapy on the prognosis of acute pancreatitis: A prospective cohort study. Am J Gastroenterol 2011; 106 (10): 1843-1850.（OS）
12) Sun Y, Lu ZH, Zhang XS, et al. The effects of fluid resuscitation according to PiCCO on the early stage of severe acute pancreatitis. Pancreatology 2015; 15: 497-502.（OS）
13) Szabo FK, Fei L, Cruz LA, et al. Early enteral nutrition and aggressive fluid resuscitation are associated with improved clinical outcomes in acute pancreatitis. J Pediatr 2015; 167: 397-402. e1.（OS）
14) Wall I, Badalov N, Baradarian R, et al. Decreased mortality in acute pancreatitis related to early aggressive hydration. Pancreas 2011; 40: 547-550.（OS）
15) Gardner TB, Vege SS, Chari ST, et al. Faster rate of initial fluid resuscitation in severe acute pancreatitis diminishes in-hospital mortality. Pancreatology 2009; 9: 770-776.（OS）
16) Eckerwall G, Olin H, Andersson B, et al. Fluid resuscitation and nutritional support during severe acute pancreatitis in the past: what have we learned and how can we do better? Clin Nutr 2006; 25 (3): 497-504.（OS）
17) Leppäniemi A, Tolonen M, Tarasconi A, et al. 2019 WSES guidelines for the management of severe acute pancreatitis. World J Emerg Surg 2019; 14: 27.（CPG）
18) Vivian E, Cler L, Conwell D, et al. Acute pancreatitis task force on quality: Development of quality indicators for acute pancreatitis management. Am J Gastroenterol 2019; 114: 1322-1342.（CPG）
19) Crockett SD, Wani S, Gardner TB, et al; American Gastroenterological Association Institute Clinical Guidelines Committee. American gastroenterological association institute guideline on initial management of acute pancreatitis. Gastroenterology 2018; 154: 1096-1101.（CPG）
20) National Institute for Health and Care Excellence Guideline. Pancreatitis.
https://www.nice.org.uk/guidance/ng104/documents/draft-guideline（CPG）
21) Working Group IAP/APA Acute Pancreatitis Guidelines. IAP/APA evidence-based guidelines for the management of acute pancreatitis. Pancreatology 2013; 13 (4 Suppl 2): e1-e15.（CPG）
22) Tenner S, Baillie J, DeWitt J, et al; American College of Gastroenterology. American College of Gastroenterology guideline: management of acute pancreatitis. Am J Gastroenterol. 2013; 108: 1400-1415; 1416.（CPG）
23) Maraví Poma E, Zubia Olascoaga F, Petrov MS, et al; Grupo de Trabajo CC - Recomendaciones PAPG 2012, GTEI-SEMICYUC. SEMICYUC 2012. Recommendations for intensive care management of acute pancreatitis. Med Intensiva 2013; 37: 163-179.（CPG）
24) Haydock MD, Mittal A, Wilms HR, et al. Fluid therapy in acute pancreatitis: anybody's guess. Ann Surg 2013; 257: 182-188.（SR）

> **やさしい解説**
> 点滴治療は急性膵炎患者でほぼ必ず行われます。特に治療の初めに行う点滴は治療全体の中でも特に重要です。しかし，世界的にも点滴の量，種類，速度などをどのように決めるのかの基準はまだ明確に定まっていません。そこでガイドライン委員会では点滴治療に関する世界中の文献（エビデンス）を可能な限り集めて，積極的に輸液する（輸液量を多くする）方針と保存的に輸液する（輸液量を少なめにする）方針といずれが良いのか検討しました。その結果，現時点ではどちらが良いかを決めるためのはっきりした証拠はありませんでした。そこで，積極的に点滴を行うが患者さんの状態や年齢，元々の病気によって点滴の量や速度をその都度調整する，との弱い推奨に留めました。

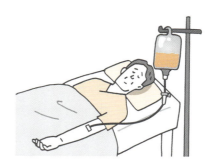

CQ11 急性膵炎の初期輸液として晶質液と比較して膠質液は有用か？

[推　奨]
急性膵炎患者への初期輸液療法において，晶質液を使用することを提案する。

（弱い推奨，エビデンスの確実性：非常に低）

▶投票結果：1回目：行うことを推奨する-8/18名：44％，行うことを提案する-10/18名：56％
　　　　　　2回目：行うことを推奨する-1/18名：6％，<u>行うことを提案する-17/18名：94％</u>

■解　説

　輸液の種類は膠質液（colloid）と晶質液（crystalloid）に分けられるが，膠質液の使用は晶質液使用と比較して血管内 Volume を増加させ，輸血量や腎代替療法（renal replacement therapy；RRT）頻度の増加と関連し，致命率低下には寄与しないことが示唆されている。独自に行ったシステマティックレビューでは，膠質液（＋晶質液）使用群と晶質液使用群を比較した2編の RCT が確認され（RCT）[1,2]，メタ解析の結果，入院中の腎障害発生率は晶質液群で有意に低かったが，1編の RCT において，盲検化がなされておらず，アウトカム全般にわたるエビデンスの確実性は「非常に低」と判断した（**参考資料1**：エビデンス評価結果），（**図1**：Forest plot）。

　急性膵炎を含む重症患者全般を対象とした，膠質液（＋晶質液）使用群と晶質液使用群を比較したシステマティックレビュー[3]によると，膠質液の使用群では院内致命率には差がないが，RRT の頻度は増加していた。しかし，RRT に関して，アルブミンや新鮮凍結血漿（FFP）などの個別の膠質液でサブグループ解析を行うと，両群（アルブミン＋晶質液群 vs. 晶質液群，もしくは FFP＋晶質液群 vs. 晶質液群）で有意な差を認めなかった（SR）。また，hydroxyethyl starch（HES）とその他の輸液を比較したシステマティックレビュー[4]でも同様に HES 群で急性腎障害発症と RRT を受ける割合が増加していた（SR）。

　世界の急性膵炎診療ガイドラインにおける初期輸液の種類に関する推奨（CQ10，**参考資料5**）のいずれにおいても膠質液使用を推奨しておらず，1つのガイドラインでは HES 液の使用は非推奨と明言されている。

　ガイドライン委員会は，以上のエビデンス，および，膠質液と晶質液のコストに約4～85倍の違いがあること（膠質液と晶質液のコストは，それぞれ1本あたり約700～17,000円，約180～200円），膠質液の一部は血液製剤であるためアレルギー反応等の有害リスクを伴う可能性があることから，急性膵炎患者への初期輸液療法において，膠質液ではなく晶質液を使用することを提案する，と弱い推奨とすることにした。

A. 致命率

Study or Subgroup	Colloids Events	Total	Crystalloids Events	Total	Weight	Risk Ratio M-H, Random, 95% CI
Du2011	1	21	2	21	20.5%	0.50 [0.05, 5.10]
Zhao2013	5	80	5	40	79.5%	0.50 [0.15, 1.63]
Total (95% CI)		**101**		**61**	**100.0%**	**0.50 [0.17, 1.43]**
Total events	6		7			

Heterogeneity: Tau^2 = 0.00; Chi^2 = 0.00, df = 1 (P = 1.00); I^2 = 0%
Test for overall effect: Z = 1.29 (P = 0.20)

Risk of bias legend
(A) Random sequence generation (selection bias)
(B) Allocation concealment (selection bias)
(C) Blinding of participants and personnel (performance bias)
(D) Blinding of outcome assessment (detection bias): Mortality
(E) Incomplete outcome data (attrition bias)
(F) Selective reporting (reporting bias)
(G) Other bias

B. 腎機能障害発生率

Study or Subgroup	Colloids Events	Total	Crystalloids Events	Total	Weight	Risk Ratio M-H, Random, 95% CI
Du2011	0	21	0	21		Not estimable
Zhao2013	72	80	11	40	100.0%	3.27 [1.97, 5.44]
Total (95% CI)		**101**		**61**	**100.0%**	**3.27 [1.97, 5.44]**
Total events	72		11			

Heterogeneity: Not applicable
Test for overall effect: Z = 4.57 (P < 0.00001)

Risk of bias legend
(A) Random sequence generation (selection bias)
(B) Allocation concealment (selection bias)
(C) Blinding of participants and personnel (performance bias)
(D) Blinding of outcome assessment (detection bias): Others
(E) Incomplete outcome data (attrition bias)
(F) Selective reporting (reporting bias)
(G) Other bias

C. 多臓器不全発生率

Study or Subgroup	Colloids Events	Total	Crystalloids Events	Total	Weight	Risk Ratio M-H, Random, 95% CI
Du2011	5	21	14	21	49.0%	0.36 [0.16, 0.81]
Zhao2013	62	80	10	40	51.0%	3.10 [1.79, 5.37]
Total (95% CI)		**101**		**61**	**100.0%**	**1.08 [0.13, 8.98]**
Total events	67		24			

Heterogeneity: Tau^2 = 2.22; Chi^2 = 18.40, df = 1 (P < 0.0001); I^2 = 95%
Test for overall effect: Z = 0.07 (P = 0.95)

Risk of bias legend
(A) Random sequence generation (selection bias)
(B) Allocation concealment (selection bias)
(C) Blinding of participants and personnel (performance bias)
(D) Blinding of outcome assessment (detection bias): Others
(E) Incomplete outcome data (attrition bias)
(F) Selective reporting (reporting bias)
(G) Other bias

図1 初期輸液としての晶質液と膠質液を比較した RCT のメタ解析結果（Forest plot A, B, C）
（メタ解析のやさしい解説は第1章10ページまたはその QR コードからご覧ください。）

▶第Ⅵ章-CQ11 の参考資料1は右の QR コードからご覧いただけます。

参考資料1 初期輸液としての晶質液と膠質液を比較した RCT のメタ解析におけるエビデンス評価結果

■引用文献

1) Du XJ, Hu WM, Xia Q, et al. Hydroxyethyl starch resuscitation reduces the risk of intra-abdominal hypertension in severe acute pancreatitis. Pancreas 2011; 40: 1220-1225.（RCT）
2) Zhao G, Zhang JG, Wu HS, et al. Effects of different resuscitation fluid on severe acute pancreatitis. World J Gastroenterol 2013; 19: 2044 -2052.（RCT）
3) Lewis SR, Pritchard MW, Evans DJ, et al. Colloids versus crystalloids for fluid resuscitation in critically ill people. Cochrane Database Syst Rev 2018; 8: CD000567.（SR）
4) Mutter TC, Ruth CA, Dart AB. Hydroxyethyl starch（HES）versus other fluid therapies: effects on kidney function. Cochrane Database Syst Rev 2013;（7）: CD007594. doi: 10.（SR）

> **やさしい解説**
> 急性膵炎の治療として，点滴は大部分の患者さんに行われますが，どのような内容の点滴をするかが重要です。世界的には，晶質液（水や電解質の成分が多くサラサラしている液体）と膠質液（デンプンやショ糖などドロドロしている液体）の2種類が使用されています。今回のガイドラインで検討したところ，膠質液を使用すると腎臓の機能が障害されやすくなり，それ以外の臓器も障害される傾向が認められました。そこで，膠質液よりも晶質液を優先して使用することを推奨しました。

CQ12　急性膵炎の初期輸液として晶質液（細胞外液）を用いる場合，緩衝液は0.9%食塩液より有用か？

［推　奨］
急性膵炎患者への初期輸液療法において，晶質液（細胞外液）を用いる場合は，緩衝液を使用することを提案する。

（弱い推奨，エビデンスの確実性：低）
▶投票結果：行うことを提案する-18/18名：100%

■解　説

輸液療法（初期輸液療法）において，輸液の種類は膠質液（Colloid）と晶質液（Crystalloid）に分かれ，晶質液としては緩衝液（Buffered solution；ラクテック®，ヴィーンF®，ビカーボン®など）と0.9%食塩液が世界的に使用されている。緩衝液は重症患者の酸性環境を是正することが期待できる反面コストはやや高くなり，0.9%食塩液は高クロール性アシドーシスや腎機能障害の原因になることが示唆されているが安価である。

今回ガイドライン委員会で独自に行ったシステマティックレビューの結果，3編のRCTが確認され（RCT）[1~3]。これらを用いたメタ解析の結果では，入院中もしくは概ね6週間以内の膵局所合併症発生率は，0.9%食塩液使用群に比べて緩衝液使用群で有意に低下していた（**参考資料1**：エビデンス評価結果，**図1**：Forest plot）。その他，在院致命率，入院中腎機能障害発生率，入院中臓器障害発生率も有意差はないものの，いずれも緩衝液使用群で低い傾向を認めた（**図1**，**参考資料2**）。ただし，3編中1編で，盲検化がなされておらず，アウトカム全般にわたるエビデンスの確実性は「低」と判断した。

急性膵炎を含む重症患者全般を対象とした，緩衝液と0.9%食塩液を比較したシステマティックレビュー[4]によると，院内致命率，急性腎不全発症率には両群で有意な差を認めず，緩衝液を使用した方がクロールは低下し，pHが上昇するという結論であった（SR）。また，急性膵炎のみを対象としたシステマティックレビューでは[5]，緩衝液の方が有意に発症24時間後のsystemic inflammatory response syndrome（SIRS）スコアの

A. 致命率

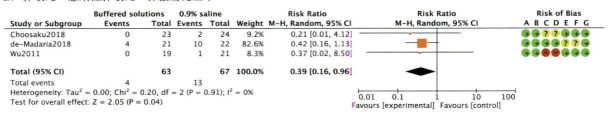

Risk of bias legend
(A) Random sequence generation (selection bias)
(B) Allocation concealment (selection bias)
(C) Blinding of participants and personnel (performance bias)
(D) Blinding of outcome assessment (detection bias): Mortality
(E) Incomplete outcome data (attrition bias)
(F) Selective reporting (reporting bias)
(G) Other bias

B. 膵壊死・感染性膵壊死・膵膿瘍発生率

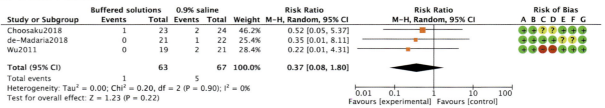

Risk of bias legend
(A) Random sequence generation (selection bias)
(B) Allocation concealment (selection bias)
(C) Blinding of participants and personnel (performance bias)
(D) Blinding of outcome assessment (detection bias): Others
(E) Incomplete outcome data (attrition bias)
(F) Selective reporting (reporting bias)
(G) Other bias

C. 多臓器不全発生率

Study or Subgroup	Buffered solutions Events	Total	0.9% saline Events	Total	Weight	Risk Ratio M-H, Random, 95% CI	Risk Ratio M-H, Random, 95% CI	Risk of Bias A B C D E F G
Choosaku2018	1	23	2	24	46.2%	0.52 [0.05, 5.37]		
de-Madaria2018	0	21	1	22	25.4%	0.35 [0.01, 8.11]		
Wu2011	0	19	2	21	28.4%	0.22 [0.01, 4.31]		
Total (95% CI)		63		67	100.0%	0.37 [0.08, 1.80]		
Total events	1		5					

Heterogeneity: Tau² = 0.00; Chi² = 0.20, df = 2 (P = 0.90); I² = 0%
Test for overall effect: Z = 1.23 (P = 0.22)

Risk of bias legend
(A) Random sequence generation (selection bias)
(B) Allocation concealment (selection bias)
(C) Blinding of participants and personnel (performance bias)
(D) Blinding of outcome assessment (detection bias): Others
(E) Incomplete outcome data (attrition bias)
(F) Selective reporting (reporting bias)
(G) Other bias

図1　初期輸液としての生理食塩水と緩衝液を比較したRCTのメタ解析結果（Forest plot）
（メタ解析のやさしい解説は第1章10ページまたはそのQRコードからご覧ください）

改善を認めている（SR）。さらに，観察研究[6]では，在院致命率，膵壊死発生率，経管栄養施行率などには有意差を認めなかったとする報告があるが（OS），症例数が少なく，不十分な交絡調整によりエビデンスの質は低と判断した。

世界の急性膵炎診療ガイドラインにおける初期輸液の種類に関する推奨（CQ10，参考資料5）では，いずれも晶質液（細胞外液全般）もしくは乳酸リンゲル液（緩衝液）を推奨している。

ガイドライン委員会は，以上のエビデンスから，急性膵炎患者への初期輸液療法において，晶質液（細胞外液）を用いる場合，緩衝液を使用することを提案する，と弱い推奨とした。

現在18歳以下の小児の急性膵炎を対象に，緩衝液と0.9％食塩液を比較したRCT[7]が進行中であり，その

結果が待たれる。また今後，緩衝液の違いが急性膵炎のアウトカムにどのように影響を与えるかに関する研究が行われることが望まれる。

▶第Ⅵ章-CQ12の参考資料1〜2は右のQRコードからご覧いただけます。

参考資料1 初期輸液としての生理食塩水と緩衝液を比較したRCTのメタ解析におけるエビデンス評価結果

参考資料2 初期輸液としての生理食塩水と緩衝液を比較したRCTのメタ解析結果（Forest plot）
    A．腎機能障害発生率
    B．呼吸不全発生率
    C．循環不全発生率

■引用文献

1) Choosakul S, Harinwan K, Chirapongsathorn S, et al. Comparison of normal saline versus lactated Ringer's solution for fluid resuscitation in patients with mild acute pancreatitis, a randomized controlled trial. Pancreatology 2018; 18: 507-512.（RCT）
2) de-Madaria E, Herrera-Marante I, González-Camacho V, et al. Fluid resuscitation with lactated Ringer's solution vs normal saline in acute pancreatitis: A triple-blind, randomized, controlled trial. United European Gastroenterol J 2018; 6: 63-72.（RCT）
3) Wu BU, Hwang JQ, Gardner TH, et al. Lactated Ringer's solution reduces systemic inflammation compared with saline in patients with acute pancreatitis. Clin Gastroenterol Hepatol 2011; 9: 710-717.（RCT）
4) Antequera Martín AM, Barea Mendoza JA, Muriel A, et al. Buffered solutions versus 0.9% saline for resuscitation in critically ill adults and children. Cochrane Database Syst Rev. 2019; 7: CD012247.（SR）
5) Iqbal U, Anwar H, Scribani M. Ringer's lactate versus normal saline in acute pancreatitis: A systematic review and meta-analysis. J Dig Dis 2018; 19: 335-341.（SR）
6) Lipinski M, Rydzewska-Rosolowska A, Rydzewski A, et al. Fluid resuscitation in acute pancreatitis: Normal saline or lactated Ringer's solution? World J Gastroenterol 2015; 21: 9367-9372.（OS）
7) Mitigating the inflammatory response in acute pancreatitis with appropriate fluid management; a randomized clinical control trial comparing the effects of lactated Ringer's and normal saline. https://clinicaltrials.gov/ct2/show/study/NCT03242473.（RCT）

やさしい解説

　急性膵炎の治療として，点滴は大部分の患者さんに行われますが，どのような内容の液体を点滴するかは重要です。世界的には，生理食塩液と緩衝液（酸性になってしまった身体を中和してくれる成分を含む点滴）の2種類が使用されています。今回どちらの方が良いか検討したところ，緩衝液を使用する方が，膵臓が腐りにくくなり，さらに腎機能障害や死亡割合を低下させる傾向が認められました。そこで，生理食塩液よりも緩衝液を優先して使用することを推奨しました。

3 経鼻胃管

BQ14 経鼻胃管は急性膵炎に有用か？

軽症急性膵炎においてルーチンの胃内減圧や胃液の吸引を目的とした経鼻胃管の挿入は不要である。

■解説

急性膵炎において膵臓の安静化を図る目的で，経鼻胃管による胃内減圧と胃液の吸引が行われていたが，1970〜80年代に軽症から中等症の急性膵炎を対象とした8編のRCT[1〜8]が行われ，その効果は否定されている（RCT）。経鼻胃管の使用は，疼痛の軽減効果や入院期間の短縮効果を認めず，かえって腹痛や嘔気の遷延や経口摂取開始の遅れに伴い入院期間が延長することが報告された。急性膵炎において，胃内減圧や胃液の吸引を目的とした一律的な経鼻胃管の挿入は不要であり，腸閉塞合併例や激しい嘔吐を伴う症例にとどめる。

■引用文献

1) Levant JA, Secrist DM, Resin H, et al. Nasogastric suction in the treatment of alcoholic pancreatitis. A controlled study. JAMA 1974; 229: 51-52.（RCT）
2) Naeije R, Salingret E, Clumeck N, et al. Is nasogastric suction necessary in acute pancreatitis? Br Med J 1978; 2: 659-660.（RCT）
3) Field BE, Hepner GW, Shabot MM, et al. Nasogastric suction in alcoholic pancreatitis. Dig Dis Sci 1979; 24: 339-344.（RCT）
4) Fuller RK, Loveland JP, Frankel MH. An evaluation of the efficacy of nasogastric suction treatment in alcoholic pancreatitis. Am J Gastroenterol 1981; 75: 349-353.（RCT）
5) Goff JS, Feinberg LE, Brugge WR. A randomized trial comparing cimetidine to nasogastric suction in acute pancreatitis. Dig Dis Sci 1982; 27: 1085-1088.（RCT）
6) Loiudice TA, Lang J, Mehta H, et al. Treatment of acute alcoholic pancreatitis: the roles of cimetidine and nasogastric suction. Am J Gastroenterol 1984; 79: 553-558（RCT）
7) Navarro S, Ros E, Aused R, et al. Comparison of fasting nasogastric suction and cimetidine in the treatment of acute pancreatitis. Digestion 1984; 30: 224-230.（RCT）
8) Sarr MG, Sanfey H, Cameron JL. Prospective, randomized trial of nasogastric suction in patients with acute pancreatitis. Surgery 1986; 100: 500-504.（RCT）

経鼻胃管とは，鼻から胃に入れて胃の内容を身体の外に出す細い管のことです。急性膵炎では膵臓を休める目的で，過去にはこの管を入れて，胃液などを吸引していました。しかし，1970〜80年代に，軽症から中等症の急性膵炎患者に対して経鼻胃管は効果がないことが示されており，現在は胃の圧を下げたり胃液を体外へ出すために経鼻胃管を入れることは行いません。しかし，腸閉塞などで胃が張っている場合などは経鼻胃管を入れることがあります。

4 薬物療法

BQ15 急性膵炎に対する鎮痛薬はどのように使用するのか？

急性膵炎に対しては迅速に鎮痛薬を使用する。
アセトアミノフェン，NSAIDs，ペンタゾシンなどの非オピオイドの投与を行い，その後，疼痛の程度に応じてオピオイドの使用も考慮する。

■解　説

　急性膵炎における疼痛は，激しく持続的である。このような疼痛は患者を精神的不安に陥れ，臨床経過に悪影響を及ぼすため，その対策は極めて重要である。現在，鎮痛薬としてアセトアミノフェン，NSAIDs，ペンタゾシンなどの非オピオイドと，フェンタニルなどのオピオイドが使用されている。オピオイドは鎮痛効果が高いが，嘔気・嘔吐，便秘，呼吸抑制などの有害事象が非オピオイドよりも多い。

　これまで**参考資料1**[1〜12]に示すように急性膵炎の疼痛に対する鎮痛薬の選択に関する多くの研究がなされているが，いずれも明確な推奨を示唆する結果は得られていない。しかし，急性膵炎の初診時には急性腹症としての対応が必要である。急性腹症では原因にかかわらず早期の鎮痛薬が推奨され，Falchら[13]の提唱するアルゴリズムにより（SR），非経口投与可能で効果発現時間の早いアセトアミノフェンをベースに，高度の疼痛があればオピオイドを併用するとされている（CPG）[14]。急性膵炎においても迅速な鎮痛薬の使用が必要であり，アセトアミノフェン，NSAIDs，ペンタゾシンなどの非オピオイドの投与を行い，その後疼痛の程度に応じてオピオイドの併用や変更を考慮するのが妥当と考えられる。

▶第Ⅵ章-BQ15の参考資料1は右のQRコードからご覧いただけます。

参考資料1 急性膵炎に対する鎮痛薬の比較研究

■引用文献

1) Blamey SL, Finlay IG, Carter DC, et al. Analgesia in acute pancreatitis: Comparison of buprenorphine and pethidine. Br Med J (Clin Res Ed) 1984; 288: 1494-1495. (OS)
2) Jakobs R, Adamek MU, von Bubnoff AC, et al. Buprenorphine or procaine for pain relief in acute pancreatitis. A prospective randomized study. Scand J Gastroenterol 2000; 35: 1319-1323. (RCT)
3) Stevens M, Esler R, Asher G. Transdermal fentanyl for the management of acute pancreatitis pain. Appl Nurs Res 2002; 15: 102-110. (RCT)
4) Kahl S, Zimmermann S, Pross M, et al. Procaine hydrochloride fails to relieve pain in patients with acute pancreatitis. Digestion 2004; 69: 5-9. (RCT)
5) Peiró AM, Martínez J, Martínez E, et al. Efficacy and Tolerance of metamizole versus morphine for acute pancreatitis pain. Pancreatology 2008; 8: 25-29. (RCT)
6) Layer P, Bronisch HJ, Henniges UM, et al. Effects of systemic administration of a local anesthetic on pain in acute pancreatitis: a randomized clinical trial. Pancreas 2011; 40: 673-679. (RCT)
7) Basurto OX, Rigau CD, Urrútia G. Opioids for acute pancreatitis pain. Cochrane Database Syst Rev 2013; 26: CD009179. (MA)
8) Meng W, Yuan J, Zhang C, et al. Parenteral analgesics for pain relief in acute pancreatitis: a systematic review. Pancreatology 2013; 13: 201-206. (SR)
9) Sadowski SM, Andres A, Morel P, et al. Epidural anesthesia improves pancreatic perfusion and decreases the severity of acute pancreatitis. World J Gastroenterol 2015; 21: 12448-12456. (RCT)
10) Gülen B, Dur A, Serinken M, et al. Pain treatment in patients with acute pancreatitis: a randomized controlled trial. Turk J Gastroenterol 2016; 27: 192-196. (RCT)
11) Dong E, Chang JI, Verma D, et al. Enhanced recovery in mild acute pancreatitis: a randomized controlled trial. Pancreas 2019; 48: 176-181. (RCT)

12) Mahapatra SJ, Jain S, Bopanna S, et al. Pentazocine, a kappa-opioid agonist, is better than diclofenac for analgesia in acute pancreatitis: a randomized controlled trial. Am J Gastroenterol 2019; 114: 813-821.（RCT）
13) Falch C, Vicente D, Häberle H, et al. Treatment of acute abdominal pain in the emergency room: a systematic review of the literature. Eur J Pain 2014; 18: 902-913.（SR）
14) 急性腹症診療ガイドライン出版委員会．急性腹症診療ガイドライン2015. 東京，医学書院，2015.（CPG）

　急性膵炎では強いお腹の痛みが長時間続きます．痛みをとることは患者さんにとって最も大事なことの一つであり，十分に痛みを取り除くことが必要です．そのため急性膵炎を起こしたときはすぐに痛み止めを使います．痛み止めの種類は，痛みの強さによって決めます．軽症の急性膵炎ならば，アセトアミノフェンや非ステロイド性抗炎症薬（NSAIDs）で痛みが治まることが多いですが，重症の膵炎で強い痛みがあり，NSAIDs等で痛みが治まらなければ，医療用麻薬であるオピオイドを使います．オピオイドは副作用として吐き気や眠気などがありますが，急性膵炎の痛み止めとして使用するかぎりは副作用の起こり方には差がないとの報告もあります．

CQ13　予防的抗菌薬は急性膵炎の予後改善に有用か？

［推　奨］
軽症の急性膵炎に対して予防的抗菌薬の投与は行わないことを推奨する．

（強い推奨，エビデンスの確実性：高）

▶投票結果：
1回目：行わないことを推奨する-10/14名：71%，行わないことを提案する-4/14名：29%
2回目：行わないことを推奨する-14/14名：100%

［推　奨］
重症急性膵炎または壊死性膵炎に対する予防的抗菌薬投与の，生命予後や感染性膵合併症発生に対する明らかな改善効果は証明されていない．

（推奨なし，エビデンスの確実性：中）

▶投票結果：
1回目：行わないことを提案する-4/14名：29%，推奨なし-10/14名：71%
2回目：行わないことを提案する-3/14名：21%，推奨なし-11/14名：79%

ただし，胆石性膵炎で胆管炎を併発している場合など，予防的ではなく，感染を伴った際には治療薬としての抗菌薬を使用する．

■解　説

　急性膵炎は膵酵素が活性化し，膵臓の自己消化から炎症を起こして発症するものであり，発症時は無菌であり，理論上，予防的抗菌薬は不要である．しかし，重症膵炎では早期に腸内細菌が腸管外へ移行するbacterial translocation（BT）が生じ，膵および膵周囲感染の原因になっていると考えられてきた．急性膵炎の臨床経過において，このような感染合併は予後を悪化させると考えられ，予防的抗菌薬投与は，感染成立前から抗

菌薬を使用して予後を改善することを目的として行われてきた。

　軽症例においては感染性合併症の発生率や致命率は低く，これまでに予防的抗菌薬投与の有用性はないことが示されている（MA）[1]（OS）[2]。重症例，壊死性膵炎例に関しては，RCT のメタ解析が以前より行われ，生命予後の改善と感染性膵合併症の減少を示した報告もあるが，効果を認めないとの報告もある。2015年のガイドライン作成委員会として Ukai らは来院後48時間後または発症後72時間以内に予防的抗菌薬を投与した6編の RCT[3~8]に限定したメタ解析を行い，重症急性膵炎または壊死性膵炎に対する予防的抗菌薬投与は致命率と感染性膵合併症を減少させる結果を得た（MA）[9]。今回，この検討に2015年以降の1編の RCT[10] を加え，来院後48時間後または発症後72時間以内に限定した7編の RCT（表1）を用いてガイドライン作成委員会で新たにメタ解析を行った。投与期間は5〜14日間で抗菌薬はイミペネム（0.5 g×3/day）が最も多く使用されていたが，致命率（OR＝0.60，95%CI：0.33〜1.07，P＝0.08），感染性合併症発生率（OR＝0.61，95%CI：0.37〜1.01，P＝0.05）ともに予防的抗菌薬投与による有意な改善効果は認めない結果であった（図1）。

　真菌感染に関しては，近年では予防的抗真菌薬投与による病態改善の優位性を示した報告はないが，重症急性膵炎における真菌症の合併率は1.6〜6%で（OS）[11]，膵および膵周囲感染においては17〜32%に真菌感染を認めると報告されており，真菌症のリスクファクターである中心静脈カテーテル留置，完全経静脈栄養，予防的抗菌薬投与，抗菌薬の長期投与，人工呼吸器管理などを行う場合は真菌症の合併に注意するべきである（OS）[12,13]。

　選択的消化管除菌（selective decontamination of the digestive tract；SDD）は膵局所の感染性膵合併症の原因の一つである腸内細菌群に対し，非吸収性抗菌薬を投与するものであるが，施行例も少なく，SDD が重症例の感染性合併症や致命率を低下させる根拠には乏しい。

　以上より軽症の急性膵炎に対して予防的抗菌薬投与は行わないことを推奨する。重症急性膵炎または壊死性膵炎に対する予防的抗菌薬投与は，生命予後や感染性合併症発生に対する明らかな改善効果は証明されていない。

表1　発症早期（来院後48時間後または発症後72時間以内）に予防的抗菌薬が投与された7編の RCT

著者	年	患者数（介入 vs. 対照）	抗菌薬	用量/日	投与のタイミング	投与期間（日）
Pederzoli et al.[3]	1993	41：33	イミペネム	0.5 g×3	発症72時間以内	14
Sainio et al.[4]	1995	30：30	セフロキシム	1.5 g×3	入院72時間以内	14
Nordback et al.[5]	2001	25：33	イミペネム	1.0 g×3	入院72時間以内	NA
Isenmann et al.[6]	2004	41：35	シプロフロキサシン メトロニダゾール	0.4 g×2 0.5 g×2	発症72時間以内	14〜21
Røkke et al.[7]	2007	36：37	イミペネム	0.5 g×3	発症72時間以内	5〜7
Xue et al.[8]	2009	29：27	イミペネム	0.5 g×3	発症72時間以内	7〜10
Poropat et al.[10]	2019	49：49	イミペネム	0.5 g×3	発症72時間以内	10

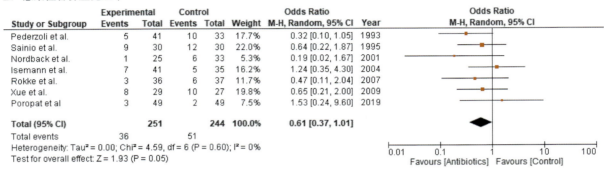

図1 今回新たに行った発症早期（発症後72時間以内）予防的抗菌薬投与の効果に関するメタ解析の結果
（メタ解析のやさしい解説は第1章の10ページまたはそのQRコードからご覧ください）

■引用文献

1) Golub R, Siddiqi F, Pohl D. Role of antibiotics in acute pancreatitis: A meta-analysis. J Gastrointest Surg 1998; 2: 496-503.（MA）
2) Mandal AK, Chaudhary S, Shrestha B, et al. Efficacy of prophylactic use of ciprofloxacin and metronidazole in mild and moderately severe acute pancreatitis. JNMA J Nepal Med Assoc 2017; 56: 207-210.（OS）
3) Pederzoli P, Bassi C, Vesentini S, et al. A randomized multicenter clinical trial of antibiotic prophylaxis of septic complications in acute necrotizing pancreatitis with imipenem. Surg Gynecol Obstet 1993; 176: 480-483.（RCT, 検索式外）
4) Sainio V, Kemppainen E, Puolakkainen P, et al. Early antibiotic treatment in acute necrotising pancreatitis. Lancet 1995; 346: 663-667.（RCT, 検索式外）
5) Nordback I, Sand J, Saaristo R, et al. Early treatment with antibiotics reduces the need for surgery in acute necrotizing pancreatitis — a single-center randomized study. J Gastrointest Surg 2001; 5: 113-118.（RCT, 検索式外）
6) Isenmann R, Rünzi M, Kron M, et al; German Antibiotics in Severe Acute Pancreatitis Study Group. Prophylactic antibiotic treatment in patients with predicted severe acute pancreatitis: a placebo-controlled, double-blind trial. Gastroenterology 2004; 126: 997-1004.（RCT, 検索式外）
7) Røkke O, Harbitz TB, Liljedal J, et al. Early treatment of severe pancreatitis with imipenem: a prospective randomized clinical trial. Scand J Gastroenterol 2007; 42: 771-776.（RCT, 検索式外）
8) Xue P, Deng LH, Zhang ZD, et al. Effect of antibiotic prophylaxis on acute necrotizing pancreatitis: results of a randomized controlled trial. J Gastroenterol Hepatol. 2009; 24: 736-742.（RCT）
9) Ukai T, Shikata S, Inoue M, et al. Early prophylactic antibiotics administration for acute necrotizing pancreatitis: a meta-analysis of randomized controlled trials. J Hepatobiliary Pancreat Sci 2015; 22: 316-321.（MA）
10) Poropat G, Radovan A, Peric M, et al. Prevention of infectious complications in acute pancreatitis: Results of a single-center, randomized, controlled trial. Pancreas 2019; 48: 1056-1060.（RCT）
11) Horibe M, Sanui M, Sasaki M, et al. Impact of antimicrobial prophylaxis for severe acute pancreatitis on the development of invasive candidiasis: a large retrospective multicenter cohort study. Pancreas 2019; 48: 537-543.（OS, 検索式外）
12) Reuken PA, Albig H, Rödel J, et al. Fungal infections in patients with infected pancreatic necrosis and pseudocysts: Risk factors and outcome. Pancreas 2018; 47: 92-98.（OS, 検索式外）
13) Poissy J, Damonti L, Bignon A, et al; FUNGINOS; Allfun French Study Groups. Risk factors for candidemia: a prospective matched case-control study. Crit Care 2020; 24: 109.（OS, 検索式外）

急性膵炎では膵臓がつくる消化酵素により膵臓が消化されて膵臓自体に炎症を起こします。細菌の感染によって起こるものではないため、病気が起こった時には細菌は膵臓にはいません。これに対してあらかじめ抗菌薬を使うべきか古くから議論されています。必要のない抗菌薬を使いすぎると、抗菌薬の効きにくい細菌が出てきたり副作用が出たりすることが問題となります。

　軽症の急性膵炎に対しては多くの研究結果からあらかじめ抗菌薬を使うことは効果がないとされており、推奨されません。重症の急性膵炎では、病気の早い時期から腸のなかの細菌が腸の外に出てしまうことが、その後の感染症の原因の一つと類推されており、病気の最初の時期にあらかじめ抗菌薬を使うことが、膵炎による感染症や死亡を減らすという報告もあります。しかし、重症の急性膵炎に対してもあらかじめ抗菌薬を使っても効果がないとの研究結果も多く、重症例にあらかじめ抗菌薬を使用した方がいいか、はっきりとした答えは出せない状況です。今後どのような重症膵炎患者さんに対してあらかじめ抗菌薬を使用すべきか、より詳しく調べていくことが期待されています。

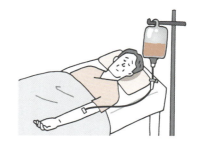

CQ14　蛋白分解酵素阻害薬は急性膵炎の病態改善に有用か？

[推　奨]
急性膵炎において蛋白分解酵素阻害薬の生命予後や合併症発生に対する明らかな改善効果は証明されていない。

（推奨なし，エビデンスの確実性：中）

▶投票結果：行うことを提案する-1/18名：6％，行わないことを提案する-2/18名：11％，推奨なし-15/18名：83％

■解　説

　急性膵炎の発症進展には、膵酵素の活性化が関与していると考えられており、蛋白分解酵素阻害薬はその活性を抑制することから、経静脈投与が広く行われてきた。しかし、蛋白分解酵素阻害薬が急性膵炎の予後改善に有効であるかは不明である。

　RCT17編（ガベキサートメシル酸塩6編、アプロチニン11編）を検討したメタ解析では、蛋白分解酵素阻害薬は膵炎の致命率、仮性嚢胞や腹腔内膿瘍の発生率に影響を与えなかった（MA）[1]。コントロール群の致命率が20％以上の2編では、蛋白分解酵素阻害薬による致命率の低下が示されたが、RCTの質が低いことからさらなる検討を必要としている。その後に報告された1編のRCTでは重症膵炎患者を4群（n=492）（ソマトスタチン、ソマトスタチン+ウリナスタチン、ソマトスタチン+ガベキサートメシル酸塩、ソマトスタチン+ウリナスタチン+ガベキサートメシル酸塩）に分け、ソマトスタチンやソマトスタチン+ガベキサートメシル酸塩は致命率、合併症発生率を改善させなかったが、ウリナスタチンを上乗せして投与した2群では、致命率、合併症発生率が有意に改善し、入院期間が有意に短縮した（RCT）[2]。2013年には日本のDiagnosis Procedure Combination（DPC）データベースを用い、急性膵炎患者の傾向スコアを用いた解析でガベキサートメシル酸塩使用群と非使用群それぞれ707例で検討し、在院致命率（1.0％ vs. 1.2％，$P=0.789$）、在院日数（10 vs. 10 days，$P=0.160$）に差を認めず、重症膵炎のみの検討でも在院致命率（8.4％ vs. 5.0％，$P=0.438$），

在院日数（12 vs. 14 days，P＝0.487）に差を認めなかったと報告されている（OS）[3]。

このように，軽症から重症まですべての急性膵炎を対象とした検討では，ガベキサートメシル酸塩を含めた蛋白分解酵素阻害薬は致命率や膵合併症発生率を改善せず，在院日数を短縮させず，重症膵炎のみの検討においても有用性は示されていない。

■引用文献

1) Seta T, Noguchi Y, Shikata S, et al. Treatment of acute pancreatitis with protease inhibitors administered through intravenous infusion: an updated systematic review and meta-analysis. BMC Gastroenterol 2014; 14: 102.（MA）
2) Wang G, Liu Y, Zhou SF, et al. Effect of somatostatin, ulinastatin and gabexate on the treatment of severe acute pancreatitis. Am J Med Sci 2016; 351: 506-512.（RCT）
3) Yasunaga H, Horiguchi H, Hashimoto H, et al. Effect and cost of treatment for acute pancreatitis with or without gabexate mesylate: a propensity score analysis using a nationwide administrative database. Pancreas 2013; 42: 260-264.（OS）

急性膵炎は膵臓で作られる酵素が活性化して起こります。その活性を抑えるため，急性膵炎に対して蛋白分解酵素阻害薬の点滴注射が行われてきました。これまでにその効果が試されてきましたが，軽症の急性膵炎ではその効果は示されていません。重症例でも過去には効いたという報告がありましたが，近年では否定的な意見が多いのが現状です。

CQ15　急性膵炎において胃酸分泌抑制薬の投与は有用か？

[推　奨]
急性膵炎において胃酸分泌抑制薬の投与を行わないことを提案する。

（弱い推奨，エビデンスの確実性：低）

▶投票結果：行わないことを推奨する－1/18 名：6%，行わないことを提案する－17/18 名：94%

ただし，急性胃粘膜病変や胃十二指腸潰瘍などの上部消化管出血を合併する症例においては胃酸分泌抑制薬の投与を考慮する必要がある。

■解　説

ヒスタミン H_2 受容体拮抗薬に関しては 2002 年に 5 編の RCT を対象としたメタ解析（MA）[1]があり，プラセボと比較して膵炎関連合併症発生率は同等で，疼痛期間は延長する傾向を認めた（RCT）。以降，ヒスタミン H_2 受容体拮抗薬に関する大規模な検討はない。プロトンポンプ阻害薬（PPI）に関しては，日本のDPCデータを用いた重症膵炎 10,400 人の大規模な研究で致命率のみが検討されており，PPI の使用は致命率に影響を与えなかった（OS）[2]。このようにこれまでに急性膵炎に対する胃酸分泌抑制薬が有用であることを示した大規模な報告はない。

以上より，急性膵炎において胃酸分泌抑制薬の投与を行わないことを弱く推奨する。ただし，急性胃粘膜病変や胃十二指腸潰瘍などの上部消化管出血を合併する症例においては胃酸分泌抑制薬の投与を考慮する必要がある。

■引用文献

1) Morimoto T, Noguchi Y, Sakai T, et al. Acute pancreatitis and the role of histamine-2 receptor antagonists: a meta-analysis of randomized controlled trials of cimetidine. Eur J Gastroenterol Hepatol 2002; 14: 679-686.（MA）

2) Murata A, Ohtani M, Muramatsu K, et al. Effects of proton pump inhibitor on outcomes of patients with severe acute pancreatitis based on a national administrative database. Pancreatology 2015; 15: 491-496.（OS）

胃酸の分泌を抑える胃酸分泌抑制薬にはヒスタミンH_2受容体拮抗薬やプロトンポンプ阻害薬（PPI）があります．胃酸が出ると膵臓からの消化酵素の分泌が刺激されるので，それを抑える目的で胃酸分泌抑制薬が使用されていましたが，現在では膵炎に伴う合併症や痛みを改善させる効果はないとされています．ただし，急性膵炎に急性胃粘膜病変や胃十二指腸潰瘍を合併し，上部消化管出血を認めた場合には，胃酸分泌抑制薬は必要と考えられています．

5 栄養療法

BQ16 急性膵炎における栄養の意義と至適投与経路は何か？

重症例における栄養は，全身性炎症反応により必要量が増加したエネルギーを補給する意味に加えて，経腸栄養は感染予防策として重要であり，重篤な腸管合併症のない重症例には経腸栄養を行う．

■解 説

重症急性膵炎に伴う代謝異常は，高度侵襲に対する生体反応としての代謝と異化の亢進状態が特徴であり，安静時エネルギー消費量（resting energy expenditure；REE）は基礎代謝量（basal energy expenditure；BEE）の1.5倍の代謝亢進状態にあることが知られている（OS）[1]．

それに対応した栄養補給経路として，完全静脈栄養（total parenteral nutrition；TPN）と経腸栄養（enteral nutrition；EN）が利用可能である．両者を比較した臨床研究としてこれまで多くのRCTが行われており（**参考資料1**）[2~14]，これらを利用したシステマティックレビュー(SR)の結果も報告されている（**参考資料2**）[15~18]．また，急性膵炎診療ガイドライン作成ワーキンググループで独自に行ったメタ解析でも，ENはTPNと比較して致命率，膵感染と関連した合併症発生率，多臓器不全を低下させることが明らかになっている（**図1**）．重症急性膵炎を対象とした解析では，患者あたりの医療費は，ENではTPNの1/3であり（RCT）[3]，EN施行例では入院7日後のSIRS陽性率，CRP値，APACHE II値が有意に低下したが，TPN施行例ではこれらの指標に改善を認めなかったとする報告（RCT）もある[4]．

重症急性膵炎患者では，重症例に対して入院後72時間までにENを施行した群はENを施行しなかった群と比較して，1週間後と2週間後の時点で，血中エンドトキシンが有意に低下し，腸管壁の透過性が有意に保持されていたとの結果が報告されており（RCT）[19]，重症例におけるENは腸管壁のintegrityを保持することによる感染予防としての意義が重要である．したがって，腸管穿孔や腸管壊死などの重篤な腸管合併症がない場合，重症急性膵炎ではできるだけ腸管を経由した栄養法を行い，静脈栄養はあくまでもその補助と考える．

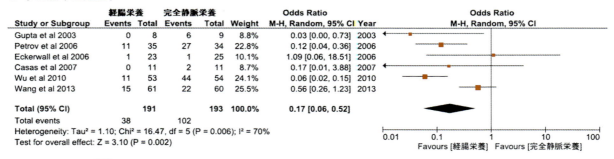

図1 重症急性膵炎における経腸栄養と完全静脈栄養の比較のメタ解析の Forest plot
（急性膵炎診療ガイドライン作成ワーキンググループで行ったメタ解析結果より）
（メタ解析のやさしい解説は第1章の10ページまたはその QR コードからご覧ください）

▶第Ⅵ章-BQ16 の参考資料 1～2 は右の QR コードからご覧いただけます。

参考資料1　急性膵炎に対する経腸栄養（EN）と完全静脈栄養（TPN）に関する RCT
参考資料2　急性膵炎に対する経腸栄養と完全静脈栄養に関するメタ解析とシステマティックレビュー

■引用文献

1) Bouffard YH, Delafosse BX, Annat GJ, et al. Energy expenditure during severe acute pancreatitis. JPEN J Parenter Enteral Nutr 1989; 13: 26-29.（OS）
2) McClave SA, Greene LM, Snider HL, et al. Comparison of the safety of early enteral vs parenteral nutrition in mild acute pancreatitis. JPEN J Parenter Enteral Nutr 1997; 21: 14-20.（RCT）
3) Kalfarentzos F, Kehagias J, Mead N, et al. Enteral nutrition is superior to parenteral nutrition in severe acute pancreatitis: results of a randomized prospective

trial. Br J Surg 1997; 84: 1665-1669.（RCT）
4) Windsor AC, Kanwar S, Li AG, et al. Compared with parenteral nutrition, enteral feeding attenuates the acute phase response and improves disease severity in acute pancreatitis. Gut 1998; 42: 431-435.（RCT）
5) Abou-Assi S, Craig K, O'Keefe SJ. Hypocaloric jejunal feeding is better than total parenteral nutrition in acute pancreatitis: results of a randomized comparative study. Am J Gastroenterol 2002; 97: 2255-2262.（RCT）
6) Oláh A, Pardavi G, Belágyi T, et al. Early nasojejunal feeding in acute pancreatitis is associated with a lower complication rate. Nutrition 2002; 18: 259-262.（RCT）
7) Gupta R, Patel K, Calder PC, et al. A randomised clinical trial to assess the effect of total enteral and total parenteral nutritional support on metabolic, inflammatory and oxidative markers in patients with predicted severe acute pancreatitis（APACHE II > or =6）. Pancreatology 2003; 3: 406-413.（RCT）
8) Louie BE, Noseworthy T, Hailey D, et al. 2004 MacLean-Mueller prize enteral or parenteral nutrition for severe pancreatitis: a randomized controlled trial and health technology assessment. Can J Surg 2005; 48: 298-306.（RCT）
9) Eckerwall GE, Axelsson JB, Andersson RG. Early nasogastric feeding in predicted severe acute pancreatitis: A clinical, randomized study. Ann Surg 2006; 244: 959-965; discussion 965-7.（RCT）
10) Petrov MS, Kukosh MV, Emelyanov NV. A randomized controlled trial of enteral versus parenteral feeding in patients with predicted severe acute pancreatitis shows a significant reduction in mortality and in infected pancreatic complications with total enteral nutrition. Dig Surg 2006; 23: 336-344.（RCT）
11) Casas M, Mora J, Fort E, et al. Nutrición enteral total vs. nutrición parenteral total en pacientes con pancreatitis aguda grave [Total enteral nutrition vs. total parenteral nutrition in patients with severe acute pancreatitis]. Rev Esp Enferm Dig 2007; 99: 264-269（RCT）
12) Doley RP, Yadav TD, Wig JD, et al. Enteral nutrition in severe acute pancreatitis. JOP 2009; 10: 157-162.（RCT）
13) Wu XM, Ji KQ, Wang HY, et al. Total enteral nutrition in prevention of pancreatic necrotic infection in severe acute pancreatitis. Pancreas 2010; 39: 248-251.（RCT）
14) Wang G, Wen J, Xu L, et al. Effect of enteral nutrition and ecoimmunonutrition on bacterial translocation and cytokine production in patients with severe acute pancreatitis. J Surg Res 2013; 183: 592-597.（RCT）
15) Marik PE, Zaloga GP. Meta-analysis of parenteral nutrition versus enteral nutrition in patients with acute pancreatitis. BMJ 2004; 328: 1407-1412.（SR）
16) Al-Omran M, Groof A, Wilke D. Enteral versus parenteral nutrition for acute pancreatitis. Cochrane Database Syst Rev 2010; CD002837.（SR）
17) Li W, Liu J, Zhao S, et al. Safety and efficacy of total parenteral nutrition versus total enteral nutrition for patients with severe acute pancreatitis: a meta-analysis. J Int Med Res 2018; 46: 3948-3958.（MA）
18) Wu P, Li L, Sun W. Efficacy comparisons of enteral nutrition and parenteral nutrition in patients with severe acute pancreatitis: a meta-analysis from randomized controlled trials. Biosci Rep 2018; 38: BSR20181515.（MA）
19) Shen QX, Xu GX, Shen MH. Effect of early enteral nutrition（EN）on endotoxin in serum and intestinal permeability in patients with severe acute pancreatitis. Eur Rev Med Pharmacol Sci 2017; 21: 2764-2768.（RCT）

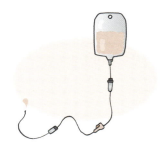

　　急性膵炎のうち，重症急性膵炎では激しい炎症のために高熱が出て全身の消耗が激しく，通常の1.5倍ほどのカロリーが必要になります。このような全身状態では普通に口から食物を食べることはできないので，点滴注射による静脈栄養と，鼻から食道・胃を通って腸に入れた管から栄養を腸に直接注入する経腸栄養を行うことになります。重症急性膵炎では，激しい炎症のために腸の壁が薄くなり腸の中の細菌が腸から漏れ出して膵臓や膵臓の近くに膿が溜まってしまい，数週間経過した後に再び状態が悪化して退院まで長引き，死亡するリスクも上昇するといわれています。そのように腸から細菌が漏れ出すのを防ぐ方法として，できるだけ早く経腸栄養を始めて腸の壁を補強することが有効です。したがって，重症急性膵炎では，腸が破れていたり腐っているような疑いがなければ，経腸栄養を開始した方がいいと考えられています。

CQ16 重症急性膵炎に対する経腸栄養の至適開始時期はいつか？

[推　奨]
経腸栄養は発症早期に開始すれば，合併症発生率を低下させ生存率の向上に寄与するので，入院後48時間以内に少量からでも開始する。

（強い推奨，エビデンスの確実性：高）

▶投票結果：1回目：行うことを推奨する-9/15名：60%，行うことを提案する-6/15名：40%
　　　　　　2回目：行うことを推奨する-16/16名：100%

■解　説

　高度の腸閉塞や腸管虚血，腸管壊死などの経腸栄養の禁忌条件（**表1**）に注意しながら施行すれば，重症例に早期から経腸栄養が可能である。また近年，腹痛，血清膵酵素の上昇，軽度の腸管麻痺や胃液の逆流があっても，さらに蠕動音が聴取できない場合でも，経腸栄養は安全に施行可能であることが明らかになってきた（**表2**）。

　発症早期に経腸栄養を開始することが，感染性合併症発生や在院日数の短縮のみならず致命率の低下にも貢献するとの結果が複数のRCTで示され[1〜7]，経腸栄養を早期に開始することの重要性が注目されている。そしてそれらのRCTの結果から，入院後48時間以内に開始した経腸栄養の重症急性膵炎の治療成績に与える影響を解析したメタ解析が複数報告されている（**参考資料1**）[8〜11]。さらに，急性膵炎診療ガイドライン作成ワーキンググループで独自に行ったメタ解析でも，重症急性膵炎に対して入院後48時間以内に経腸栄養を開始することが，多臓器不全発生率やSIRS発症率を低下させるのみでなく致命率も低下させることが示された。その結果を**図1**に示す。

　以上の解析結果から，**重症例に対しては，入院後48時間以内に経腸栄養を少量からでも開始することは有用であるといえる。**

表1　経腸栄養の禁忌条件
1. 高度の腸閉塞
2. 消化管閉塞
3. 消化管穿孔
4. 重篤な下痢
5. 難治性嘔吐
6. 活動性消化管出血
7. 汎発性腹膜炎
8. 膵性胸腹水

表2　下記の症状・所見があっても経腸栄養が可能である
1. 腹痛
2. 嘔気
3. 血清膵酵素上昇
4. 腸管蠕動音消失
5. 胃内容逆流（経鼻胃管からの排出）

▶第Ⅵ章-CQ16の参考資料1は右のQRコードからご覧いただけます。

参考資料1　急性膵炎に対する経腸栄養（EN）の開始時期に関するメタ解析とシステマティックレビュー

A. 致命率

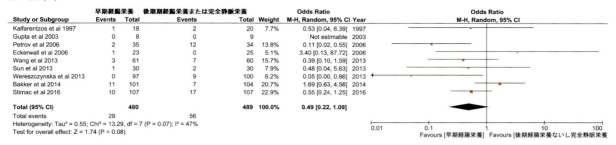

B. 多臓器不全発生率

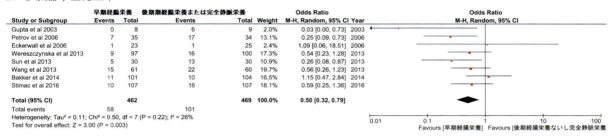

C. SIRS 発生率

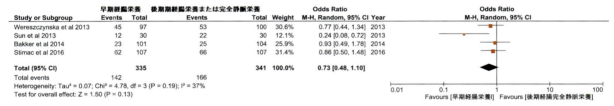

図1 早期 EN 群（48時間以内）を後期 EN なし TPN 群と比較したメタ解析の Forest plot
（急性膵炎診療ガイドライン作成ワーキンググループで行ったメタ解析結果より）
（メタ解析のやさしい解説は第1章の10ページまたはその QR コードからご覧ください）

引用文献

1) Bakker OJ, van Brunschot S, van Santvoort HC, et al; Dutch Pancreatitis Study Group. Early versus on-demand nasoenteric tube feeding in acute pancreatitis. N Engl J Med 2014; 371: 1983-1993.（RCT）
2) Zhang XJ, Xing H, Yin FY, et al. Comparison of the efficacy of early enteral nutrition and total enteral nutrition in elderly patients with severe acute pancreatitis. J Community Med 2015; 13, 45-46.（RCT）
3) Zhang QQ, Jin ZP, Liu LZ. Treatment of early enteral nutrition and enteral nutrition treatment for severe acute pancreatitis. J Clin Med 2016; 3, 7566-7567.（RCT）
4) Sun JK, Mu XW, Li WQ, et al. Effects of early enteral nutrition on immune function of severe acute pancreatitis patients. World J Gastroenterol 2013; 19: 917-922.（RCT）
5) Wereszczynska-Siemiatkowska U, Swidnicka-Siergiejko A, Siemiatkowski A, et al. Early enteral nutrition is superior to delayed enteral nutrition for the prevention of infected necrosis and mortality in acute pancreatitis. Pancreas 2013; 42: 640-646.（CS）
6) Wan B, Fu H, Yin J, et al. Efficacy of rhubarb combined with early enteral nutrition for the treatment of severe acute pancreatitis: a randomized controlled trial. Scand J Gastroenterol 2014; 49: 1375-1384.（RCT）
7) Stimac D, Poropat G, Hauser G, et al. Early nasojejunal tube feeding versus nil-by-mouth in acute pancreatitis: A randomized clinical trial. Pancreatology 2016; 16: 523-528.（RCT）
8) Li JY, Yu T, Chen GC, et al. Enteral nutrition within 48 hours of admission improves clinical outcomes of acute pancreatitis by reducing complications: a meta-analysis. PLoS One 2013; 8: e64926.（MA）
9) Feng P, He C, Liao G, et al. Early enteral nutrition versus delayed enteral nutrition in acute pancreatitis: A PRISMA-compliant systematic review and meta-analysis. Medicine（Baltimore）2017; 96: e8648.（SR）
10) Song J, Zhong Y, Lu X, et al. Enteral nutrition provided within 48 hours after admission in severe acute pancreatitis: A systematic review and meta-analysis.

Medicine (Baltimore) 2018; 97: e11871. (SR)
11) Qi D, Yu B, Huang J, et al. Meta-analysis of early enteral nutrition provided within 24 hours of admission on clinical outcomes in acute pancreatitis. JPEN J Parenter Enteral Nutr 2018; 42: 1139-1147. (MA)

重症急性膵炎では，入院してから2日以内に経腸栄養を開始すると，腸の壁が補強されて腸から細菌が漏れ出しにくくなり，早く退院ができ，さらには重症膵炎により死亡する確率が下がることが明らかになっており，重症膵炎と診断されたらできるだけ早く経腸栄養を始めることが重要です。そのためには，どの施設でも経腸栄養ができるような一定の方法を普及させることが大切です。

CQ17 経腸栄養ではどこから何を投与するか？

［推　奨］
経腸栄養の経路としては，空腸に限らず十二指腸や胃に栄養剤を投与してもよい。

（弱い推奨，エビデンスの確実性：中）

▶投票結果：行うことを推奨する-3/16名：19％，行うことを提案する-13/16名：81％

経腸栄養剤としては粘性や浸透圧などを考慮して，消化態栄養剤，半消化態栄養剤，成分栄養剤から下痢の有無などの病態に応じて選択する。

■解　説

　従来は，経腸栄養チューブを透視下あるいは内視鏡誘導下にTreitz靭帯を越えた空腸（RCT）[1〜3]あるいは十二指腸（RCT）[3,4]に留置した経腸栄養が有効であると報告されており，経腸栄養成分を20〜30 mL/hで開始し，数日をかけて100 mL/h（25〜35 kcal/kg/日）を目標に増量することが多かった。しかし空腸への栄養チューブの挿入が困難であるため早期経腸栄養の普及率が低いことが問題となり，近年胃管を用いた栄養の検討が多くなされている。

　重症急性膵炎における経腸栄養施行時の空腸管と胃管を比較した2005年の研究では，胃管による栄養群でも，空腸管と同程度の臨床効果（ICU入室期間，入院期間，致命率に有意差なし）が認められ，致命率や挿入手技による合併症はむしろ少ない傾向にあった（RCT）[5]。その後，同じような解析結果が報告され（RCT）[6〜8]，2つのシステマティックレビュー報告が行われ（SR）[9,10]，重症急性膵炎に対する胃管からの経腸栄養は空腸管からの経腸栄養と比較しても安全性で劣ることなく施行可能であるという結果であった（SR）[10]（**参考資料1**）。さらに，急性膵炎診療ガイドライン作成ワーキンググループで独自に行ったメタ解析でも，胃管からの経腸栄養は空腸管からの経腸栄養と比較して臓器障害合併率，手技不成功率，致命率に差がない結果であった（図1）。したがって経腸栄養の投与経路としては，空腸管からの栄養に加えて，胃管からの栄養も代替経路として同等であるといえる。ただし，胃管からの栄養には胃食道逆流による誤嚥などの合併症の可能性があり，少量から慎重に開始することが必要である。

　経腸栄養剤は，その成分により消化態栄養剤，半消化態栄養剤，成分栄養剤などに分類されるが，これまで経腸栄養の有用性を報告してきた解析で使用されてきた経腸栄養剤に一定の傾向はなく，いずれの栄養剤を使用しても大きな差はないと報告されている（RCT，SR，CS）[11〜13]。

　一方で，感染性合併症に対する積極的免疫栄養療法として，さまざまな免疫栄養療法の有用性が検討されて

A. 致命率

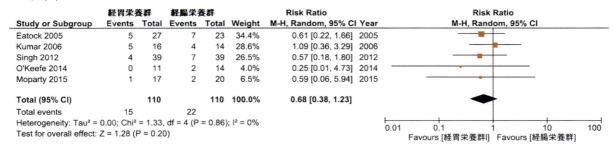

B. 臓器障害合併率

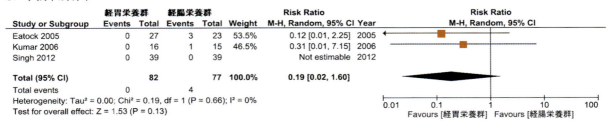

C. 手技不成功率

図1 経胃栄養群と経腸栄養群を比較したメタ解析の Forest plot
（急性膵炎診療ガイドライン作成ワーキンググループで行ったメタ解析結果より）
（メタ解析のやさしい解説は第1章の10ページまたはそのQRコードからご覧ください）

いる。プロバイオティクスである乳酸菌や[14,15]，グルタミン[16]，アルギニン[17]，ω-3脂肪酸[18]，それらを組み合わせたシンバイオティクス[19]の報告がなされてきた（RCT）。各RCTでそれぞれの限られた条件下では一定の効果が報告されているものの，それらを用いた複数のメタ解析[20,21]では一定した結果は得られていない（MA，SR）。また，重症急性膵炎患者に対するプロバイオティクス製剤の効果について致命率の増加が懸念される報告[22]があり（RCT），現時点では，プロバイオティクス製剤を含めた免疫強化療法製剤の使用は推奨できない。

▶第Ⅵ章-CQ17の参考資料1は右のQRコードからご覧いただけます。

参考資料1　経胃栄養群と経空腸栄養群を比較したメタ解析

■引用文献

1) McClave SA, Greene LM, Snider HL, et al. Comparison of the safety of early enteral vs parenteral nutrition in mild acute pancreatitis. JPEN J Parenter Enteral Nutr 1997; 21: 14-20. (RCT)
2) Kalfarentzos F, Kehagias J, Mead N, et al. Enteral nutrition is superior to parenteral nutrition in severe acute pancreatitis: results of a randomized prospective trial. Br J Surg 1997; 84: 1665-1669. (RCT)
3) Gupta R, Patel K, Calder PC, et al. A randomised clinical trial to assess the effect of total enteral and total parenteral nutritional support on metabolic, inflammatory and oxidative markers in patients with predicted severe acute pancreatitis (APACHE II > or =6). Pancreatology 2003; 3: 406-413. (RCT)
4) Oláh A, Pardavi G, Belágyi T, et al. Early nasojejunal feeding in acute pancreatitis is associated with a lower complication rate. Nutrition 2002; 18: 259-262. (RCT)
5) Eatock FC, Chong P, Menezes N, et al. A randomized study of early nasogastric versus nasojejunal feeding in severe acute pancreatitis. Am J Gastroenterol 2005; 100: 432-439. (RCT)
6) Kumar A, Singh N, Prakash S, et al. Early enteral nutrition in severe acute pancreatitis: a prospective randomized controlled trial comparing nasojejunal and nasogastric routes. J Clin Gastroenterol 2006; 40: 431-434. (RCT)
7) Singh N, Sharma B, Sharma M, et al. Evaluation of early enteral feeding through nasogastric and nasojejunal tube in severe acute pancreatitis: a noninferiority randomized controlled trial. Pancreas 2012; 41: 153-159. (RCT)
8) Moparty E, Kumar PS, Umadevi M, et al. A comparison of nasogastric and nasojejunal feeding in the enteral nutrition of acute pancreatitis. Ind J Gastroenterol 2015; 34 (Suppl 1) : A79. (RCT)
9) Petrov MS, Correia MI, Windsor JA. Nasogastric tube feeding in predicted severe acute pancreatitis. A systematic review of the literature to determine safety and tolerance. JOP 2008; 9: 440-448. (SR)
10) Dutta AK, Goel A, Kirubakaran R, et al. Nasogastric versus nasojejunal tube feeding for severe acute pancreatitis. Cochrane Database Syst Rev 2020; 26; 3: CD010582. (SR)
11) Tiengou LE, Gloro R, Pouzoulet J, et al. Semi-elemental formula or polymeric formula: Is there a better choice for enteral nutrition in acute pancreatitis? Randomized comparative study. JPEN J Parenter Enteral Nutr 2006; 30: 1-5. (RCT)
12) Petrov MS, Loveday BP, Pylypchuk RD, et al. Systematic review and meta-analysis of enteral nutrition formulations in acute pancreatitis. Br J Surg 2009; 96: 1243-1252. (SR)
13) Endo A, Shiraishi A, Fushimi K, et al. Comparative effectiveness of elemental formula in the early enteral nutrition management of acute pancreatitis: A retrospective cohort study. Ann Intensive Care 2018; 8: 69. (CS)
14) Wang G, Wen J, Xu L, et al. Effect of enteral nutrition and ecoimmunonutrition on bacterial translocation and cytokine production in patients with severe acute pancreatitis. J Surg Res 2013; 183: 592-597. (RCT)
15) Oláh A, Belágyi T, Issekutz A, et al. Randomized clinical trial of specific lactobacillus and fibre supplement to early enteral nutrition in patients with acute pancreatitis. Br J Surg 2002; 89: 1103-1107. (RCT)
16) Fuentes-Orozco C, Cervantes-Guevara G, Muciño-Hernández I, et al. L-alanyl-L-glutamine-supplemented parenteral nutrition decreases infectious morbidity rate in patients with severe acute pancreatitis. JPEN J Parenter Enteral Nutr 2008; 32: 403-411. (RCT)
17) Pearce CB, Sadek SA, Walters AM, et al. A double-blind, randomised, controlled trial to study the effects of an enteral feed supplemented with glutamine, arginine, and omega-3 fatty acid in predicted acute severe pancreatitis. JOP 2006; 7: 361-371. (RCT)
18) Wang X, Li W, Li N, Li J. Omega-3 fatty acids-supplemented parenteral nutrition decreases hyperinflammatory response and attenuates systemic disease sequelae in severe acute pancreatitis: a randomized and controlled study. JPEN J Parenter Enteral Nutr 2008; 32: 236-241. (RCT)
19) Oláh A, Belágyi T, Pótó L, et al. Synbiotic control of inflammation and infection in severe acute pancreatitis: a prospective, randomized, double blind study. Hepatogastroenterology 2007; 54: 590-594. (RCT)
20) Petrov MS, Atduev VA, Zagainov VE. Advanced enteral therapy in acute pancreatitis: is there a room for immunonutrition? A meta-analysis. Int J Surg 2008; 6: 119-124. (MA)
21) Poropat G, Giljaca V, Hauser G, et al. Enteral nutrition formulations for acute pancreatitis. Cochrane Database Syst Rev 2015; CD010605. (SR)
22) Besselink MG, van Santvoort HC, Buskens E, et al; Dutch Acute Pancreatitis Study Group. Probiotic prophylaxis in predicted severe acute pancreatitis: a randomised, double-blind, placebo-controlled trial. Lancet 2008; 371: 651-659. (RCT)

やさしい解説

腸に栄養を入れる方法としては，従来は鼻から食道，胃を越えて腸にまで入れた管から栄養を腸に直接注入する方法が標準的でしたが，腸にまで管の先を入れるのは困難でした．最近，先端を胃においた管からの栄養でも同じような効果が期待できることがわかりました．

また，使用される栄養剤は，消化を必要とせずに吸収されるものから，ある程度消化が必要なもの，含まれる脂肪の量が異なっているものなどがあり，患者さんの状態に合わせて栄養剤を選択します．さらに，免疫力を高めるとされる特定の成分が強化されているものや乳酸菌など特殊な成分を追加することが治療成績を良くするのではないかと試みられていますが，現時点ではまだ有効かどうか不明です．

CQ18 軽症膵炎ではどのように食事を再開するか？

[推　奨]

軽症膵炎では腸蠕動が回復すれば，経口摂取を再開することができる．

（弱い推奨，エビデンスの確実性：高）

▶投票結果：1回目：行うことを推奨する-7/17名：41%，行うことを提案する-10/17名：59%

　　　　　　2回目：行うことを推奨する-2/17名：12%，行うことを提案する-15/17名：88%

■解　説

　従来は軽症膵炎であっても，経口摂取再開に伴う腹痛を含む膵炎再燃が危惧され，早期の経口摂取再開には，腹痛の消失や血清膵酵素値の正常化などを条件とする意見が一般的であった（OS)[1]．しかし最近，軽症膵炎に対する経口摂取の再開時期とその内容について，早期経口摂取再開の安全性と有用性に関する多くのRCTの結果が報告されており（RCT)[2~8]，そのメタ解析の結果も発表されている（SR)[9]．それによると，569例の軽症膵炎中，腸蠕動回復後直ちに経口摂取を開始した早期経口摂取開始群（280例）は，腹痛の消失，血清酵素値や炎症反応の低下を待ってから経口摂取を開始した待機的経口摂取開始群（289例）に比べて，在院期間が明らかに短く（Weighted Mean Differences：−2.22，95%CI：−3.37〜−1.08，P＝0.0001），腹痛や腹部膨満などの有害事象発生にも差がないと報告している．

　多くのRCTは欧米からの報告であるが，日本人を対象としたRCTの結果を2020年にHoribeらが，報告している．それによると，膵炎発症後1日内に脂肪摂取を15 g/日とした固形食から開始した早期栄養開始群と，嘔気腹痛などの消化器症状が消失し血清膵酵素が正常範囲の2倍以下に低下して空腹感を感じてから水から徐々に内容を固形食に切り替えた標準的栄養開始群とを比較し，早期栄養開始群の方が膵炎からの回復期間，在院期間ともに有意に短縮し，医療費が有意に節減されたとのRCTの結果であった[10]．また，この報告では早期栄養開始群において腹痛を有する場合に鎮痛薬を使用しつつ経口摂取を開始しても特に有害事象はみられなかったという．その後に報告されたもう一つのRCT[11]を加えて，急性膵炎診療ガイドライン作成ワーキンググループで行ったメタ解析結果でも，早期に経口摂取を開始した方が，待機的に経口摂取を開始するよりも在院日数が有意に短縮されることが示された（図1）．

　経口摂取再開時の食事内容に関してもRCTによる研究結果が報告されており，必ずしも低カロリーの流動食から開始し段階的にカロリーを増加させる必要はなく，腸蠕動が回復すれば直ちに1,700 kcal/日の食事を再開しても有害事象はなく，在院日数短縮の効果もあると報告されている（RCT)[3]．これらのことから，軽症膵炎では腸蠕動が回復すれば，経口摂取を安全に開始することが可能であるといえる．

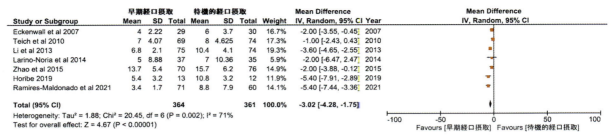

図1 軽症膵炎に対する早期経口摂取再開と待機的経口摂取再開における在院日数に関するメタ解析結果
（急性膵炎診療ガイドライン作成ワーキンググループで行ったメタ解析結果より）
（メタ解析のやさしい解説は第1章の10ページまたはそのQRコードからご覧ください）

■引用文献

1) Chebli JM, Gaburri PD, De Souza AF, et al. Oral refeeding in patients with mild acute pancreatitis: prevalence and risk factors of relapsing abdominal pain. J Gastroenterol Hepatol 2005; 20: 1385-1389.（OS）
2) Eckerwall GE, Tingstedt BB, Bergenzaun PE, et al. Immediate oral feeding in patients with mild acute pancreatitis is safe and may accelerate recovery--a randomized clinical study. Clin Nutr 2007; 26: 758-763.（RCT）
3) Teich N, Aghdassi A, Fischer J, et al. Optimal timing of oral refeeding in mild acute pancreatitis: results of an open randomized multicenter trial. Pancreas 2010; 39: 1088-1092.（RCT）
4) Li J, Xue GJ, Liu YL, et al. Early oral refeeding wisdom in patients with mild acute pancreatitis 2013; 42: 88-91.（RCT）
5) Lariño-Noia J, Lindkvist B, Iglesias-García J, et al. Early and/or immediately full caloric diet versus standard refeeding in mild acute pancreatitis: A randomized open-label trial. Pancreatology 2014; 14: 167-173.（RCT）
6) Zhao XL, Zhu SF, Xue GJ, et al. Early oral refeeding based on hunger in moderate and severe acute pancreatitis: A prospective controlled, randomized clinical trial. Nutrition 2015; 31: 171-175.（RCT）
7) Moraes JM, Felga GE, Chebli LA, et al. A full solid diet as the initial meal in mild acute pancreatitis is safe and result in a shorter length of hospitalization: results from a prospective, randomized, controlled, double-blind clinical trial. J Clin Gastroenterol 2010; 44: 517-522.（RCT）
8) Dong E, Chang JI, Verma D, et al. Enhanced recovery in mild acute pancreatitis: A randomized controlled trial. Pancreas 2019; 48: 176-181.（RCT）
9) Horibe M, Nishizawa T, Suzuki H, et al. Timing of oral refeeding in acute pancreatitis: A systematic review and meta-analysis. United European Gastroenterol J 2016; 4: 725-732.（SR）
10) Horibe M, Iwasaki E, Nakagawa A, et al. Efficacy and safety of immediate oral intake in patients with mild acute pancreatitis: A randomized controlled trial. Nutrition 2020; 74: 110724.（RCT）
11) Maldonado RE, Gordo SL, Pueyo EM, et al. Immediate oral refeeding in patients with mild and moderate acute pancreatitis: a multicenter, randomized controlled trial (PAID trial). Ann Surg 2021; 274: 255-263.（RCT）

軽症急性膵炎では，腹痛がなくなり膵炎の症状や検査所見が治まってから食事を再開することが広く行われてきました．最近になって，軽症膵炎ならば腸が動いてくればすぐに食事を再開でき，その方が早く退院できて治療費も安く済むことがわかりました．食事の内容も，最初は水分から徐々に固形食にして摂取カロリーを増やす方法が一般的でしたが，再開時から普通の食事を食べても大丈夫で，その方がかえって早く退院できることもわかりました．これからは，軽症膵炎であればできるだけ早く食事を再開するようになると考えられます．

6　腹腔洗浄・腹膜灌流

CQ19　急性膵炎に対する腹腔洗浄は有用か？

［推　奨］
急性膵炎に対する腹腔洗浄は行わないことを提案する。

（弱い推奨，エビデンスの確実性：低）

▶投票結果：
　1 回目：行わないことを推奨する-8/18 名：44％，行わないことを提案する-10/18 名：56％
　2 回目：行わないことを推奨する-1/18 名：6％，行わないことを提案する-17/18 名：94％

■解　説

　急性膵炎に伴う腹水を灌流液で直接洗い流すことを目的に腹腔洗浄（peritoneal lavage；PL）は 1980 年前後より盛んに行われてきた。本ガイドライン 2015 では，1980 年代の PL に関する RCT を中心にメタ解析を行ったが，臨床的有効性は証明されず，施行しないことが提案された。それ以降に報告された RCT は 1 編のみで，腹水を伴った重症急性膵炎 80 例を対象に PL 群（39 例）と経皮的ドレナージのみ（PCD 群：41 例）を比較したものである（RCT）[1]。致命率もしくは合併症（多臓器不全，感染性膵壊死を含む）の発症率は，PL 群 43.6％，PCD 群 36.6％（RR＝1.19，95％CI：0.70〜2.04，P＝0.52）で，新規の臓器不全発生率は PL 群で高い傾向（33.3％，17.1％：RR＝1.95，95％CI：0.87〜4.38，P＝0.10）にあった。これは PCD 群に比し，PL 群において腹腔内圧が PL 開始 48 時間後から有意に上昇したためと考察されている。一方，危惧された菌血症や感染性膵壊死の発症率には差はなかった。

■引用文献

1) He WH, Xion ZJ, Zhu Y, et al. Percutaneous drainage versus peritoneal lavage for pancreatic ascites in severe acute pancreatitis: A prospective randomized trial. Pancreas 2019; 48: 343-349.（RCT）

7　血液浄化療法

CQ20　持続的血液浄化法はいつ，どのような膵炎に導入すべきか？

［推　奨］
十分な初期輸液にもかかわらず，循環動態が安定せず，利尿の得られない重症例や ACS 合併例に対する厳密な体液管理のために持続的血液浄化法を施行することを提案する。

（弱い推奨，エビデンスの確実性：低）

▶投票結果：行うことを提案する-13/13 名：100％

■解　説

　急性膵炎では，循環動態が安定せず，利尿の得られない重症例に対して，大量輸液をし続けると，体液過剰をきたし，しばしば，腹腔内圧（IAP）が上昇し，致命的な腹部コンパートメント症候群（ACS）の要因となる（詳細は p.127，10. Abdominal compartment syndrome もしくは CQ26）。この対策には，厳密な体液管理が必要であり，その一環として持続的血液浄化法が有効かもしれない。しかし，その有効性を検証した RCT

の報告はなく，本法により，体内の水分分布の不均衡が改善したとの報告（OS）[1]や，早期の導入が水分バランスを負に傾け，腹腔内圧を低下させたとの報告（OS）[2]があるに過ぎない．これらの観察研究では本法が急性膵炎における体液管理に有用であることを示しているが，救命率への影響はなかった．

また，ACSを合併した重症急性膵炎を対象に本法の有効性を検討した研究（OS）[3]では，施行群は非施行群に比し，IAPの低下が速やかであったと報告された．この研究では血中IL-8値は非施行群に比し施行群で有意に低値を示したが，累積水分バランスとIAPの変化率は相関せず，IL-8値とIAPとの有意な相関を示したことから，本法により炎症性メディエーター除去（病因物質除去）がIAP低下に寄与したと推論している．IL-6とIAPの動きを観察したOdaら[4]の研究も同様の結果で，ACSの病因物質としてサイトカインが重要な役割を果たしていると結論している（OS）．本法により生存率の改善は認めないものの腹腔内圧を低下し得ることが示されたが，その機序としては厳密な体液管理（除水）によるものだけではなく，病因物質除去の関与も示唆されているが，それを明確に示すエビデンスはない（RCT）[5~7]．

■引用文献

1) Wu C, Wang X, Jiang T, et al. Improved effect of continuous renal replacement therapy in metabolic status and body composition of early phase of acute pancreatitis. Int J Artif Organs 2015; 38: 523-529（OS）
2) Pupelis G, Plaudis H, Zeiza K, et al. Early continuous veno-venous haemofiltration in the management of severe acute pancreatitis complicated with intra-abdominal hypertension: retrospective review of 10 years' experience. Ann Intensive Care 2012; 2（Suppl 1）: S21（OS）
3) Xu J, Cui Y, Tian X. Early continuous veno-venous hemofiltration is effective in decreasing intra-abdominal pressure and serum interleukin-8 level in severe acute pancreatitis patients with abdominal compartment syndrome. Blood Purif 2017; 44: 276-282.（OS）
4) Oda S, Hirasawa H, Shiga H, et al. Management of intra-abdominal hypertension in patients with severe acute pancreatitis with continuous hemodiafiltration using a polymethyl methacrylate membrane hemofilter. Ther Apher Dial 2005; 9: 335-361.（OS）
5) Guo H, Suo DW, Zhu HP, et al. Early blood purification therapy of severe acute pancreatitis complicated by acute lung injury. Eur Rev Med Pharmacol Sci 2016; 20: 873-878.（RCT）
6) Gao N, Yan C, Zhang G. Changes of serum procalcitonin（PCT）, C-reactive protein（CRP）, interleukin-17（IL-17）, interleukin-6（IL-6）, high mobility group protein-B1（HMGB1）and D-dimer in patients with severe acute pancreatitis treated with continuous renal replacement therapy（CRRT）and its clinical significance. Med Sci Monit 2018; 24: 5881-5886.（RCT）
7) Chu LP, Zhou JJ, Yu YF, et al. Clinical effects of pulse high-volume hemofiltration on severe acute pancreatitis complicated with multiple organ dysfunction syndrome. Ther Apher Dial 2013; 17: 78-83.（RCT）

やさしい解説

急性膵炎は，重症度が高くなればなるほど血管内皮障害により，血管内に水分を保持することができなくなり（血管透過性の亢進），大量の水分が血管外へ漏出します。それを補うために大量の輸液を続けざるを得ない場合が少なくありません。特に血圧が不安定であったり，充分な尿が得られない場合にはこの傾向が強くなります。また，急性膵炎は「おなかのやけど：abdominal burn」と呼ばれるように膵臓からはじまる激しい炎症が特徴的です。このため，体液の漏出は腹腔や後腹膜臓器へ強く現れ，その結果，腹腔内圧が上昇します。このような病態は，横隔膜の挙上による呼吸障害，腹部血管の圧迫や心臓から送り出す血液量の低下等をきたし，各臓器障害を引き起こします。これが腹部コンパートメント症候群（ACS）と呼ばれる病態です。これを避けるためには厳密な体液管理と血管内皮障害を惹起するサイトカイン（後述）のコントロールが重要なカギとなります。

このような病態に対しては持続的血液浄化法を行うことが提案されています。血液浄化法は血液から老廃物や有害な成分，余剰な水分を除去することができます。1日の大半をかけ，体に負担をかけないように持続的に行いますので，持続的血液浄化法と呼ばれています。いくつかの研究では持続的血液浄化法が体液管理に有用であることが示されていますので，血圧が不安定であったり，充分な尿が得られない場合には水分管理を目的に行われています。

持続的血液浄化法は，腎障害で認められるような老廃物や有害な成分も効率的に除去できることがわかっていますが，サイトカインの除去に関しては明確な答えが出ていません。サイトカインは，新型コロナウイルス感染症でしばしば「サイトカインストーム」としてメディアを賑わしましたが，これは細胞から分泌される蛋白質であり，通常はダメージを受けた細胞に信号を送り，免疫反応を活発化したり，細胞の修復など体を守る働きがあります。しかし，ダメージが強いとサイトカインの分泌も過剰になり，その結果，免疫反応も過度になり，かえって体を傷つけてしまいます。これがサイトカインストームという状態です。重症急性膵炎における血管内皮障害や臓器障害もサイトカインストームが原因の一つと考えられています。これを持続的血液浄化法でコントロールしようという試みは現在，研究段階にあり，今後の研究に期待がかかります。

CQ21 高トリグリセリド血症（HTG）に伴う急性膵炎（HTG-AP）の治療方針は？
緊急で血漿交換療法（TPE）を行うことは推奨されるか？

［推　奨］
HTG-APではまず，急性膵炎に対する初期治療およびHTGに対する栄養療法および薬物療法を優先する。

（弱い推奨，エビデンスの確実性：低）
▶投票結果：行うことを提案する-14/14名：100%

［推　奨］
TPEは上記に反応しない場合の補助療法として行うことを検討する。

（弱い推奨，エビデンスの確実性：低）
▶投票結果：行うことを提案する-12/14名：86%，推奨なし-2/14名：14%

■解説

　脂質異常症を成因とする急性膵炎の発生頻度は全体の2.3%と稀ではあるが（OS）[1]，血清トリグリセリド（TG）値が1,000 mg/dLを超える重症の高トリグリセリド血症（hypertri-glyceridemia；HTG）ではその発症率は15～20%に及ぶことが報告されている（OS）[2]。HTGの原因には遺伝子異常による原発性脂質異常症，膵炎自体の原因ともなりうる糖尿病，肥満，アルコール大量飲酒のほか，妊娠，薬剤（ステロイド，利尿薬，β遮断薬，選択的セロトニン受容体阻害薬，プロテアーゼ阻害薬）投与をきっかけに発症する続発性脂質異常症がある。

　HTGに伴う急性膵炎（hypertriglyceridemia-induced acute pancreatitis；HTG-AP）の治療は血清TG値を速やかに低下させることである（SR）[3]が，TGの目標値を明記したガイドラインはない。Luら[4]はHTG-AP 242例を解析した結果，入院48時間後の血清TGが500 mg/dL以上であることが持続性臓器不全の独立危険因子であることより，入院後48時間以内に500 mg/dL以下に低下させることを提案した（OS）。

　HTGを標的とした治療（成因標的療法）としては，栄養療法（食事制限）や薬物療法（脂質低下薬，ヘパリン，インスリンなど）のほか，血漿交換療法（therapeutic plasma exchange；TPE）が試みられてきた。成因標的療法を比較したシステマティックレビュー（SR）[5]では，強化インスリン療法（IIT：46例），通常のインスリン療法（NIIT：43例），TPE（43例）の3群で血清TG値≦500 mg/dLを達成するまでの時間（中央値）が比較され，IIT：49（32～120）時間，NIIT：72（33～120）時間，TPE：44（21～68）時間と，TPEで有意（$P=0.047$）に短縮された。しかし，3群間に致命率や膵局所合併症発症率の差は認められなかった。薬物療法とTPEの臨床効果を比較したRCTはこれまでになく，対照研究が散見されるにすぎない（OS）[6～12]。TPEが栄養療法や薬物治療に比べて血清TG値の低下率は高い報告が多いものの（OS）[7～10]，局所合併症発症率，致命率においてTPEの優位性は認められなかった（OS）[7～12]。一部の報告（OS）[7～9]では，TPE導入の遅れを指摘しているが，導入時期を比較した観察研究においても致命率には差は認められていない（OS）[10]。本邦におけるHTG-A（30例）に対するTPEの効果を検討した多施設共同研究（OS）[12]では，TPEにより血清TG値はいずれも速やかに低下したが，TPE施行の有無と感染性膵合併症発症率，致命率に差は認められなかった。

　TPE施行例では深部血栓症，アナフィラキシー，電解質異常，出血（ヘパリンの使用）などの有害事象が報告されており（OS）[10,11]，TPEは薬物療法に比べ，煩雑でコスト高である（OS）[10]。したがってHTG-APに対する治療は，まず，急性膵炎に対する初期治療およびHTGに対する栄養療法および薬物療法を行い，TPEはこれらに反応しない場合の補助療法として検討することを提案する。

■引用文献

1) Masamune A, Kikuta K, Hamada S, et al; Japan Pancreas Society. Clinical practice of acute pancreatitis in Japan: An analysis of nationwide epidemiological survey in 2016. Pancreatology 2020; 20: 629-636. (OS)

2) Pascual I, Sanahuja A, García N, et al. Association of elevated serum triglyceride levels with a more severe course of acute pancreatitis: Cohort analysis of 1457 patients. Pancreatology 2019; 19: 623-629 (OS)

3) Adiamah A, Psaltis E, Crook M, et al. A systematic review of the epidemiology, pathophysiology and current management of hyperlipidaemic pancreatitis. Clin Nutr 2018; 37: 1810-1822. (SR)

4) Lu Z, Li M, Guo F, et al. Timely reduction of triglyceride levels is associated with decreased persistent organ failure in hypertriglyceridemic pancreatitis. Pancreas 2020; 49: 105-110 (OS)

5) Yu S, Yao D, Liang X, et al. Effects of different triglyceride-lowering therapies in patients with hypertriglyceridemia-induced acute pancreatitis. Exp Ther Med 2020; 19: 2427-2432 (SR)

6) Wang HL, Yu KJ. Sequential blood purification therapy for critical patients with hyperlipidemic severe acute pancreatitis. World J Gastroenterol 2015; 21: 6304-6309. (OS)

7) Chen JH, Yeh JH, Lai HW, et al. Therapeutic plasma exchange in patients with hyperlipidemic pancreatitis. World J Gastroenterol 2004; 10: 2272-2274. (OS)

8) Huang C, Liu J, Lu Y, et al. Clinical features and treatment of hypertriglyceridemia-induced acute pancreatitis during pregnancy: A retrospective study. J Clin Apher 2016; 31: 571-578. (OS)

9) Biberci Keskin E, Koçhan K, Köker İH, et al. The role

of plasma exchange in hypertriglyceridemia-induced acute pancreatitis. Eur J Gastroenterol Hepatol 2019; 31: 674-677.（OS）
10) Gubensek J, Buturovic-Ponikvar J, Romozi K, et al. Factors affecting outcome in acute hypertriglyceridemic pancreatitis treated with plasma exchange: An observational cohort study. PLoS One 2014; 9: e102748.（OS）
11) Jin M, Peng JM, Zhu HD, et al. Continuous intravenous infusion of insulin and heparin vs plasma exchange in hypertriglyceridemia-induced acute pancreatitis. J Dig Dis 2019; 19: 766-772.（OS）
12) Miyamoto K, Horibe M, Sanui M, et al. Plasmapheresis therapy has no triglyceride-lowering effect in patients with hypertriglyceridemic pancreatitis. Intensive Care Med 2017; 43: 949-951.（OS）

脂質異常症とは脂質，つまり血中の中性脂肪（TG：トリグリセリド）やLDLコレステロール（いわゆる悪玉コレステロール）の濃度が高いかHDLコレステロール（いわゆる善玉コレステロール）濃度が低い状態を指します．以前は高脂血症と呼ばれていました．コレステロール値に異常があると，動脈硬化が進み，脳梗塞，心筋梗塞など血管系の病気にかかりやすくなりますが，なかでも中性脂肪が500mg/dLを超えるような場合には急性膵炎を起こすことがあります．

脂質異常症の原因には遺伝的要素や体質，妊娠，薬剤投与をきっかけに発症するものもありますが，運動不足や過食，肥満，喫煙，アルコールの飲み過ぎなど，生活習慣の乱れを背景とする場合が多くみられます．このため，コレステロールや中性脂肪が高いと診断されたら，まずは食習慣を改善し，運動不足を解消しましょう．これら食事療法や運動療法を組み合わせても脂質異常症が改善しない場合は内服薬による治療を組み合わせます．

脂質異常症は動脈硬化を起こす一番の原因ですが，これを治療することは，血管系の病気だけでなく，急性膵炎の予防にもなるわけです．

高中性脂肪血症（HTG：高トリグリセリド血症）により急性膵炎を起こした場合の治療目標は血清中性脂肪値を速やかに低下させることです．しかし，初期治療は他の成因の急性膵炎と同様であり，十分な輸液と栄養療法（絶食，脂質制限）を行い，それに加えて脂質低下薬，インスリンを投与します．多くはこの治療法で血清中性脂肪値は低下しますが，なかなか下がらない場合には血液の一部を取り出し，血漿中の脂質成分を除去する治療法，すなわち血漿交換療法が必要になる場合もあります．

8　蛋白分解酵素阻害薬・抗菌薬膵局所動注療法

CQ22 急性壊死性膵炎に対し，蛋白分解酵素阻害薬・抗菌薬膵局所動注療法（動注療法）を実施する適応があるか？

[推　奨]
急性壊死性膵炎に対し，動注療法を実施することによる有用性は証明されていない．保険収載されていないため通常の診療として実施する適応はない．行う場合は臨床研究として実施する．

（推奨なし，エビデンスの確実性：低）
▶投票結果：行わないことを提案する-2/11名：18％，推奨なし-9/11名：82％

■解 説

　蛋白分解酵素阻害薬・抗菌薬膵局所動注療法（動注療法）は，急性膵炎発症初期に膵虚血を呈する重症例を対象として行われる補助治療である。効果として膵壊死形成の阻止，それによる手術施行率の低下，救命率の改善が期待されていた。しかし，動注療法の有用性を検討したランダム化比較試験（RCT）[1~3]のメタ解析では，死亡リスク（RR＝0.72，95%CI：0.16～3.23，P＝0.67）（図1-A）と膵壊死形成リスク（RR＝1.63，95%CI：0.67～3.93，P＝0.28）において動注療法の有用性は示されなかった。一方，手術施行率はポーランドで実施されたRCTにて有意に低下した（RR＝0.31，95%CI：0.11～0.86，P＝0.01）ことが報告されたが，このRCTでは手術施行率が21.8%と高く，この研究での急性壊死性膵炎に対する手術実施基準が日本の現状と異なる懸念がある（RCT）[1]。そのため，日本のDPCデータベースを用い傾向スコアマッチング法による群間比較解析を報告した2つの観察研究（手術施行率1.7%と4.0%）（OS）[4,5]についてメタ解析を行ったところ，前述のRCTの結果とは逆に動注群の手術施行率が有意に高い結果（RR＝2.59，95%CI：1.12～6.00，P＝0.03）（図1-B）であった。動注療法が手術施行率を下げる可能性について，さらなる検討が必要である。

　その2つの観察研究のうち，対象を造影CTで膵造影不良を呈する造影CT Grade 2以上かつICUに入室した極めて重症度の高い患者に対象を絞って行われた傾向スコアマッチング法の解析では，動注群が対照群と比較し有意に院内致命率が低かった（13.5% vs. 20.0%，調整OR＝0.62，95%CI：0.39～0.98，P＝0.041）（OS）[5]。この結果は後ろ向き試験の結果であるため，RCTにより検証されるべきである。

　動注療法の合併症について比較的規模の大きな症例対照研究の報告によると，動注群374例中29例（7.8%）に動注カテーテル関連合併症を認めた。その内訳は，カテーテル閉塞が最も多く，他に血栓症や皮下血腫の発生も報告された（OS）[6]。最近のRCTでは動注群20例のうち2例（10%）に動注カテーテル関連合併症を認め，その内訳は脾梗塞と動注カテーテル刺入部からの出血であった（RCT）[3]。

　動注療法は保険収載されておらず，通常の診療では実施する適応がない。比較的合併症が多く，中には重篤な合併症も含まれる。患者に絶対安静を強いる治療法であり，動注カテーテルを管理する医療側の負担も大き

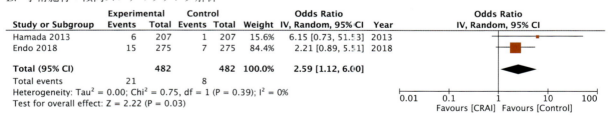

図1　重症急性膵炎に対する動注療法の効果

重症急性膵炎患者を対象とした動注療法の有効性について。死亡をアウトカムとした3つのランダム化比較試験（RCT）のForest plot A，および手術施行をアウトカムとした2つの傾向スコアマッチング解析のForest plot Bを示す。致命率低下については動注群と対照群に差がなく，手術施行率は動注群で有意に高い結果であった。本委員会でReview Manager 5.3を用いてRandom effect法によるメタ解析を行った。

（メタ解析のやさしい解説は第1章の10ページまたはそのQRコードからご覧ください）

い。しかしながら，広範な壊死形成を疑う極めて重篤な患者に対しては，生命予後を改善する可能性が否定できず，今後検証されるべき課題である。動注療法を実施する場合には，十分な説明と同意の下，臨床研究として行う。

■引用文献

1) Piaścik M, Rydzewska G, Milewski J, et al. The results of severe acute pancreatitis treatment with continuous regional arterial infusion of protease inhibitor and antibiotic: a randomized controlled study. Pancreas 2010; 39: 863-867（RCT）.
2) 武田和憲，松野正紀，浦 英樹，他．多施設共同研究による急性壊死性膵炎に対する蛋白分解酵素阻害薬の膵局所動注療法の有用性に関する検討．胆と膵 2007; 28: 967-972.（RCT）
3) Hirota M, Shimosegawa T, Kitamura K, et al. Continuous regional arterial infusion versus intravenous administration of the protease inhibitor nafamostat mesilate for predicted severe acute pancreatitis: a multicenter, randomized, open-label, phase 2 trial. J Gastroenterol 2020; 55: 342-352.（RCT）
4) Hamada T, Yasunaga H, Nakai Y, et al. Continuous regional arterial infusion for acute pancreatitis: a propensity score analysis using a nationwide administrative database. Crit Care 2013; 17: R214.（OS）
5) Endo A, Shiraishi A, Fushimi K, et al. Impact of continuous regional arterial infusion in the treatment of acute necrotizing pancreatitis: analysis of a national administrative database. J Gastroenterol 2018; 53: 1098-1106.（OS）
6) Horibe M, Sasaki M, Sanui M, et al. Continuous regional arterial infusion of protease inhibitors has no efficacy in the treatment of severe acute pancreatitis: a retrospective multicenter cohort study. Pancreas 2017; 46: 510-517.（OS）

蛋白分解酵素阻害薬・抗菌薬膵局所動注療法（動注療法）は，重症急性膵炎の患者さんを対象として日本で30年来行われてきた治療法です。この治療法では，患者さんの鼠径部からカテーテルを動脈内に挿入し，5日間程度持続的に蛋白分解酵素阻害薬を注入します。開発された当初は，急性膵炎の悪化により膵臓が腐るのを防ぎ，その結果致命率を下げることができると考えられていました。しかし，最近ではその効果を否定する研究結果が出るようになり，質の高い研究結果を総合すると動注療法が有効な治療法であることを証明できませんでした。ただし，最重症の患者さんに対する有効性については十分に検討されておらず，質の高い研究による検討が期待されます。動注療法では8〜10％程度に動注カテーテルに関連した合併症が起こることが報告されており，比較的合併症は多い治療法です。また，動注療法は保険適用外の治療法であり，一般の診療として行うことはできません。もし，非常に重篤で動注療法を行う必要があると判断された場合には，正式な手続きを踏み，臨床研究として行われることがあります。

9 胆石性膵炎における胆道結石に対する治療

CQ23 胆石性膵炎に対して早期に ERCP/EST を施行すべきか？

[推 奨]

胆石性膵炎のうち，胆管炎合併もしくは胆汁うっ滞所見（黄疸や胆管拡張）を認め，画像検査で総胆管内に胆石・胆泥を認める症例には，早期に endoscopic retrograde cholangiopancreatography（ERCP）/endoscopic sphincterotomy（EST）を施行することを推奨する。

（強い推奨，エビデンスの確実性：高）

▶投票結果：行うことを推奨する-15/15 名：100％

該当しない症例に対して早期に ERCP/EST を施行することの有用性は否定的である。

■解 説

　胆石性膵炎は，胆管結石や胆泥が乳頭部共通管部に嵌頓し，膵管閉塞や乳頭浮腫によって惹起された膵炎である。臨床的あるいは実験的検討で，膵炎の重症度は，膵管閉塞の時間に依存することが示されている（OS）[1,2]。嵌頓による膵管閉塞が 48 時間以上持続した症例では，膵炎の重症率が 80％以上であったと報告されている（OS）[2]。したがって，早期に endoscopic retrograde cholangiopancreatography（ERCP）with endoscopic sphincterotomy（EST）（以下，ERCP/EST）を行うことで膵管閉塞や乳頭浮腫を解除し，膵管減圧ならびに胆管ドレナージによって膵炎や胆管炎の悪化を阻止できる可能性がある。しかし，急性膵炎の極期に ERCP/EST を行うことにより，膵臓にさらに負担をかけ膵炎を悪化させる可能性もある。

1）胆管炎合併もしくは胆汁うっ滞所見を有する胆石性膵炎に対する早期 ERCP/EST の有用性の検討

　胆石性膵炎に対して早期（多くは診断から 72 時間以内と定義）に ERCP/EST を施行することの有用性を検証した 8 編の RCT（RCT）[3〜10] を用いてメタ解析を行った（図 1，**参考資料 1**）。多くは胆石や胆泥が乳頭に嵌頓した状態で胆管炎合併もしくは胆汁うっ滞所見を有する症例を対象としている。結果は保存的加療のみ，もしくは待機的（72 時間以降）ERCP/EST 群に比べて，早期 ERCP/EST 群は有意に致命率を低下させ（OR＝0.27，95％CI：0.14〜0.53），膵炎・胆管炎に伴う合併症を有意に抑制する（OR＝0.30，95％CI：0.21〜0.41）効果があり有用であった。合併症のサブグループ解析では，胆石性膵炎の増悪を抑制することで膵壊死に伴う膵局所合併症の発生を有意に抑制し（OR＝0.45，95％CI 0.23〜0.86），胆管炎や膵炎に伴う敗血症や臓器障害も有意に抑制する（OR＝0.25，95％CI：0.15〜0.43）という結果であった。近年報告された米国の 30 万例以上の胆石性膵炎のデータにおいても，傾向スコアを用いて背景因子をマッチさせた 2,257 例ずつの比較検討で，早期 ERCP/EST が可能な病院での致命率は約半分であった（1.1％ vs 0.53％；OR＝2.08，95％CI：1.05〜4.15）（OS）[11]。

　胆石性膵炎に対する緊急 ERCP/EST の偶発症は，膵炎増悪のほか手技に関わるものとして主に EST 後出血が挙げられ，RCT11 編で EST 後出血は 0.95％（6/631）と少数であり，重篤なものや直接の死因となったものはないが，手技難易度，リスクともに通常の胆石性胆管炎に対する緊急症例よりも高いと報告されている（OS）[12]。よって十分に経験を積んだ胆膵内視鏡医が施行することが推奨されるが，ERCP のアウトカムの解析より，1 つの指標として少なくとも年間 50 症例の ERCP と週 1 例の EST（EO）[13]，さらに高い水準での ERCP 関連手技成功率を維持するためには年間 100〜200 例以上の症例が必要との報告もある（EO）[13]。

A. 致命率

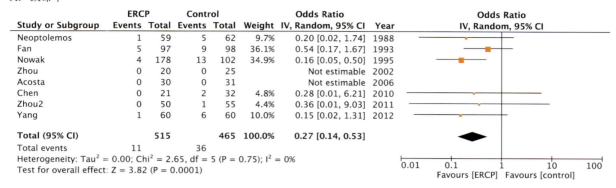

B. 合併症発生率

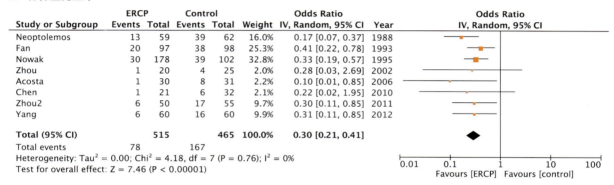

図1 胆管炎合併もしくは胆汁うっ滞所見を有する胆石性膵炎に対する早期ERCP/ESTと保存的加療の比較検討
（メタ解析のやさしい解説は第1章の10ページまたはそのQRコードからご覧ください）

2) 胆管炎や胆汁うっ滞所見の乏しい胆石性膵炎に対する早期ERCP/ESTの有用性の検討

　胆石性膵炎のなかには，胆石・胆泥が乳頭部に嵌頓し膵炎・胆管炎を発症した後に自然に十二指腸へ排出されていることもある。そのような症例に対する緊急ERCP/ESTの有用性は定かではない。胆管炎や胆汁うっ滞所見の乏しい胆石性膵炎の症例のみを対象とした早期ERCP/ESTと保存的加療のRCT3編（RCT）[14〜16]によるメタ解析を行った（図2）。結果は，致命率（OR=1.39，95%CI：0.58〜3.33），膵炎・胆管炎に伴う合併症発生率（OR=0.88，95%CI：0.63〜1.24）ともに差はないという結果であった。胆管炎や胆汁うっ滞所見の乏しい症例における早期ERCP/ESTの有用性は否定的であると考えられる。

3) 胆管結石や胆泥の診断

　胆管結石や胆泥が乳頭部共通管部に嵌頓した状態なのか，すでに自然排出しているのかの診断が，ERCP/ESTの適応を判断するために重要である。結石の診断には主にCTが用いられているが，CT陰性結石もあり，小結石や胆泥では検出率が下がる（OS）[17,18]。近年，総胆管内の胆石・胆泥の有無を評価し，ERCP/ESTの適応を判断するための超音波内視鏡検査（endoscopic ultrasonography；EUS）の有用性が報告されている。胆石性膵炎例で，早期ERCP/EST群とEUSを先行し結石を認めた場合のみERCP/ESTを行う群と比較したRCT3編（RCT）[19〜21]のメタ解析で，EUS先行群は有意に偶発症を抑制するという結果が報告されている（OR=0.37，95%CI：0.21〜0.68）（MA）[22]。EUSにより胆石・胆泥を認めない場合は結石がすでに自然排出したものと判断し，不要なERCPを回避することが可能であり，偶発症発生率の低下に寄与すると考えられ

A. 致命率

Study or Subgroup	ERCP Events	Total	Control Events	Total	Weight	Odds Ratio IV, Random, 95% CI	Year
Folsch	10	126	4	112	37.7%	2.33 [0.71, 7.64]	1997
Oria	3	51	1	51	13.0%	3.13 [0.31, 31.09]	2007
Schepers	8	117	10	113	49.3%	0.76 [0.29, 1.99]	2020
Total (95% CI)		**294**		**276**	**100.0%**	**1.39 [0.58, 3.33]**	
Total events	21		15				

Heterogeneity: Tau² = 0.16; Chi² = 2.69, df = 2 (P = 0.26); I² = 26%
Test for overall effect: Z = 0.74 (P = 0.46)

B. 合併症発生率

Study or Subgroup	ERCP Events	Total	Control Events	Total	Weight	Odds Ratio IV, Random, 95% CI	Year
Folsch	58	126	57	112	43.1%	0.82 [0.49, 1.37]	1997
Oria	19	51	15	51	16.4%	1.43 [0.62, 3.26]	2007
Schepers	45	117	50	113	40.5%	0.79 [0.47, 1.33]	2020
Total (95% CI)		**294**		**276**	**100.0%**	**0.88 [0.63, 1.24]**	
Total events	122		122				

Heterogeneity: Tau² = 0.00; Chi² = 1.54, df = 2 (P = 0.46); I² = 0%
Test for overall effect: Z = 0.72 (P = 0.47)

図2 胆管炎や胆汁うっ滞所見の乏しい胆石性膵炎に対する早期ERCP/ESTと保存的加療の比較検討
（メタ解析のやさしい解説は第1章の10ページまたはそのQRコードからご覧ください）

る（SR）[23]。さらにEUSの他にもMRCPの有用性も報告されており（MA）[22]，結石の検出率についてはEUSに匹敵するため，EUSが施行困難な施設では有用と考える（MA）[24, 25]。

4）抗血栓薬内服症例や凝固異常を伴う症例

　抗血栓薬内服中，もしくは凝固異常を伴いESTによる出血リスクが高い胆石性膵炎症例に対する治療に関して，定まった見解はない。ESTなしに嵌頓した結石を総胆管内に押し込むように内視鏡的経鼻胆道ドレナージ（ENBD）を行うという方法もあるが，乳頭～膵管末端の浮腫の存在下ではENBDチューブが膵液流出障害を助長する懸念もあり，ENBDのみ行うことによる有用性は確立されていない。また，乳頭処置としてEST以外に内視鏡的乳頭バルーン拡張術（EPBD）がある。EPBDはESTに比べて術後出血の頻度は低いが，乳頭浮腫による急性膵炎発症率が高いため，胆石性膵炎例には推奨されない（SR）[26]。

5）総括

　以上より，胆管炎合併もしくは胆汁うっ滞所見（黄疸や胆管拡張）を認め，嵌頓した結石が体外式超音波検査やCTにて，あるいはさらにEUSやMRCPを追加して診断されれば，早期ERCP/ESTが推奨される。EUSやMRCPでも胆石や胆泥を認めない症例，腹痛や胆道系酵素の改善がみられ，結石の自然排石が疑われる症例における早期ERCP/ESTの有用性は否定的である。

▶第Ⅵ章-CQ23の参考資料1は右のQRコードからご覧いただけます。

参考資料1 胆管炎合併もしくは胆汁うっ滞所見を有する胆石性膵炎に対する早期ERCP/ESTと保存的加療の比較検討
　　　A．膵局所合併症発生率
　　　B．臓器障害，敗血症の発生率

■引用文献

1) Senninger N, Moody FG, Coelho JC, Van Buren DH. The role of biliary obstruction in the pathogenesis of acute pancreatitis in the opossum. Surgery1986; 99: 688-693.（OS）
2) Acosta JM, Rubio Galli OM, Rossi R, et al. Effect of duration of ampullary gallstone obstruction on severity of lesions of acute pancreatitis. J Am Coll Surg 1997; 183: 499-504.（OS）
3) Neoptolemos JP, Carr-Locke DL, London NJ, et al. Controlled trial of urgent endoscopic retrograde cholangiopancreatography and endoscopic sphincterotomy versus conservative treatment for acute pancreatitis due to gallstones. Lancet 1988; 2: 979-983.（RCT）
4) Fan ST, Lai EC, Mok FP, et al. Early treatment of acute biliary pancreatitis by endoscopic papillotomy. N Engl J Med 1993 28; 328: 228-232.（RCT）
5) Nowak A, Marek TA, Nowakowska-Duława E, et al. Biliary pancreatitis needs endoscopic retrograde cholangiopancreatography with endoscopic sphincterotomy for cure. Endoscopy 1998; 30: A256-A259.（RCT）
6) Zhou MQ, Li NP, Lu RD. Duodenoscopy in treatment of acute gallstone pancreatitis. Hepatobiliary Pancreat Dis Int 2002; 1: 608-10.（RCT）
7) Acosta JM, Katkhouda N, Debian KA, et al. Early ductal decompression versus conservative management for gallstone pancreatitis with ampullary obstruction: a prospective randomized clinical trial. Ann Surg 2006; 243: 33-40.（RCT）
8) Chen P, Hu B, Wang C, et al. Pilot study of urgent endoscopic intervention without fluoroscopy on patients with severe acute biliary pancreatitis in the intensive care unit. Pancreas 2010; 39: 398-402.（RCT）
9) Zhou WC, Li YM, Zhang H, et al. Therapeutic effects of endoscopic therapy combined with enteral nutrition on acute severe biliary pancreatitis. Chin Med J（Engl）2011; 124: 2993-2996.（RCT）
10) Yang P, Feng KX, Luo H, et al. Acute biliary pancreatitis treated by early endoscopic intervention. Panminerva Med 2012; 54: 65-69.（RCT）
11) Malli A, Durkin C, Groce JR, et al. Unavailability of endoscopic retrograde cholangiography adversely impacts hospital outcomes of acute biliary pancreatitis: A national survey and propensity-matched analysis. Pancreas 2020; 49: 39-45.（OS）
12) Pécsi D, Gódi S, Hegyi P, et al; Hungarian Endoscopy Study Group. ERCP is more challenging in cases of acute biliary pancreatitis than in acute cholangitis - Analysis of the Hungarian ERCP registry data. Pancreatology 2021; 21: 59-63.（OS）
13) Guda NM, Freeman ML. Are you safe for your patients - how many ERCPs should you be doing? Endoscopy 2008; 40: 675-676.（EO）
14) Fölsch UR, Nitsche R, Lüdtke R, et al. Early ERCP and papillotomy compared with conservative treatment for acute biliary pancreatitis. The German Study Group on Acute Biliary Pancreatitis. N Engl J Med 1997; 336: 237-242.（RCT）
15) Oría A, Cimmino D, Ocampo C, et al. Early endoscopic intervention versus early conservative management in patients with acute gallstone pancreatitis and biliopancreatic obstruction: a randomized clinical trial. Ann Surg 2007; 245: 10-17（RCT）.
16) Schepers NJ, Hallensleben NDL, Besselink MG, et al; Dutch Pancreatitis Study Group. Urgent endoscopic retrograde cholangiopancreatography with sphincterotomy versus conservative treatment in predicted severe acute gallstone pancreatitis（APEC）: a multicentre randomised controlled trial. Lancet 2020; 396: 167-176（RCT）.
17) Wang SS, Lin XZ, Tsai YT, et al. Clinical significance of ultrasonography, computed tomography, and biochemical tests in the rapid diagnosis of gallstone-related pancreatitis: a prospective study. Pancreas 1988; 3: 153-158.（OS）
18) Moon JH, Cho YD, Cha SW, et al. The detection of bile duct stones in suspected biliary pancreatitis: comparison of MRCP, ERCP, and intraductal US. Am J Gastroenterol 2005; 100: 1051-1057.（OS）
19) Liu CL, Fan ST, Lo CM, et al. Comparison of early endoscopic ultrasonography and endoscopic retrograde cholangiopancreatography in the management of acute biliary pancreatitis: a prospective randomized study. Clin Gastroenterol Hepatol 2005; 3: 1238-1244.（RCT）
20) Polkowski M, Regula J, Tilszer A, et al. Endoscopic ultrasound versus endoscopic retrograde cholangiography for patients with intermediate probability of bile duct stones: a randomized trial comparing two management strategies. Endoscopy 2007; 39: 296-303.（RCT）
21) Lee YT, Chan FK, Leung WK, et al. Comparison of EUS and ERCP in the investigation with suspected biliary obstruction caused by choledocholithiasis: a randomized study. Gastrointest Endosc 2008; 67: 660-668.（RCT）
22) Petrov MS. Early use of ERCP in acute biliary pancreatitis with（out）jaundice: an unjaundiced view. JOP 2009; 10: 1-7.（MA）
23) De Lisi S, Leandro G, Buscarini E. Endoscopic ultrasonography versus endoscopic retrograde cholangiopancreatography in acute biliary pancreatitis: a systematic review. Eur J Gastroenterol Hepatol 2011; 23: 367-374.（SR）
24) Garrow D, Miller S, Sinha D, et al. Endoscopic ultrasound: a meta-analysis of test performance in suspected biliary obstruction. Clin Gastroenterol Hepatol 2007; 5: 616-623.（MA）
25) Romagnuolo J, Bardou M, Rahme E, et al. Magnetic resonance cholangiopancreatography: a meta-analysis of test performance in suspected biliary disease. Ann Intern Med 2003; 139: 547-557.（MA）
26) Weinberg BM, Shindy W, Lo S. Endoscopic balloon sphincter dilation（sphincteroplasty）versus sphincterotomy for common bile duct stones. Cochrane Database Syst Rev 2006; CD004890（SR）.

胆石性膵炎は，胆管結石が総胆管と膵管の共通の出口である十二指腸乳頭部にはまり込むことで膵液の流れが悪くなり，膵臓に負担がかかることで発症する膵炎です（図1）。多くは胆管炎も合併しています。結石がはまり込んだままだとさらに膵炎や胆管炎が悪化して，敗血症や臓器障害，膵壊死などを合併して状態が悪くなるため，早めに内視鏡処置（ERCP処置）を行って，乳頭括約筋を切開する（EST）ことで結石がはまり込んだ状態を解除したり，そのまま結石を除去することが有用です（図2）。その処置の不成功や偶発症の発生は重篤な状態になる可能性があるため，十分な経験を積んだ胆膵内視鏡医が行うのが望ましいと思われます。

　乳頭部にはまり込んだ結石が胆汁で押し出されて十二指腸に落下し，自然に良くなることがあります（図3）。膵炎の原因がはっきりしない特発性膵炎の中にはこのような自然落下結石に伴う膵炎の症例が含まれていると考えられています。この場合は，ERCP/ESTを行う必要はありませんが，CT検査でははまり込んだ胆石があるのか，すでに落下してしまったのか判別しにくい場合もありますので，総胆管内の胆石や胆泥の診断精度が高い超音波内視鏡検査（EUS）もしくはMRCPを行ってから，ERCP/ESTの適応を判断します（図4）。

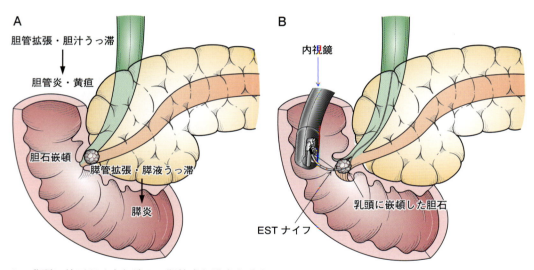

A．乳頭に結石がはまり込み，胆管炎と膵炎を発症
B．ESTナイフで乳頭を切開し，はまり込んでいた結石を除去

図1　胆石性膵炎（結石嵌頓例）

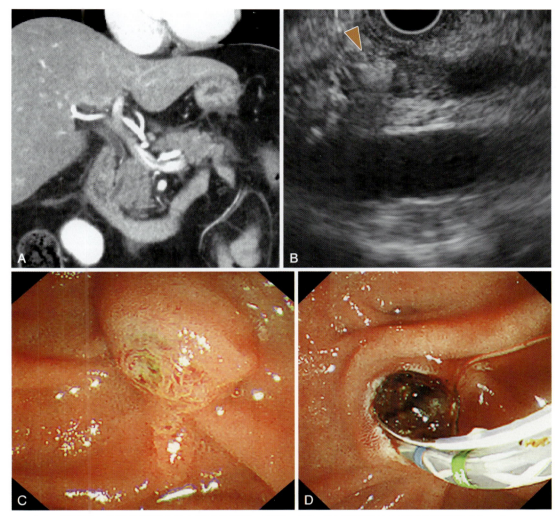

A. CT：膵周囲の脂肪織濃度上昇を認める膵炎の所見。CT では総胆管内の結石は不明瞭であった。
B. 超音波内視鏡検査（EUS）：EUS で観察すると乳頭直上に音響陰影を伴う結石（矢頭）を認めた。
C. 内視鏡画像：胆管の出口である主乳頭を正面にとらえている画像。
D. 内視鏡処置（ERCP 処置）：胆管内にカテーテルとガイドワイヤーを挿入した後に乳頭括約筋の切開（EST）を行い，はまり込んでいた結石を除去した。

図2　胆石性膵炎（結石嵌頓例）に対する緊急 ERCP/EST

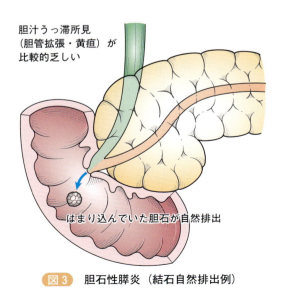

図3　胆石性膵炎（結石自然排出例）

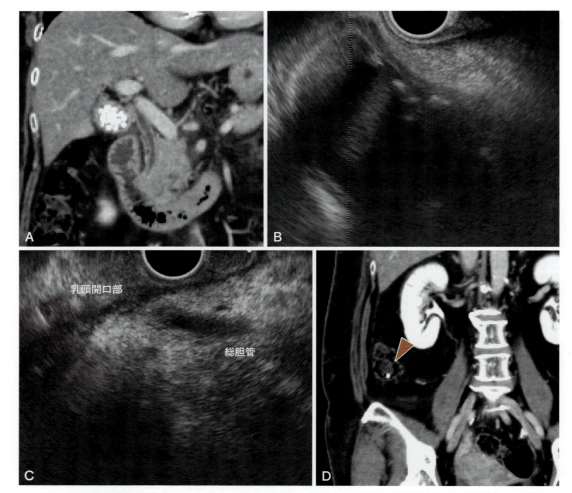

A. CT：膵周囲の脂肪織濃度上昇を認める膵炎の所見。胆嚢内に結石を多数認めたが総胆管内には認めなかった。
B. EUS：EUS で観察すると胆嚢内には胆石や胆泥の貯留を認めた。
C. EUS：EUS 観察でも総胆管内には胆石や胆泥は認めなかった。
D. CT：腸管内に自然排出されたと思われる結石（矢頭）を認めた。

図4　胆石性膵炎（結石自然排出例）

BQ17 急性胆石性膵炎の再発予防に胆嚢摘出術は有用か？

急性胆石性膵炎において，再発や胆石関連合併症の予防のためには胆嚢摘出術が有用である。年齢や全身状態など何らかの理由で手術が回避された症例においては，ERCP/EST が膵炎再発予防に有用である。

■解　説

1）胆嚢摘出術と内視鏡的治療

急性胆石性膵炎に対し，胆嚢摘出術を施行しない場合は，胆石関連合併症や膵炎再発による再入院率が上昇する（OS）[1]。内視鏡的治療である ERCP/EST は，1990 年代前半に有用性を示した報告があるが（OS）[2,3]，それ以降は胆嚢摘出術と比較し，胆石関連合併症を含めた再入院が多いと報告されている（OS）[4,5]。手術リスクが高いと判断され，ERCP/EST のみで経過をみた 2 つの報告においても，197 例中 3 例（1.5％）にのみ

膵炎の再発を認める一方，65例（33.0％）が何らかの胆道系障害を呈し，30例（15.2％）が胆囊摘出術を受けている（OS）[6,7]。胆囊摘出術を施行する時期に関する詳細はCQ24で解説する。

2） データベースを用いた治療法と急性膵炎の再発や再入院の関係の検討

大規模な後ろ向き調査が複数あり，米国の66歳以上の患者8,452例の検討（OS）[8]では，初回入院時非胆囊摘出群3,689例中980例（26.6％）が胆石関連症状で再入院し722例が胆囊摘出術を受けた。2年累積再入院率は初回入院時胆囊摘出群の3.8％と比較して44％（$P<0.001$），ERCP/EST施行例でも31％と依然高率であった。台湾での検討（OS）[9]でも，胆石性膵炎に対してERCP/ESTを施行した70歳以上の患者のうち，傾向スコアマッチングで背景を合わせた670人を対象としてその後の胆囊摘出術施行群と非施行群とで膵炎再発のリスクを比較し，非摘出群で有意に高かった（$HR=0.56$，95％CI：0.34〜0.91，$P=0.021$）。カナダからの5,646例の検討（OS）[10]では，初回治療として胆囊摘出術の有無と治療的ERCPの有無とで膵炎再発による再入院率を比較し，1年累積再入院率で胆囊摘出術（有5.6％，無14％），治療的ERCP（有5.1％，無13.1％）が同等に膵炎再発を抑制した。英国での5,079人の検討（OS）[11]においてEST単独治療群は，急性膵炎再発率6.7％で，胆囊摘出術単独群（4.4％）やEST後胆囊摘出術施行群（1.2％）と比較して高率であり，無治療群と比較しても胆石関連合併症による入院率に差がなかった（12.2 vs. 9.4％）。いずれの試験でも胆囊摘出術が行われなかった背景には高齢，併存症，重症度など手術を回避する理由があった。

3） 海外のガイドライン

国際膵臓学会/アメリカ膵臓学会（IAP/APA）のガイドライン（CPG）[12]においてはERCP/ESTは膵炎の再発を予防するが，胆石関連合併症を減らすことはできないため，胆囊摘出術が必要であるとしている。アメリカ消化器病学会（AGA）やカナダのガイドラインにおいても胆囊摘出術が急性胆石性膵炎の再発や胆石関連合併症による再入院を予防するとしている（CPG）[13,14]。

以上より，急性胆石性膵炎において，再発や胆石関連合併症の予防のためには胆囊摘出術が必要であり，年齢や全身状態など何らかの理由で手術が回避された症例においては，ERCP/ESTが膵炎再発予防には有用である。

■引用文献

1) Yadav D, O'Connell M, Papachristou GI. Natural history following the first attack of acute pancreatitis. Am J Gastroenterol 2012; 107: 1096-1103.（OS）
2) Welbourn CR, Beckly DE, Eyre-Brook IA. Endoscopic sphincterotomy without cholecystectomy for gall stone pancreatitis. Gut 1995; 37: 119-120.（OS）
3) Siegel JH, Veerappan A, Cohen SA, et al. Endoscopic sphincterotomy for biliary pancreatitis: an alternative to cholecystectomy in high-risk patients. Gastrointest Endosc 1994; 40: 573-575.（OS）
4) Lee JM, Chung WC, Sung HJ, et al. Factor analysis of recurrent biliary events in long-term follow up of gallstone pancreatitis. J Dig Dis 2017; 18: 40-46.（OS）
5) Kaw M, Al-Antably Y, Kaw P. Management of gallstone pancreatitis: cholecystectomy or ERCP and endoscopic sphincterotomy. Gastrointest Endosc 2002; 56: 61-65.（OS）
6) Gislason H, Vetrhus M, Horn A, et al. Endoscopic sphincterotomy in acute gallstone pancreatitis: a prospective study of the late outcome. Eur J Surg 2001; 167: 204-208.（OS）
7) Vázquez-Lglesias JL, González-Conde B, López-Rosés L, et al. Endoscopic sphincterotomy for prevention of the recurrence of acute biliary pancreatitis in patients with gallbladder in situ: long-term follow-up of 88 patients. Surg Endosc 2004; 18: 1442-1446.（OS）
8) Trust MD, Sheffield KM, Boyd CA, et al. Gallstone pancreatitis in older patients: Are we operating enough? Surgery 2011; 150: 515-525.（OS）
9) Young SH, Peng YL, Lin XH, et al. Cholecystectomy reduces recurrent pancreatitis and improves survival after endoscopic sphincterotomy. J Gastrointest Surg 2017; 21: 294-301.（OS）
10) Nguyen GC, Rosenberg M, Chong RY, et al. Early cholecystectomy and ERCP are associated with reduced readmissions for acute biliary pancreatitis: a nationwide, population-based study. Gastrointest Endosc 2012; 75: 47-55.（OS）

11) Mustafa A, Begaj I, Deakin M, et al. Long-term effectiveness of cholecystectomy and endoscopic sphincterotomy in the management of gallstone pancreatitis. Surg Endosc 2014; 28: 127-133.（OS）
12) Working Group IAP/APA Acute Pancreatitis Guidelines. IAP/APA evidence-based guidelines for the management of acute pancreatitis. Pancreatology 2013; 13（4 Suppl 2）: e1-e15.（CPG）
13) Crockett SD, Wani S, Gardner TB, et al; American Gastroenterological Association Institute Clinical Guidelines Committee. American Gastroenterological Association Institute Guideline on Initial Management of Acute Pancreatitis. Gastroenterology 2018; 154: 1096-1101.（CPG）
14) Greenberg JA, Hsu J, Bawazeer M, et al. Clinical practice guideline: management of acute pancreatitis. Can J Surg 2016; 59: 128-140.（CPG）

　　胆嚢内でできた結石が総胆管に流れて，総胆管の出口にはまり込んだ場合に急性膵炎を起こすことがあります（急性胆石性膵炎）。この場合，膵炎をくり返すことや胆石自体による症状を防ぐために，胆嚢摘出術（図1）が勧められます。しかし，年齢や全身の状態から全身麻酔をかけての胆嚢摘出術が危険と判断された場合は，内視鏡治療が行われます（CQ23，やさしい解説図1-B参照）。内視鏡治療で，胆嚢から総胆管に流れた石を取り出し，総胆管の出口を広げることにより，膵炎の再発を防ぐことができます。

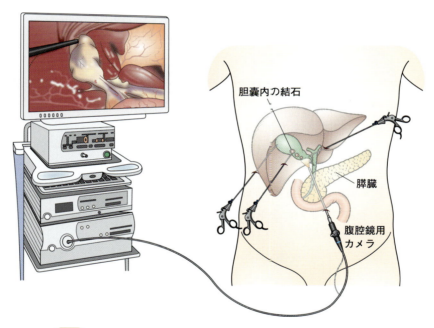

図1　腹腔鏡装置，カメラと鉗子を用いた腹腔鏡下胆嚢摘出術

> **CQ24** 急性胆石性膵炎に対して胆嚢摘出術を行う場合の適切な手術時期は？
>
> ［推　奨］
> 軽症の急性胆石性膵炎に対して早期に胆嚢摘出術を行うことを推奨する。
>
> **（強い推奨，エビデンスの確実性：中）**
>
> ▶投票結果：行うことを推奨する-13/14名：93％，行うことを提案する-1/14名：7％
>
> ［推　奨］
> 膵周囲の液体貯留や膵壊死を伴う重症膵炎に対しては，膵炎が鎮静化し液体貯留が消失する時期，または液体が消失しない場合は発症から4～6週以降の待機的手術を提案する。
>
> **（弱い推奨，エビデンスの確実性：低）**
>
> ▶投票結果：行うことを推奨する-1/12名：8％，行うことを提案する-11/12名：92％

■ 解　説

　急性胆石性膵炎では膵炎の改善後に速やかに胆道の検査と胆嚢摘出術を行うことが望ましいが，膵炎の重症度によっては手術の危険性が上昇する可能性もある。

1) 軽症の急性胆石性膵炎に対する胆嚢摘出術

　近年では改訂アトランタ分類（EO）[1]に基づいた軽症の急性胆石性膵炎を対象とし，早期胆嚢摘出術（early cholecystectomy；EC）と待機的胆嚢摘出術（delayed cholecystectomy；DC）を比較した3編のRCT（RCT）[2～4]がある（**参考資料1**）。ECは入院～ランダム化（臓器不全や膵壊死，膵周囲の液体貯留を伴うものは除外）～手術まで5日間以内に行われ，DCは4～6週以降で行われたが，いずれもECは胆石関連合併症が少なく，開腹移行や術後合併症は同等であった。手術時間に関しては，2編は同等であったが，1編ではECで有意に長かった（EC 120分，DC 88分，$P=0.008$）[3]。2019年にはこれらの3編を含めた5編のRCTのみを用いたメタ解析（計629例）が行われ（MA）[5]，EC（発症から5日以内または急性膵炎との同一入院での手術）と比較して，DCでは手術待機中の胆石関連合併症が多く（EC 3.6％，DC 19.6％，$P<0.001$），開腹移行率（EC 4.7％，DC 2.9％，$P=0.37$）と術後合併症発生率（EC 4.7％，DC 5.8％，$P=0.50$）は同等であった。コホートを含めたメタ解析も行われ（MA）[6～8]，いずれもECで在院日数が短く，手術時間，開腹移行率，術後合併症発生率は同等であった。

2) 重症の急性胆石性膵炎に対する胆嚢摘出術

　RCTはなく，2004年のコホートでは，ECは感染性合併症が多く（EC 47％，DC 7％，$P<0.05$），術後合併症が多かった（EC 44％，DC 5.5％，$P<0.05$）（OS）[9]。ただしこの報告では，DCは液体貯留が改善するか，6週以上経過した際には仮性嚢胞に対する手術と同時に行われた。国際膵臓学会/アメリカ膵臓学会（IAP/APA）のガイドラインではこの結果から，膵周囲の液体貯留を伴う重症膵炎においては液体貯留が改善するか，仮性嚢胞を形成した場合には6週以上経過したのちの胆嚢摘出術が推奨されている（CPG）[10]。2020年にはHughesら（SR）[11]が世界各国のガイドラインと過去の報告をreviewしており，どのガイドラインもエビデンスが低いなか，膵炎の鎮静化後，または急性膵炎発症から6週以上のDCの推奨が多いことが報告されている。ただし，仮性嚢胞が4週程度で形成すること，内視鏡的ドレナージの進歩により膵周囲の液体貯留に対する外科治療の頻度が減少していることなどから，6週まで待つ必要がない可能性についても述べている。

　以上より，軽症の急性胆石性膵炎に対しては早期（発症から5日以内または急性膵炎との同一入院期間中）

に胆囊摘出術を行うことを推奨する．しかし，日本の DPC 施設では，保険上いったん退院後に手術を行う施設が多く，手術までの胆石関連合併症に注意が必要である．膵周囲の液体貯留や膵壊死を伴う重症膵炎に対しては，膵炎が鎮静化し液体貯留が消失する時期，または液体が消失しない場合は発症から 4〜6 週以降の待機的手術を考慮する．

▶第Ⅵ章-CQ24 の参考資料 1 は右の QR コードからご覧いただけます．

参考資料 1　軽症の急性胆石性膵炎に対する腹腔鏡下胆囊摘出術の手術時期に関する前向き試験

■引用文献

1) Banks PA, Bollen TL, Dervenis C, et al; Acute Pancreatitis Classification Working Group. Classification of acute pancreatitis--2012: revision of the Atlanta classification and definitions by international consensus. Gut 2013; 62: 102-111.（EO）
2) da Costa DW, Bouwense SA, Schepers NJ, et al; Dutch Pancreatitis Study Group. Same-admission versus interval cholecystectomy for mild gallstone pancreatitis (PONCHO): a multicentre randomised controlled trial. Lancet 2015; 386: 1261-1268.（RCT）
3) Noel R, Arnelo U, Lundell L, et al. Index versus delayed cholecystectomy in mild gallstone pancreatitis: results of a randomized controlled trial. HPB (Oxford) 2018; 20: 932-938.（RCT）
4) Jee SL, Jarmin R, Lim KF, et al. Outcomes of early versus delayed cholecystectomy in patients with mild to moderate acute biliary pancreatitis: A randomized prospective study. Asian J Surg 2018; 41: 47-54.（RCT）
5) Moody N, Adiamah A, Yanni F, et al. Meta-analysis of randomized clinical trials of early versus delayed cholecystectomy for mild gallstone pancreatitis. Br J Surg 2019; 106: 1442-1451.（MA）
6) Zhong FP, Wang K, Tan XQ, Nie J, Huang WF, Wang XF. The optimal timing of laparoscopic cholecystectomy in patients with mild gallstone pancreatitis: A meta-analysis. Medicine (Baltimore) 2019; 98: e17429.（MA）
7) Lyu YX, Cheng YX, Jin HF, et al. Same-admission versus delayed cholecystectomy for mild acute biliary pancreatitis: a systematic review and meta-analysis. BMC Surg 2018; 18: 111.（MA）
8) Yang DJ, Lu HM, Guo Q, et al. Timing of laparoscopic cholecystectomy after mild biliary pancreatitis: A systematic review and meta-analysis. J Laparoendosc Adv Surg Tech A 2018; 28: 379-388.（MA）
9) Nealon WH, Bawduniak J, Walser EM. Appropriate timing of cholecystectomy in patients who present with moderate to severe gallstone-associated acute pancreatitis with peripancreatic fluid collections. Ann Surg 2004; 239: 741-749.（OS）
10) Working Group IAP/APA Acute Pancreatitis Guidelines. IAP/APA evidence-based guidelines for the management of acute pancreatitis. Pancreatology 2013; 13 (4 Suppl 2): e1-e15.（CPG）
11) Hughes DL, Morris-Stiff G. Determining the optimal time interval for cholecystectomy in moderate to severe gallstone pancreatitis: A systematic review of published evidence. Int J Surg 2020; 84: 171-179.（SR）

やさしい解説

　急性胆石性膵炎は胆石が原因となって起こる急性膵炎です．速やかに検査を行い，安全に胆囊摘出術を行うことが望ましいのですが，膵炎の重症度によっては手術の危険が増す可能性もあります．
　急性胆石性膵炎に対する早期胆囊摘出術（急性膵炎発症から 5 日程度まで）と待機的胆囊摘出術（急性膵炎発症から 4〜6 週間）とを比べると，重症の急性膵炎でなければ，早期胆囊摘出術は待機的胆囊摘出術と同等の手術が可能であるうえ，手術までの胆石による症状再燃や長期入院を防ぐことができます．重症の急性膵炎で，生命に危険が及んでいる場合や膵臓の周りに液体が溜まっている場合は早期に胆囊摘出術を行うと合併症が増えるため，急性膵炎の炎症が落ち着いた，4〜6 週間以降の待機的胆囊摘出術が安全です．

10 Abdominal compartment syndrome（ACS）の診断と対処

BQ18 急性膵炎に対して腹腔内圧（intra-abdominal pressure；IAP）の上昇が及ぼす影響は何か？

IAP の上昇は臓器圧迫による合併症を引き起こすが，IAP≧12 mmHg を腹腔内高血圧症（intra-abdominal hypertension；IAH），IAP＞20 mmHg かつ新たな臓器障害/臓器不全が発生した場合を ACS と診断する。

■解　説

　急性膵炎では，血管透過性亢進による血漿成分の血管外漏出や麻痺性腸閉塞，浮腫による腹壁コンプライアンスの低下によって後腹膜と腹腔内の容量が増加し，腹腔内圧（intra-abdominal pressure；IAP）亢進による合併症を引き起こすことがある（EO）[1,2]。この病態を WSACS（World Society of Abdominal Compartment Syndrome）は，IAP≧12 mmHg が持続もしくは反復する場合を腹腔内高血圧症（intra-abdominal hypertension；IAH），IAP＞20 mmHg でかつ新たな臓器障害/臓器不全が発生した場合を腹部コンパートメント症候群（abdominal compartment syndrome；ACS）と定義している（CPG）[3,4]。ACSへ進展すると，後腹膜内と腹腔内の臓器虚血による臓器不全や，下大静脈の圧迫と横隔膜挙上による胸腔内圧の上昇によって，呼吸不全や循環不全を発症して予後不良の転帰を取る。表1（p.130）に，IAH と ACS の危険因子となりうる病態や疾患を示す（CPG）[3,4]。

　急性膵炎が重症化した場合の ACS 発症率は，9.1〜35.6％と報告によって差がある（OS）[5〜10]。ただし，症例数が多い 2 編の研究（OS）[11,12]では，それぞれ 6.1％（21 例/345 例），4.4％（5 例/114 例）と報告されている。ただし，本邦では IAH/ACS の症例報告が少なく，発症率は不明である。

■引用文献

1) Leppäniemi A, Johansson K, De Waele JJ. Abdominal compartment syndrome and acute pancreatitis. Acta Clin Belg 2007; 62: 131-135.（EO）
2) De Waele JJ, Leppäniemi AK. Intra-abdominal hypertension in acute pancreatitis. World J Surg 2009; 33: 1128-1133.（EO）
3) Malbrain ML, Cheatham ML, Kirkpatrick A, et al. Results from the International Conference of Experts on intra-abdominal hypertension and abdominal compartment syndrome. I. Definitions. Intensive Care Med 2006; 32: 1722-1732.（CPG）
4) Cheatham ML, Malbrain ML, Kirkpatrick A, et al. Results from the International Conference of Experts on intra-abdominal hypertension and abdominal compartment syndrome. II. Recommendations. Intensive Care Med 2007; 33: 951-962.（CPG）
5) Davis PJ, Eltawil KM, Abu-Wasel B, et al. Effect of obesity and decompressive laparotomy on mortality in acute pancreatitis requiring intensive care unit admission. World J Surg 2013; 37: 318-332.（OS）
6) De Waele JJ, Hoste E, Blot SI, et al. Intra-abdominal hypertension in patients with severe acute pancreatitis. Crit Care 2005; 9: R452-R457.（OS）
7) Chen H, Li F, Sun JB, et al. Abdominal compartment syndrome in patients with severe acute pancreatitis in early stage. World J Gastroenterol 2008; 14: 3541-3548.（OS）
8) Bezmarevic M, Mirkovic D, Soldatovic I, et al. Correlation between procalcitonin and intra-abdominal pressure and their role in prediction of the severity of acute pancreatitis. Pancreatology 2012; 12: 337-343.（OS）
9) Dambrauskas Z, Parseliunas A, Gulbinas A, et al. Early recognition of abdominal compartment syndrome in patients with acute pancreatitis. World J Gastroenterol 2009; 15: 717-721.（OS）
10) Bhandari V, Jaipuria J, Singh M, et al. Intra-abdominal pressure in the early phase of severe acute pancreatitis: canary in a coal mine? Results from a rigorous validation protocol. Gut Liver 2013; 7: 731-738.（OS）
11) Tao J, Wang C, Chen L, et al. Diagnosis and management of severe acute pancreatitis complicated with abdominal compartment syndrome. J Huazhong Univ Sci Technolog Med Sci 2003; 23: 399-402.（OS）
12) Jacob AO, Stewart P, Jacob O. Early surgical intervention in severe acute pancreatitis: Central Australian experience. ANZ J Surg 2016; 86: 805-810.（OS）

FRQ2 IAPを測定することでIAH/ACSを早期に診断できるか？

予後の改善を示す直接的な報告はないが，IAH/ACS合併例は致命率が高く予後不良であり，その診断方法としてIAPの測定が必要である。

■解説

急性膵炎に対して，IAPを測定することで，致命率など予後の改善を直接的に示す比較試験はこれまで報告されていない。ただし，IAH/ACSを合併すると予後不良の転帰となる報告が多数なされている(OS)[1〜15]。重症急性膵炎のACS合併による致命率は，報告(OS)[1〜22]によって差を認めるが，このうち7編の観察研究(OS)[1, 16〜19, 21,22]では，ACS診断時のIAPは29〜37 mmHgであり，致命率は47.5%（95%CI：37.3%〜57.9%，P＝0.03）と高率だったと報告している(SR)[23]。また，スコアリング法に違いはあるものの，臓器障害/不全の合併数が高いことが示されている。膵局所感染症について5編(OS)[1, 3, 17, 21, 22]の検討では，ACSを合併すると24.0〜66.7%だったと報告している。また，消化管虚血/壊死の発症率が，ACS合併例では61.5%との報告がある(OS)[14]。

IAHやACSを診断するにはIAPの測定が必要不可欠となる。しかし，本邦ではIAPを測定している施設が少ないため，今後，症例集積し，IAPの測定が予後改善に有用であるか調べるための臨床研究が行われることが期待される。

■引用文献

1) Chen H, Li F, Sun JB, et al. Abdominal compartment syndrome in patients with severe acute pancreatitis in early stage. World J Gastroenterol 2008; 14: 3541-3548. (OS)

2) Dambrauskas Z, Parseliunas A, Gulbinas A, et al. Early recognition of abdominal compartment syndrome in patients with acute pancreatitis. World J Gastroenterol 2009; 15: 717-721. (OS)

3) Bhandari V, Jaipuria J, Singh M, et al. Intra-abdominal pressure in the early phase of severe acute pancreatitis: canary in a coal mine? Results from a rigorous validation protocol. Gut Liver 2013; 7: 731-738. (OS)

4) Pupelis G, Austrums E, Snippe K, et al. Clinical significance of increased intraabdominal pressure in severe acute pancreatitis. Acta Chir Belg 2002; 102: 71-74. (OS)

5) De Waele JJ, Ejike JC, Leppäniemi A, et al. Intra-abdominal hypertension and abdominal compartment syndrome in pancreatitis, paediatrics, and trauma. Anaesthesiol Intensive Ther 2015; 47: 219-227. (OS)

6) Pupelis G, Plaudis H, Snippe K, et al. Increased intra-abdominal pressure: is it of any consequence in severe acute pancreatitis? HPB (Oxford) 2006; 8: 227-232. (OS)

7) Keskinen P, Leppaniemi A, Pettila V, et al. Intra-abdominal pressure in severe acute pancreatitis. World J Emerg Surg 2007; 2: 2. (OS)

8) Rosas JM, Soto SN, Aracil JS, et al. Intra-abdominal pressure as a marker of severity in acute pancreatitis. Surgery 2007; 141: 173-178. (OS)

9) Zhang WF, Ni YL, Cai L, et al. Intra-abdominal pressure monitoring in predicting outcome of patients with severe acute pancreatitis. Hepatobiliary Pancreat Dis Int 2007; 6: 420-423. (OS)

10) Al-Bahrani AZ, Abid GH, Holt A, et al. Clinical relevance of intra-abdominal hypertension in patients with severe acute pancreatitis. Pancreas 2008; 36: 39-43. (OS)

11) Ke L, Ni HB, Tong ZH, et al. Intra-abdominal pressure and abdominal perfusion pressure: which is a better marker of severity in patients with severe acute pancreatitis. J Gastrointest Surg 2011; 15: 1426-1432. (OS)

12) Ke L, Ni HB, Sun JK, et al. Risk factors and outcome of intra-abdominal hypertension in patients with severe acute pancreatitis. World J Surg 2012; 36: 171-178. (OS)

13) Aitken EL, Gough V, Jones A, et al. Observational study of intra-abdominal pressure monitoring in acute pancreatitis. Surgery 2014; 155: 910-918. (OS)

14) Smit M, Buddingh KT, Bosma B, et al. Abdominal compartment syndrome and intra-abdominal ischemia in patients with severe acute pancreatitis. World J Surg 2016; 40: 1454-1461. (OS)

15) Stojanovic M, Svorcan P, Karamarkovic A, et al. Mortality predictors of patients suffering of acute pancreatitis and development of intraabdominal hypertension. Turk J Med Sci 2019; 49: 506-513. (OS)

16) Davis PJ, Eltawil KM, Abu-Wasel B, et al. Effect of obesity and decompressive laparotomy on mortality in acute pancreatitis requiring intensive care unit admission. World J Surg 2013; 37: 318-332. (OS)

17) De Waele JJ, Hoste E, Blot SI, et al. Intra-abdominal hypertension in patients with severe acute pancreatitis. Crit Care 2005; 9: R452-R457. (OS)

18) Bezmarevic M, Mirkovic D, Soldatovic I, et al. Correlation between procalcitonin and intra-abdominal pressure and their role in prediction of the severity of acute pancreatitis. Pancreatology 2012; 12: 337-343.

(OS)
19) Tao J, Wang C, Chen L, Yang Z, Xu Y, Xiong J, Zhou F. Diagnosis and management of severe acute pancreatitis complicated with abdominal compartment syndrome. J Huazhong Univ Sci Technolog Med Sci 2003; 23: 399-402. (OS)
20) Jacob AO, Stewart P, Jacob O. Early surgical intervention in severe acute pancreatitis: Central Australian experience. ANZ J Surg 2016; 86: 805-810. (OS)
21) Mentula P, Hienonen P, Kemppainen E, et al. Surgical decompression for abdominal compartment syndrome in severe acute pancreatitis. Arch Surg 2010; 145: 764-769. (OS)
22) Leppäniemi A, Hienonen P, Mentula P, et al. Subcutaneous linea alba fasciotomy, does it really work? Am Surg 2011; 77: 99-102. (OS)
23) van Brunschot S, Schut AJ, Bouwense SA, et al; Dutch Pancreatitis Study Group. Abdominal compartment syndrome in acute pancreatitis: a systematic review. Pancreas 2014; 43: 665-674. (SR)

CQ25 どのような急性膵炎患者に対してIAPの測定が必要か？

[推　奨]
大量輸液，高い重症度，腎障害や呼吸障害の合併，CTで複数部位の液体貯留，高乳酸血症を認めた症例は，IAH/ACSを発症すると致命率が高くなることが報告されており，経時的なIAPの測定が必要である。

（弱い推奨，エビデンスの確実性：低）

▶投票結果：行うことを提案する-18/18名：100％

■解　説

急性膵炎のうち，大量輸液，高い重症度，腎障害や呼吸障害の合併，CTで複数部位の液体貯留，高乳酸血症を認める場合は，IAH/ACSを発症する可能性がある（OS）[1,2]（RCT）[3]（MA）[4]。

重症例に対する急速輸液（10～15 mL/h）と通常輸液（5～10 mL/h）を比較した研究では，ACS発症率は急速輸液群で有意に高率（72.2％ vs. 32.5％，P＜0.01）だったと報告している（RCT）[3]。IAHの危険因子を検討した観察研究では，APACHE Ⅱスコア（OR＝1.652，95％CI：1.131～2.414，P＝0.009），24時間の初期輸液バランス（OR＝1.004，95％CI：1.001～1.006，P＝0.003），CTによる液体貯留部位数（OR＝2.015，95％CI：1.298～3.129，P＝0.002）が危険因子であると報告している（OS）[2]。また，高乳酸血症はIAHの致命率上昇に強い相関性を示している（OS）[5]。さらに，ACSの危険因子として，クレアチニン高値（OR＝1.115，95％CI：1.02～1.219，P＝0.017）が報告されている（OS）[1]。Holodinskyら[4]は，IAHとACSの危険因子として，重症度や24時間の輸液バランス，クレアチニン値に加えて，頻呼吸（OR＝1.004，95％CI：1.0～1.008）を報告している（MA）。

WSACSは，ICUへ入室して，新規または進行性の臓器障害を認める症例のうち，表1に示した危険因子のなかで2つ以上を満たす場合には，経時的なIAPの測定を推奨している。このように，経時的にIAPを測定することは診断だけでなく，段階的な内科・外科療法など集学的治療の方針決定に対しても有用であるとの報告がある（CPG）[6,7]。

表1　IAH/ACSの危険因子

1. 腹壁コンプライアンスの低下
   - 急性呼吸不全，特に胸腔内圧上昇を伴う
   - 一期的に筋膜閉鎖した腹部手術，腹壁出血（血腫）
   - 重症外傷/熱傷
   - 腹臥位
   - BMI＞30
2. 消化管内容物の増加
   - 胃機能不全，イレウス，結腸偽閉塞
3. 腹腔（後腹膜）内容物の増加
   - 出血/気腹
   - 腹水/肝機能障害
   - 腫瘍
4. 血管透過性亢進/輸液蘇生
   - アシドーシス（pH＜7.2）
   - 低血圧
   - 低体温（深部体温＜33℃）
   - 大量輸血（＞10単位/24時間）
   - 凝固異常（血小板55,000/mm^3 or APTT＞正常値の2倍 or PT＜50% or INR＞1.5）
   - 大量輸液（＞5 L/24時間）
   - 乏尿
   - 敗血症
   - 腹腔（後腹膜）内感染症
   - 急性膵炎
   - 重症外傷/広範囲熱傷
   - 腹膜透析
   - Damage control laparotomy

（文献4を一部改変）

■引用文献

1) Davis PJ, Eltawil KM, Abu-Wasel B, et al. Effect of obesity and decompressive laparotomy on mortality in acute pancreatitis requiring intensive care unit admission. World J Surg 2013; 37: 318-332. (OS)
2) Ke L, Ni HB, Sun JK, et al. Risk factors and outcome of intra-abdominal hypertension in patients with severe acute pancreatitis. World J Surg 2012; 36: 171-178. (OS)
3) Mao EQ, Tang YQ, Fei J, et al. Fluid therapy for severe acute pancreatitis in acute response stage. Chin Med J (Engl) 2009; 122: 169-173. (RCT)
4) Holodinsky JK, Roberts DJ, Ball CG, et al. Risk factors for intra-abdominal hypertension and abdominal compartment syndrome among adult intensive care unit patients: a systematic review and meta-analysis. Crit Care 2013; 21; 17: R249. (MA)
5) Smit M, Buddingh KT, Bosma B, et al. Abdominal compartment syndrome and intra-abdominal ischemia in patients with severe acute pancreatitis. World J Surg 2016; 40: 1454-1461. (OS)
6) Malbrain ML, Cheatham ML, Kirkpatrick A, et al. Results from the International Conference of Experts on intra-abdominal hypertension and abdominal compartment syndrome. I. Definitions. Intensive Care Med 2006; 32: 1722-1732. (CPG)
7) Cheatham ML, Malbrain ML, Kirkpatrick A, et al. Results from the International Conference of Experts on intra-abdominal hypertension and abdominal compartment syndrome. II. Recommendations. Intensive Care Med 2007; 33: 951-962. (CPG)

BQ19　IAPの測定方法は？

通常，膀胱内圧を測定する。

■解説

　WSACSはIAH/ACSを診断する手段として，IAPによるモニタリングは正確で，安全性や費用対効果でも有用な手段であると述べている（CPG）[1,2]。さらにIAPの測定方法として，非侵襲的という観点から膀胱内

圧測定を推奨している。膀胱内圧による測定方法について**参考資料1, 2**に，IAPの正常値とIAHのGrade分類を**表1**に示す。また，重症急性膵炎のように腹部骨盤部疾患が原因で生じる場合をprimary ACS，腹部骨盤部疾患以外の原因に由来する場合をsecondary ACS，ACS治療後に再度ACSをきたす場合をrecurrent ACSと分類している。

表1 IAPの正常値とIAHのGrade分類

IAPの正常値（mmHg）	5～7（高度肥満や妊婦：10～15）
	IAP（mmHg）
Grade I	12～15
Grade II	16～20
Grade III	21～25
Grade IV	＞25

▶第VI章-BQ19の参考資料1～2は右のQRコードからご覧いただけます。

参考資料1 腹腔（膀胱）内圧測定の方法
参考資料2 バードIAPモニタリングデバイス（メディコン社より提供）

■引用文献

1) Malbrain ML, Cheatham ML, Kirkpatrick A, et al. Results from the International Conference of Experts on intra-abdominal hypertension and abdominal compartment syndrome. I. Definitions. Intensive Care Med 2006; 32: 1722-1732.（CPG）

2) Cheatham ML, Malbrain ML, Kirkpatrick A, et al. Results from the International Conference of Experts on intra-abdominal hypertension and abdominal compartment syndrome. II. Recommendations. Intensive Care Med 2007; 33: 951-962.（CPG）

CQ26　IAH/ACSに対する治療はどのように行うか？

［推　奨］
IAP≧12 mmHgが持続する場合は，適正な水分管理，消化管内の減圧，十分な鎮痛や鎮静，経皮的ドレナージ術などの内科的治療を，IAP≦15 mmHgを管理目標に行うことを提案する。

（弱い推奨，エビデンスの確実性：低）
▶投票結果：行うことを提案する-18/18名：100%

［推　奨］
さらに，内科的治療が無効で，IAP＞20 mmHgかつ新規臓器障害を合併した患者に対して，外科的減圧術を考慮する。

（弱い推奨，エビデンスの確実性：非常に低）
▶投票結果：行うことを提案する-17/17名：100%

■解　説

　2013年に提唱されたWSACSのIAH/ACSに対する詳細な管理アルゴリズムでは，IAHであれば，まず内科的治療を行うよう推奨している（図1）（CPG)[1]。また，IAPの測定は4〜6時間毎に行うことや，IAP≦15 mmHgの維持を管理目標としている。さらに治療の手順として，消化管の減圧，腹腔内の減圧，腹壁コンプライアンスの改善，輸液療法の適正化，全身と局所の適切な循環管理について，それぞれstepに準じて行うよう提案している。そして，内科的治療を行ったにも関わらず，IAP＞20 mmHgかつ新規臓器障害が発生した場合には，外科的減圧術を考慮するよう提案している。

　内科的治療について，早期からの適切な水分管理が重要で，その方策として持続的腎代替療法（continuous renal replacement therapy；CRRT）を用いる場合がある（詳細はp.109，CQ20の項参照）。

　ACSに対する侵襲的治療について，Brunschotらは7編の観察研究を対象としたシステマティックレビュー[2]で行い，ACS例103症例のうち，初回に経皮的ドレナージ術（percutaneous catheter drainage；PCD）を施行したのは11例（10.7%），外科的減圧術を施行したのは76例（73.8%）と報告している（SR）。ただし，PCDの11例中改善しなかった8例（72.7%）に対して，外科的減圧術を追加したと報告している。また，外科的減圧術は，腹腔内感染（5.6〜73.1%)[3-5]やincisional hernia（40.0〜50.0%)[5,6]，腸管皮膚瘻（8.0〜43.8%)[4-7]など合併症の危険性も報告している（OS）。最近Pengら[8]は，入院後48時間以内に発症したACSに対して，PCDと外科的減圧術を比較した前向き観察研究を報告したが，PCDが出血や血栓症，瘻孔などの合併症発症率が低く，致命率も低率だったことを示している（OS）。このため，内科的治療とPCDが無効な症例に対して，外科的減圧術を考慮する必要がある。

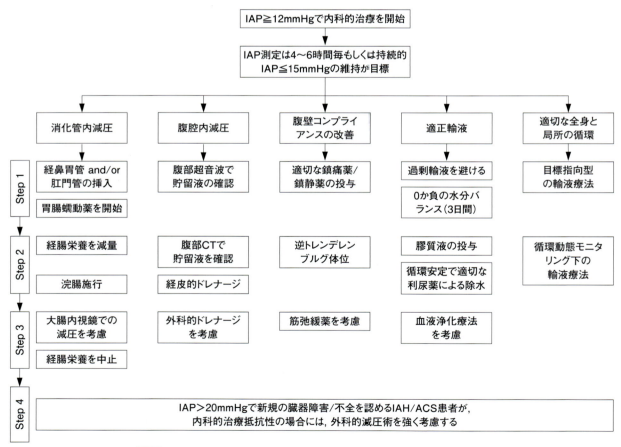

図1　WSACSのIAH/ACSに対する内科的治療の管理アルゴリズム

（文献1を一部改変）

前述のBrunschotら[2]は，外科的減圧術の術式についても検討しているが，正中切開による開腹減圧術が25.0〜100％で施行され，その他に両側肋骨弓下切開術や横切開術が行われていたと報告している（SR）。また，開腹減圧術後の一時的閉腹法は，シリコンやプラスチックパック，メッシュシートなどの腹壁被覆材による閉鎖法や，局所陰圧閉鎖療法が用いられる（図2-A，図2-B）。

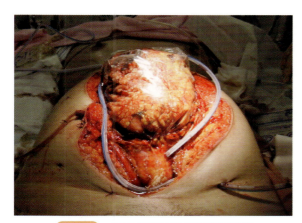

図2-A ACSに対する外科的減圧術
開腹して減圧したところ，大網と消化管が腹腔外に脱出した。

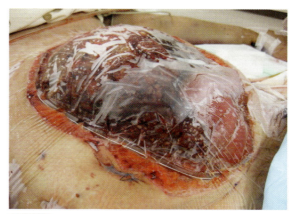

図2-B プラスチックパックによる陰圧吸引療法（一時的閉腹）
同症例で，腹腔外に脱出した大網や消化管を，プラスチックパックとサージカルドレープ（ポリエステルフィルム）で覆い，吸引チューブによる陰圧吸引を行った。

■引用文献

1) Kirkpatrick AW, Roberts DJ, De Waele J, et al; Pediatric Guidelines Sub-Committee for the World Society of the Abdominal Compartment Syndrome. Intra-abdominal hypertension and the abdominal compartment syndrome: updated consensus definitions and clinical practice guidelines from the World Society of the Abdominal Compartment Syndrome. Intensive Care Med 2013; 39: 1190-1206.（CPG）
2) van Brunschot S, Schut AJ, Bouwense SA, et al; Dutch Pancreatitis Study Group. Abdominal compartment syndrome in acute pancreatitis: a systematic review. Pancreas 2014; 43: 665-674.（SR）
3) Tao J, Wang C, Chen L, Yang Z, Xu Y, Xiong J, Zhou F. Diagnosis and management of severe acute pancreatitis complicated with abdominal compartment syndrome. J Huazhong Univ Sci Technolog Med Sci 2003; 23: 399-402.（OS）
4) Mentula P, Hienonen P, Kemppainen E, et al. Surgical decompression for abdominal compartment syndrome in severe acute pancreatitis. Arch Surg 2010; 145: 764-769.（OS）
5) Leppäniemi A, Hienonen P, Mentula P, et al. Subcutaneous linea alba fasciotomy, does it really work? Am Surg 2011; 77: 99-102.（OS）
6) Davis PJ, Eltawil KM, Abu-Wasel B, et al. Effect of obesity and decompressive laparotomy on mortality in acute pancreatitis requiring intensive care unit admission. World J Surg 2013; 37: 318-332.（OS）
7) Xu J, Tian X, Zhang C, et al. Management of abdominal compartment syndrome in severe acute pancreatitis patients with early continuous veno-venous hemofiltration. Hepatogastroenterology 2013; 60: 1749-1752.（OS）
8) Peng T, Dong LM, Zhao X, et al. Minimally invasive percutaneous catheter drainage versus open laparotomy with temporary closure for treatment of abdominal compartment syndrome in patients with early-stage severe acute pancreatitis. J Huazhong Univ Sci Technolog Med Sci 2016; 36: 99-105.（OS）

急性膵炎に腹部コンパートメント症候群（ACS）を合併すると，致命率は高くなりますので，早期の診断や治療が必要です。

〈ACSの原因と病態〉

急性膵炎が重症化すると大量の炎症物質が産生され，この物質によって血管内の血漿成分が血管から外に漏れ出ることがあります。それによって腸管は浮腫み，麻痺し，後腹膜や腹腔内の浮腫や腹水によって，腹部が著明に緊満して腹部内臓の血管や臓器を圧迫し，血流障害による消化管の虚血や壊死，肝臓や腎臓など重要臓器の機能不全を引き起こします。また，腹腔内圧の上昇は横隔膜を圧迫し，さらに胸腔内にも血漿成分が漏れ出ることで，胸腔内圧を上昇させて肺を圧迫し呼吸不全をきたしたり，下大静脈を圧迫し心臓への血流が低下し循環不全をきたします。

〈ACSに対する診断法〉

ACSのリスクがある症例では，経時的に腹腔内圧（膀胱内圧で代用）を測定し，早期に診断します。

〈ACSに対する治療法〉

治療は，輸液の管理，薬剤や血液浄化療法，カテーテルを腹腔内などに挿入して腹水を抜く治療などを行いますが，それらの内科的治療の効果がなければ，減圧するための開腹手術（CQ26，図2-A，2-B参照）を行う場合があります。

11 膵局所合併症に対するインターベンション治療

膵局所合併症の定義

2012年の改訂アトランタ分類（CPG，EO）[1, 2]では，膵あるいは膵周囲の貯留（collection）を，液体成分のみから構成される「液体貯留」と，壊死物質や液体を混じた固体成分から構成される「壊死性貯留」に区別している。間質性浮腫性膵炎後に発生してくる「液体貯留」を，発症後4週以内の急性膵周囲液体貯留（acute peripancreatic fluid collection；APFC）と4週以降の膵仮性囊胞（pancreatic pseudocyst；PPC）に分類し，壊死性膵炎後に発生してくる「壊死性貯留」を，発症後4週以内の急性壊死性貯留（acute necrotic collection；ANC）と4週以降の被包化壊死（walled-off necrosis；WON）に分類している。

感染性膵壊死（infected pancreatic necrosis）とは，ANCあるいはWONに細菌・真菌の感染が加わったものを指す。

アトランタ分類で定義された膵局所合併症の分類「急性膵炎の形態分類と膵炎発症後の経過からみた膵・膵周囲貯留の定義と造影CT診断」に関する定義の表を参考資料1に掲載した。

また，代表的なCT画像は「第Ⅳ章画像1〜4（51, 52ページ），第Ⅴ章画像7〜12（77〜79ページ）」や「参考資料2（A〜F）」としてQRコードに掲載した。

▶第Ⅵ章-本項目の参考資料1～2は右のQRコードからご覧いただけます。

参考資料1 急性膵炎の形態分類と膵炎発症後の経過からみた膵・膵周囲貯留の定義と造影CT診断：2012年の改訂アトランタ分類

参考資料2 アトランタ分類で定義された膵局所合併症の分類「急性膵炎の形態分類と膵炎発症後の経過からみた膵・膵周囲貯留の定義と造影CT診断」に関する代表的なCT画像
- A. 間質性浮腫性膵炎（Interstitial edematous pancreatitis）
- B. 急性膵周囲液体貯留（acute peripancreatic fluid collection；APFC）
- C. 膵仮性囊胞（pancreatic pseudocyst；PPC）
- D. 壊死性膵炎（necrotizing pancreatitis）
- E. 急性壊死性貯留（acute necrotic collection；ANC）
- F. 被包化壊死（walled-off necrosis；WON）

■引用文献

1) Banks PA, Bollen TL, Dervenis C, et al; Acute Pancreatitis Classification Working Group. Classification of acute pancreatitis--2012: revision of the Atlanta classification and definitions by international consensus. Gut 2013; 62: 102-111.（CPG）
2) 伊佐地秀司，種村彰洋，安積良紀．急性膵炎におけるWONの概念とは．膵臓．2014; 29: 202-209.（EO）

BQ20 膵・膵周囲液体貯留患者におけるインターベンション治療導入前に，被包化壊死と膵仮性囊胞の治療成績の考慮が推奨されるか？

被包化壊死では膵仮性囊胞と比較して臨床的治療不成功率，治療合併症発生率と感染を有する割合が高く，治療成績を考慮する。

■解　説

被包化壊死（WON）と膵仮性囊胞（PPC）の成績を比較した報告をメタ解析したところ[3〜9]（OS），被包化壊死で臨床的治療不成功率（図1-A：16.7% vs. 12%，P=0.05），治療合併症発生率（図1-B：19.8% vs. 13.7%，P=0.02）と感染を有した割合（図1-C：60.7% vs. 19.2%，P<0.001）が有意に高値であった。一方，致命率（図1-D：5.5% vs. 3%，P=0.48），外科的治療を要した割合（**参考資料1**，8.8% vs. 4.5%，P=0.14），在院日数中央値は（45日 vs. 29日，P=NA）は被包化壊死で高い傾向を認めたが，有意でなかった。

WON，PPCの代表的CT画像は**参考資料2**のA〜Dに，膵仮性囊胞と被包化壊死のCT/MRI所見については**参考資料3**に示した。

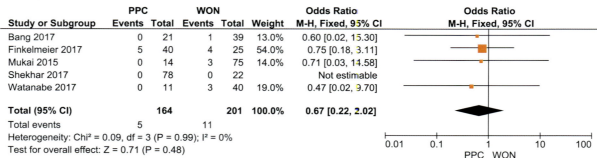

図1 被包化壊死（WON）と膵仮性嚢胞（PPC）の成績を比較した報告のメタ解析
（メタ解析のやさしい解説は第1章の10ページまたはそのQRコードからご覧ください）

▶第Ⅵ章-BQ20 の参考資料1～3 は右の QR コードからご覧いただけます。

参考資料1 被包化壊死（WON）と膵仮性嚢胞（PPC）の成績を比較した報告のメタ解析
　　　　　　外科治療を要した割合
参考資料2 WON，PPC の代表的 CT 画像
　　　　　A．被包化壊死（walled-off necrosis：WON）
　　　　　B．被包化壊死（walled-off necrosis：WON）内部感染疑い
　　　　　C．急性膵炎＋膵仮性嚢胞，胃壁内進展
　　　　　D．外傷性膵炎＋膵仮性嚢胞
参考資料3 膵仮性嚢胞と被包化壊死の CT/MRI 所見まとめ

■引用文献

1) Banks PA, Bollen TL, Dervenis C, et al; Acute Pancreatitis Classification Working Group. Classification of acute pancreatitis--2012: revision of the Atlanta classification and definitions by international consensus. Gut 2013; 62: 102-111.（CPG）
2) 伊佐地秀司，種村彰洋，安積良紀．急性膵炎における WON の概念とは．膵臓．2014; 29: 202-209.（EO）
3) Bang JY, Hasan MK, Navaneethan U, et al. Lumen-apposing metal stents for drainage of pancreatic fluid collections: When and for whom? Dig Endosc 2017; 29: 83-90.（OS）
4) Finkelmeier F, Sturm C, Friedrich-Rust M, et al. Predictive value of computed tomography scans and clinical findings for the need of endoscopic necrosectomy in walled-off necrosis from pancreatitis. Pancreas 2017; 46: 1039-1045.（OS）
5) Mukai S, Itoi T, Sofuni A, et al. Expanding endoscopic interventions for pancreatic pseudocyst and walled-off necrosis. J Gastroenterol 2015; 50: 211-220.（OS）
6) Vazquez-Sequeiros E, Baron TH, Pérez-Miranda M, et al; Spanish Group for FCSEMS in Pancreas Collections. Evaluation of the short- and long-term effectiveness and safety of fully covered self-expandable metal stents for drainage of pancreatic fluid collections: results of a Spanish nationwide registry. Gastrointest Endosc 2016; 84: 450-457. e2.（OS）
7) Shekhar C, Maher B, Forde C, et al. Endoscopic ultrasound-guided pancreatic fluid collections' transmural drainage outcomes in 100 consecutive cases of pseudocysts and walled off necrosis: a single-centre experience from the United Kingdom. Scand J Gastroenterol 2018; 53: 611-615.（OS）
8) Watanabe Y, Mikata R, Yasui S, et al. Short- and long-term results of endoscopic ultrasound-guided transmural drainage for pancreatic pseudocysts and walled-off necrosis. World J Gastroenterol 2017; 23: 7110-7118.（OS）
9) Sharma SS, Singh B, Jain M, et al. Endoscopic management of pancreatic pseudocysts and walled-off pancreatic necrosis: a two-decade experience. Indian J Gastroenterol 2016; 35: 40-47.（OS）
10) Dhaka N, Samanta J, Kochhar S, etal. Pancreatic fluid collections: What is the ideal imaging technique? World J Gastroenterol 2015; 21: 13403-13410.（Review）
11) Ahmed A, Gibreel W, Sarr MG. Recognition and importance of new definitions of peripancreatic fluid collections in managing patients with acute pancreatitis. Dig Surg 2016; 33: 259-266.（Review）
12) ASGE Standards of Practice Committee, Muthusamy VR, Chandrasekhara V, Acosta RD, et al. The role of endoscopy in the diagnosis and treatment of inflammatory pancreatic fluid collections. Gastrointest Endosc 2016; 83: 481-488.（CPG）
13) Italian Association for the Study of the Pancreas（AISP）, Pezzilli R, Zerbi A, Campra D, et al. Consensus guidelines on severe acute pancreatitis. Dig Liver Dis 2015; 47: 532-543.（CPG）
14) Arvanitakis M, Dumonceau JM, Albert J, et al. Endoscopic management of acute necrotizing pancreatitis: European Society of Gastrointestinal Endoscopy（ESGE）evidence-based multidisciplinary guidelines. Endoscopy 2018; 50: 524-546.（CPG）

インターベンション治療とは，エックス線透視，超音波やCTを利用し，数ミリの傷から細いカテーテルや針を体内に入れて行う「低侵襲治療」のことです（CQ28〜30参照）。膵および膵周囲の局所合併症としての貯留物は，発症から4週間以降では壊死を伴わない膵仮性囊胞と壊死を伴う被包化壊死に分類され，感染が疑われる場合はインターベンション治療を考慮する必要があります。被包化壊死では膵仮性囊胞と比較して，インターベンション治療の不成功率，合併症発生率や感染を有する割合が高いことが報告されています。

CQ27 感染性膵壊死はどのように診断するか？

[推奨]
臨床徴候，血液検査や画像検査にて感染性膵壊死を総合的に診断する。

（強い推奨，エビデンスの確実性：低）

▶投票結果：行うことを推奨する-13/14名：93％，行うことを提案する-1/14名：7％

■解　説

感染性膵壊死の診断における Fine needle aspiration（FNA）と臨床徴候や画像/血液検査の有用性を直接比較した検討では，その診断率は同等（図1-A，86％ vs. 87％，P＝0.83）と報告されている[1]（OS）。感度/特異

A. 感染性膵壊死のFNA or 臨床症状，画像/血液検査による診断率

| | 臨床徴候,画像/血液検査 | | FNA | | | Odds Ratio | Odds Ratio |
Study or Subgroup	Events	Total	Events	Total	Weight	M-H, Fixed, 95% CI	M-H, Fixed, 95% CI
van Baal 2014	157	180	24	28	100.0%	1.14 [0.36, 3.58]	
Total (95% CI)		180		28	100.0%	1.14 [0.36, 3.58]	
Total events	157		24				
Heterogeneity: Not applicable							
Test for overall effect: Z = 0.22 (P = 0.83)							

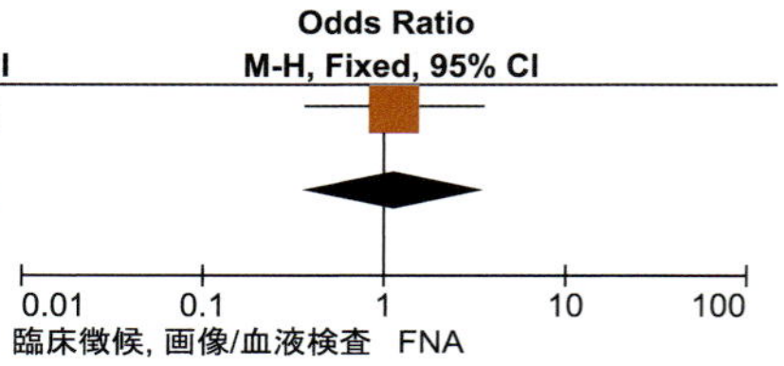

B. 感染性膵壊死のFNA or 臨床症状，画像/血液検査の感度と特異度

sensitivity.specificity

Study	TP	FP	FN	TN	Sensitivity (95% CI)	Specificity (95% CI)
Chen 2017 combined diagnosis	59	39	28	99	0.68 [0.57, 0.77]	0.72 [0.63, 0.79]
Chen 2017 HCT maximum within 48h	49	34	38	94	0.56 [0.45, 0.67]	0.73 [0.65, 0.81]
Chen 2017 max BUN at 48h admission	60	58	27	70	0.69 [0.58, 0.78]	0.55 [0.46, 0.64]
Chen 2017 max CRP at 48 admission	39	14	48	114	0.45 [0.34, 0.56]	0.89 [0.82, 0.94]
Chen 2017 procalcitonin at 48h admission	53	32	34	96	0.61 [0.50, 0.71]	0.75 [0.67, 0.82]
Ding 2019 acute peripancreatic fluid collections	33	43	9	57	0.79 [0.63, 0.90]	0.57 [0.47, 0.67]
He 2017 procalcitonin	53	38	7	88	0.88 [0.77, 0.95]	0.70 [0.61, 0.78]
Ji 2016 max didimer	35	32	4	46	0.90 [0.76, 0.97]	0.58 [0.46, 0.69]
Ji 2016 max didimer	0	0	0	0	Not estimable	Not estimable
Ji 2016 max intraabdominal pressure at 72h	33	43	9	57	0.79 [0.63, 0.90]	0.57 [0.47, 0.67]
Moran 2016 proposed ileus cliteria more than 2	61	6	0	75	1.00 [0.94, 1.00]	0.93 [0.85, 0.97]
Rau 2007 procalcitonin more tha 4ngml	11	10	6	77	0.65 [0.38, 0.86]	0.89 [0.80, 0.94]

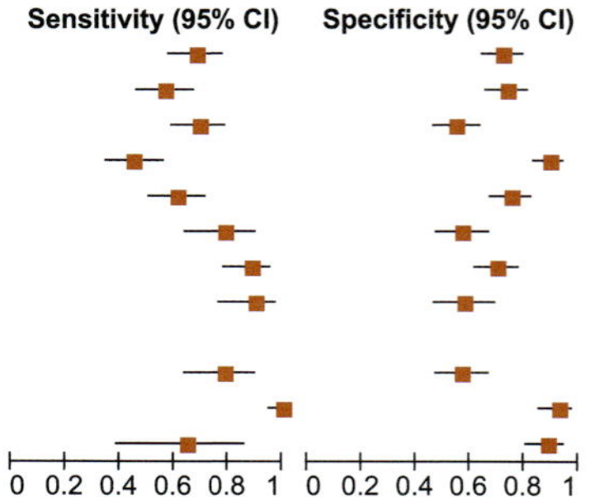

sensitivity.specificity.FNA

Study	TP	FP	FN	TN	Sensitivity (95% CI)	Specificity (95% CI)
Gerzof 1987 FNA	42	0	1	50	0.98 [0.88, 1.00]	1.00 [0.93, 1.00]
RAU 1998 FNA	29	6	4	55	0.88 [0.72, 0.97]	0.90 [0.80, 0.96]

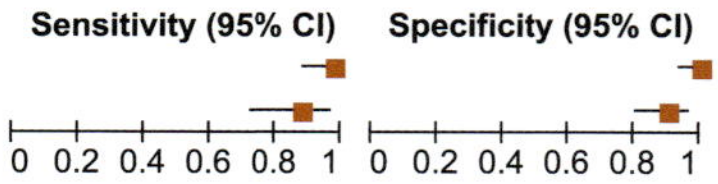

図1 感染性膵壊死の診断における各種診断率
（メタ解析のやさしい解説は第1章の10ページまたはそのQRコードからご覧ください）

度は(**図 1-B**),FNA では 88〜98％/90〜100％で,臨床徴候や画像/血液検査では 45〜100％/55〜93％と報告されている[2〜7](OS)。

FNA の結果が,近年,以下の理由にて治療変更に結びつくことが少なくなっている[1](OS)。

1. 感染性膵壊死の診断後でも,臨床的に可能であれば,壊死が被包化されるまで介入が延期されること
2. 感染性膵壊死のピークは発症後 3〜4 週間で,いつでも発生する可能性があり,早い段階での FNA では陰性がもたらされること
3. 陰性が得られてもその後に感染を併発することもあり,信頼できる期間が短いこと
4. 偽陰性が発生する可能性があること
5. 感染性膵壊死の初回介入治療で採取した培養で複数の細菌や真菌が発見されるものの,FNA から発見された細菌や真菌と完全に一致しなかったこと

そのため,ルーチンの FNA は不要と考えられており,臨床徴候や画像/血液検査で感染の有無を総合的に判断し,全身状態の悪化があれば診断と治療を兼ねて内視鏡的 or 経皮的ドレナージを行うことが推奨される。

■引用文献

1) van Baal MC, Bollen TL, Bakker OJ, et al; Dutch Pancreatitis Study Group. The role of routine fine-needle aspiration in the diagnosis of infected necrotizing pancreatitis. Surgery 2014; 155: 442-448. (OS)
2) Chen HZ, Ji L, Li L, Wang G, Bai XW, Cheng CD, Sun B. Early prediction of infected pancreatic necrosis secondary to necrotizing pancreatitis. Medicine (Baltimore) 2017; 96: e7487. (OS)
3) Ding L, Yu C, Deng F, et al. New Risk factors for infected pancreatic necrosis secondary to severe acute pancreatitis: the role of initial contrast-enhanced computed tomography. Dig Dis Sci 2019; 64: 553-560. (OS)
4) He WH, Zhu Y, Zhu Y, et al. Comparison of multifactor scoring systems and single serum markers for the early prediction of the severity of acute pancreatitis. J Gastroenterol Hepatol 2017; 32: 1895-1901. (OS)
5) Ji L, Lv JC, Song ZF, et al. Risk factors of infected pancreatic necrosis secondary to severe acute pancreatitis. Hepatobiliary Pancreat Dis Int 2016; 15: 428-433. (OS)
6) Moran RA, Jalaly NY, Kamal A, et al. Ileus is a predictor of local infection in patients with acute necrotizing pancreatitis. Pancreatology 2016; 16: 966-972. (OS)
7) Rau B, Pralle U, Mayer JM, et al. Role of ultrasonographically guided fine-needle aspiration cytology in the diagnosis of infected pancreatic necrosis. Br J Surg 1998; 85: 179-184. (OS)

やさしい解説

急性膵炎治療における死亡の原因の一つに,感染性膵壊死に起因する感染性合併症が知られています。そのため,感染性膵壊死をいかに的確に診断し,治療を考慮するかが重要です。以前では,感染性膵壊死の診断にはルーチンの局所の穿刺吸引による細菌学的検査が推奨されていました。しかし近年では,局所の穿刺吸引の結果が治療の変更に結びつくことが少ないため,臨床徴候や画像/血液検査にて感染性膵壊死を総合的に診断することが推奨されています。

| CQ28 | 感染性膵壊死に対して，発症4週以降でインターベンション治療（内視鏡的もしくは経皮的ドレナージ）を導入することは，発症4週未満で導入することと比較して有用か？ |

[推 奨]
感染性膵壊死に対しては，保存的治療で全身状態が保たれていれば，被包化が起こる時期（通常発症4週以降）に内視鏡的もしくは経皮的ドレナージを行う。

（弱い推奨，エビデンスの確実性：低）

▶投票結果：行うことを提案する-15/15名：100%

保存的治療にもかかわらず，臓器不全や敗血症が持続するなど臨床的な改善が乏しい場合は，step-up approach（ステップアップ・アプローチ）にしたがって，4週未満でもドレナージの導入を行う。

■解 説

　感染性膵壊死において，保存的治療にもかかわらず，臓器不全や敗血症が持続するなど臨床的な改善が乏しい場合は，step-up approach（ステップアップ・アプローチ）にしたがってインターベンション治療を行うことが推奨されている（CPG）[1〜4]。

　ステップアップ・アプローチは，2010年に報告（RCT）[5]されて以後，一般的に広く用いられ，現在は初回のインターベンションとして内視鏡的もしくは経皮的ドレナージを選択することが多い。それゆえ，ステップアップ・アプローチに基づき，発症4週未満にドレナージを導入することが，4週以降に導入することと比較して有用かどうかが焦点となる。本委員会で検索したところ，感染性膵壊死に対して，初回のインターベンションとしてドレナージが選択され，インターベンションの時期について発症4週未満と4週以降の治療成績を比較したコホート研究を4編（OS）[6〜9]認めた。この4編を用いたメタ解析では，ドレナージを4週未満に導入することは，4週以降と比較して有意に致命率が高値であった（致命率：OR＝1.59, 95％CI；1.01〜2.49, P＝0.05）（図1）。また，合併症発生率に有意差は認めなかった（図2）。ただし，今回のメタ解析で用いたコホート研究を個別に詳細に検討すると，いずれの著者も4週未満でのドレナージが許容できるとしていた。3編（OS）[7〜9]では致命率に有意差は認めず，1編（OS）[6]のみ4週未満でのドレナージ導入群で，致命率が有意に高値であった。

　以上，本委員会のメタ解析から，ステップアップ・アプローチに基づき，初回のインターベンションとしてドレナージ（内視鏡的もしくは経皮的）を行う場合でも，急性壊死性貯留が被包化壊死（walled-off necrosis；WON）となる発症4週以降までインターベンション治療は遅らせることが望ましい。ただし，保存的治療にもかかわらず，臓器不全や敗血症が持続するなど臨床的な改善が乏しい場合は，ステップアップ・アプローチに従い4週未満でもドレナージを実施する。処置関連の合併症に関して，ドレナージは4週未満でも安全に施行できると考えられる。その場合でも，ネクロセクトミーは現在すでに実践されているように，壊死巣が十分に被包化する4週以降に実施することが望ましい。現在進行中のRCT[10,11]の結果が待たれる。

　壊死巣の液状化と被包化が起こる時期として，発症4週がおおよその基準とされ（CPG）[2,12]，これまで4週以降のインターベンションが推奨されてきた。しかし，4週間未満で完全被包化する症例や，4週間以降でも不完全な被包化である症例も報告されている（OS）[6,9]。今後，壊死巣の被包化の程度がインターベンションの治療効果にどう影響するかという研究がなされることが望まれる。

致命率

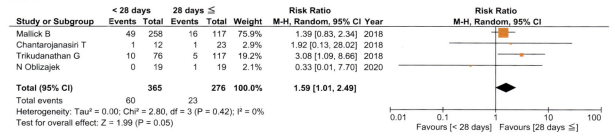

図1 感染性膵壊死に対するインターベンションの時期（内視鏡的もしくは経皮的ドレナージ）と致命率
（メタ解析のやさしい解説は第1章の10ページまたはそのQRコードからご覧ください）

A. 合併症 出血

B. 合併症 消化管穿孔

C. 合併症 ステント・カテーテル閉塞・逸脱

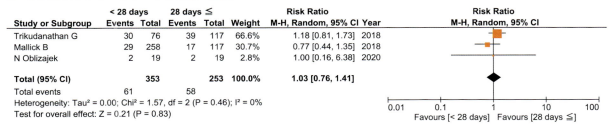

図2 感染性膵壊死に対するインターベンションの時期（内視鏡的もしくは経皮的ドレナージ）と合併症発生率
（本委員会による検討）
（メタ解析のやさしい解説は第1章の10ページまたはそのQRコードからご覧ください）

■引用文献

1) Arvanitakis M, Dumonceau JM, Albert J, et al. Endoscopic management of acute necrotizing pancreatitis: European Society of Gastrointestinal Endoscopy (ESGE) evidence-based multidisciplinary guidelines. Endoscopy 2018; 50: 524-546. (CPG)
2) Working Group IAP/APA Acute Pancreatitis Guidelines. IAP/APA evidence-based guidelines for the management of acute pancreatitis. Pancreatology 2013; 13 (4 Suppl 2): e1-e15. (CPG)
3) Mowery NT, Bruns BR, MacNew HG, et al. Surgical management of pancreatic necrosis: A practice management guideline from the Eastern Association for the Surgery of Trauma. J Trauma Acute Care Surg 2017; 83: 316-327. (CPG)
4) Leppäniemi A, Tolonen M, Tarasconi A, et al. 2019 WSES guidelines for the management of severe acute pancreatitis. World J Emerg Surg 2019; 14: 27. (CPG)
5) van Santvoort HC, Besselink MG, Bakker OJ, et al; Dutch Pancreatitis Study Group. A step-up approach or open necrosectomy for necrotizing pancreatitis. N Engl J Med 2010; 362: 1491-1502. (RCT)
6) Trikudanathan G, Tawfik P, Amateau SK, et al. Early (<4 weeks) versus standard (≥ 4 weeks) endoscopically centered step-up interventions for necrotizing pancreatitis. Am J Gastroenterol 2018; 113: 1550-1558. (OS)
7) Mallick B, Dhaka N, Gupta P, et al. An audit of percutaneous drainage for acute necrotic collections and walled off necrosis in patients with acute pancreatitis. Pancreatology 2018; 18: 727-733. (OS)
8) Chantarojanasiri T, Yamamoto N, Nakai Y, et al. Comparison of early and delayed EUS-guided drainage of pancreatic fluid collection. Endosc Int Open 2018; 6: E1398-E1405. (OS)
9) Oblizajek N, Takahashi N, Agayeva S, et al. Outcomes of early endoscopic intervention for pancreatic necrotic collections: A matched case-control study. Gastrointest Endosc 2020; 91: 1303-1309. (OS)
10) van Grinsven J, van Dijk SM, Dijkgraaf MG, et al; Dutch Pancreatitis Study Group. Postponed or immediate drainage of infected necrotizing pancreatitis (POINTER trial): study protocol for a randomized controlled trial. Trials 2019; 20: 239. (RCT)
11) Qu C, Zhang H, Chen T, et al; Chinese Acute Pancreatitis Clinical Trials Group (CAPCTG). Early on-demand drainage versus standard management among acute necrotizing pancreatitis patients complicated by persistent organ failure: The protocol for an open-label multi-center randomized controlled trial. Pancreatology 2020; 20: 1268-1274. (RCT)
12) Banks PA, Bollen TL, Dervenis C, et al; Acute Pancreatitis Classification Working Group. Classification of acute pancreatitis--2012: revision of the Atlanta classification and definitions by international consensus. Gut 2013; 62: 102-111. (CPG)

感染性膵壊死では，インターベンション治療（侵襲的治療）の導入が検討されます。この場合，インターベンション治療は，内視鏡的あるいは経皮的にカテーテルを挿入し，体内の感染した物質を体外に誘導するドレナージといった処置や，外科手術で壊死物質を除去するネクロセクトミーといった手術を意味します。感染性膵壊死に対しては，ステップアップ・アプローチといって，低侵襲なインターベンション治療（ドレナージ）から導入を行います。これらのインターベンション治療は，発症から4週以降に行うことが推奨されます。しかし，患者さんの状態が悪化し，臓器不全などが続く場合，4週未満で行うこともあり得ます。

　4週以降のインターベンション治療を推奨する根拠となる研究は，観察研究でエビデンスレベルが高いものではありません。現在，ランダム化比較試験（RCT）といってエビデンスレベルが高い研究が行われていて，この結果によっては推奨が変わる可能性もあります。

CQ29 感染性膵壊死に対するインターベンション治療は内視鏡的ステップアップ・アプローチと外科的ステップアップ・アプローチのどちらが有用か？

[推　奨]

感染性膵壊死に対するインターベンション治療は，内視鏡的ステップアップ・アプローチが推奨される．ただし，解剖学的に内視鏡的にアプローチができない骨盤腔や右傍結腸溝などに対しては外科的ステップアップ・アプローチの併用が考慮されるが，いずれも選択可能な際には，在院日数が短いという利点から内視鏡的ステップアップ・アプローチが推奨される．

（弱い推奨，エビデンスの確実性：中）

▶投票結果：行うことを提案する-13/13 名：100％

■解　説

　感染性膵壊死に対するステップアップ・アプローチとは，開腹手術などで壊死物質切除をいきなり行わず，低侵襲なドレナージに引き続き段階的にネクロセクトミーへ移行する治療法である．感染性膵壊死は発症4週間以降まで保存的治療を行い，感染を合併した被包化壊死（walled-off necrosis；WON）と判断され保存療法が無効な場合に，まず経皮的または内視鏡的ドレナージなどの低侵襲治療を選択し，ドレナージ効果が得られない場合にネクロセクトミーを選択するステップアップ・アプローチ法が推奨されている（CPG）[1,2]．ネクロセクトミーの手法には，内視鏡的ステップアップ・アプローチ（内視鏡的経消化管的ドレナージ），それに引き続く内視鏡的ネクロセクトミー）（図1-A）と外科的ステップアップ・アプローチ（図1-B）〔経皮的ドレナージ，それに引き続く video-assisted retroperitoneal debridement（VARD）〕に大別される（SR）[3,10,11]，(EO)[4〜9,12,13]．しかし，患者群にどのネクロセクトミーを選択すればよいかはいまだ明らかになっていない．

　感染性膵壊死に対する内視鏡的ステップアップ・アプローチと外科的ステップアップ・アプローチを比較する論文はランダム化比較試験（RCT）3 編（RCT）[14〜16]，症例対照研究4 編（CS）[17〜20]が存在する．そこでRCT 3 編を用いてメタ解析を行った（図2，参考資料1）．在院日数は内視鏡群で有意に短く，重大合併症および致命率の合算は有意差を認めなかったものの，内視鏡群で少ない傾向を認めた．その一方で，致命率は両群で有意差は認めず，術後の膵内外分泌機能に関して，処置後の糖尿病発生率，処置後の膵消化酵素補充剤内服率は両群で有意差は認めなかった．

　外科的ステップアップ・アプローチで在院日数が長い原因として，ネクロセクトミーを行うためにはチューブのサイズアップや位置調整が必要であり，ドレナージが複数本必要であることなどが挙げられる（RCT）[15]．一方，骨盤方向へ広がる囊胞腔や右結腸溝など内視鏡的ドレナージが困難な部位には外科的ステップアップ・アプローチが有用な場合もある．いずれの手法においても手技的に比較的処置が容易な部位から解剖学的に困難な部位が存在することに留意すべきである．また，長期成績に関してはいまだ報告がなく，今後の課題である．

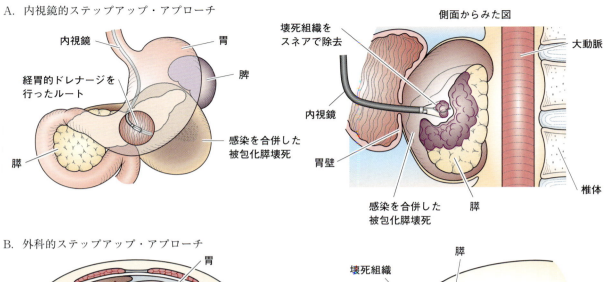

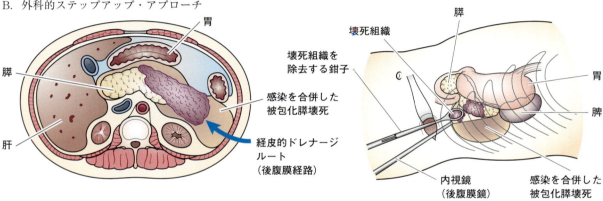

図1 内視鏡的ステップアップ・アプローチ（A）と外科的ステップアップ・アプローチ（B）

▶第Ⅵ章-CQ29の参考資料1は右のQRコードからご覧いただけます。

参考資料1 RCT 3編を用いたメタ解析
    A. 処置後の糖尿病発生率
    B. 処置後の膵消化酵素補充剤内服率

■引用文献

1) 高田忠敏編. 急性膵炎診療ガイドライン2015［第4版］. 金原出版, 東京, 2015.（CPG）
2) Working Group IAP/APA Acute Pancreatitis Guidelines. IAP/APA evidence-based guidelines for the management of acute pancreatitis. Pancreatology 2013; 13（4 Suppl 2）: e1-e15.（CPG）
3) van Baal MC, van Santvoort HC, Bollen TL, et al; Dutch Pancreatitis Study Group. Systematic review of percutaneous catheter drainage as primary treatment for necrotizing pancreatitis. Br J Surg 2011; 98（1）: 18-27.（SR）
4) Makris GC, See T, Winterbottom A, Jah A, Shaida N. Minimally invasive pancreatic necrosectomy; a technical pictorial review. Br J Radiol 2018; 91（1082）: 20170435.（EO）
5) Rosenberg A, Steensma EA, Napolitano LM. Necrotizing pancreatitis: new definitions and a new era in surgical management. Surg Infect（Larchmt）2015; 16: 1-13.（EO）
6) Ang TL, Teoh AYB. Endoscopic ultrasonography-guided drainage of pancreatic fluid collections. Dig Endosc 2017; 29: 463-471.（EO）
7) El Boukili I, Boschetti G, Belkhodja H, et al. Update: Role of surgery in acute necrotizing pancreatitis. J Visc Surg 2017; 154: 413-420.（EO）
8) da Costa DW, Boerma D, van Santvoort HC, et al. Staged multidisciplinary step-up management for necrotizing pancreatitis. Br J Surg 2014; 101: e65-e79.

A. 在院日数

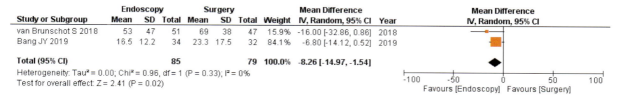

B. 重大合併症および致命率

C. 致命率

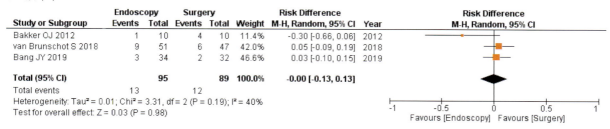

図2 RCT 3編を用いたメタ解析
（メタ解析のやさしい解説は第1章10ページまたはその QR コードからご覧ください）

(EO)
9) Trikudanathan G, Wolbrink DRJ, van Santvoort HC, et al. Current concepts in severe acute and necrotizing pancreatitis: An evidence-based approach. Gastroenterology 2019; 156: 1994-2007. e3. (EO)
10) Luigiano C, Pellicano R, Fusaroli P, et al. Pancreatic necrosectomy: an evidence-based systematic review of the levels of evidence and a comparison of endoscopic versus non-endoscopic techniques. Minerva Chir 2016; 71: 262-269. (SR)
11) van Brunschot S, Fockens P, Bakker OJ, et al. Endoscopic transluminal necrosectomy in necrotising pancreatitis: a systematic review. Surg Endosc 2014; 28: 1425-1438. (SR)
12) Trikudanathan G, Attam R, Arain MA, Mallery S, Freeman ML. Endoscopic interventions for necrotizing pancreatitis. Am J Gastroenterol 2014; 109: 969-981; quiz 82. (EO)
13) Kokosis G, Perez A, Pappas TN. Surgical management of necrotizing pancreatitis: an overview. World J Gastroenterol 2014; 20: 16106-16112. (EO)
14) Bakker OJ, van Santvoort HC, van Brunschot S, et al; Dutch Pancreatitis Study Group. Endoscopic transgastric vs surgical necrosectomy for infected necrotizing pancreatitis: a randomized trial. JAMA 2012; 307: 1053-1561. (RCT)
15) van Brunschot S, van Grinsven J, van Santvoort HC, et al; Dutch Pancreatitis Study Group. Endoscopic or surgical step-up approach for infected necrotising pancreatitis: a multicentre randomised trial. Lancet 2018; 391: 51-58. (RCT)
16) Bang JY, Arnoletti JP, Holt BA, et al. An endoscopic transluminal approach, compared with minimally invasive surgery, reduces complications and costs for patients with necrotizing pancreatitis. Gastroenterology 2019; 156: 1027-1040. e3. (RCT)
17) Woo S, Walklin R, Ackermann T, et al. Comparison of endoscopic and percutaneous drainage of symptomatic necrotic collections in acute necrotizing pancreatitis. Asian J Endosc Surg 2019; 12: 88-94. (CS)
18) Martinez M, Cole J, Dove J, Blansfield J, Shabahang M, Wild J, Widom K, Torres D, Factor M. Outcomes of endoscopic and surgical pancreatic necrosectomy: A Single institution experience. Am Surg 2019; 85: 1017-1024. (CS)
19) Woo S, Walklin R, Wewelwala C, Berry R, Devonshire D, Croagh D. Interventional management of necrotizing pancreatitis: an Australian experience. ANZ J Surg 2017; 87: E85-E89. (CS)
20) Kumar N, Conwell DL, Thompson CC. Direct endoscopic necrosectomy versus step-up approach for walled-off pancreatic necrosis: comparison of clinical outcome and health care utilization. Pancreas 2014; 43: 1334-1339. (CS)

感染性膵壊死は非感染性膵壊死に比較して致命率は30％前後と高いとされています。この感染性膵壊死に対してはステップアップ・アプローチを行うことが推奨されます。ステップアップ・アプローチとは患者さんにとって負担の大きい壊死物質切除をいきなり行わず，まず負担の少ない経皮的（チューブを体外から感染性膵壊死に穿刺してチューブを留置すること）または内視鏡的ドレナージ（胃カメラを行い，胃から感染性膵壊死にチューブを留置すること）などを行い，その後留置したチューブの"通り道"を利用して，経皮的あるいは内視鏡を用いて段階的に壊死物質の除去（ネクロセクトミーといいます）を行うことをいいます。

　どのような経皮的治療法あるいは内視鏡的治療法を患者さんに選択するべきかを今回のガイドライン改訂で検討したところ，内視鏡的治療の方が経皮的治療に比べて在院日数が短いという結果でした。この理由は，経皮的治療の方が内視鏡的治療に比べて，ネクロセクトミーを行うためにチューブの位置調整やチューブを太くする必要があったり，複数本必要であったりすることなどが挙げられます。一方，重大合併症および致命率，糖尿病発生率，消化不良の発生率は両治療で差は認めませんでした。

　以上より，内視鏡的治療が経皮的治療に比べ推奨されます。しかし，内視鏡的治療が解剖学的に不可能な場合もあり，両方の治療を組み合わせて行うこともあるのが現状です。主治医の説明を十分に聞いたうえで治療法を検討していくことが重要です。

CQ30 ドレナージが必要な膵局所合併症に対して内視鏡的ドレナージを行う場合に有用な方法は？

[推　奨]
超音波内視鏡下ドレナージによる経消化管的（主に経胃的）ドレナージが推奨される。

（弱い推奨，エビデンスの確実性：中）

▶投票結果：1回目：行うことを推奨する-3/14名：21％，行うことを提案する-11/14名：79％
　　　　　2回目：行うことを提案する-14/14名：100％

■解　説

　膵局所合併症に感染を伴うもの，また圧排性胆管狭窄，消化管狭窄などに伴う有症状例は治療適応となる。無症候性は経過観察可能だが，自然消退する兆しがない，むしろ増大傾向である症例では，感染や囊胞内出血をきたす可能性が十分にあり，ドレナージを行うことも検討すべきである。

　ドレナージの方法の一つとしてERCP手技による経乳頭的ドレナージが挙げられる。膵仮性囊胞には有用であるという報告（OS）[1〜3]があるが，急性膵炎後の膵局所合併症の場合はドレナージルートとして確保できる程の膵管との交通を有していない症例が多く（OS）[4]，ドレナージ不良となる可能性が高い。被包化壊死に対する経乳頭的ドレナージの報告は少ないが，膵管との交通を有し6 cm以下の病変であれば治療奏功率が73％であったと報告されている（OS）（SR）[5, 6]。

　1975年にRogersらにより直視内視鏡下の囊胞穿刺術が初めて報告されて以来，経消化管的（主に経胃的）にアプローチする方法が内視鏡治療の主流である（CS）[7]。その後，超音波内視鏡（endosonography；EUS）が登場し，1992年にGrimmらが初めてEUSガイド下ドレナージ法を報告した（CS）[8]。EUSガイド下穿刺は消化管と囊胞壁との間が最も短い穿刺経路を選択できる。膵局所合併症では門脈・脾静脈の閉塞に伴う門脈

圧亢進症をきたし，胃周囲の側副血行路が発達している症例もあるが，EUS で介在血管の有無を確認しながら穿刺できるため，より安全に穿刺が可能である．実際に，2 つの RCT の結果で EUS ガイド下ドレナージの方が直視内視鏡下ドレナージよりも手技成功率が高く（100％ vs. 33％，94％ vs. 72％），偶発症発生率は低いため（0％ vs. 13.3％，7％ vs. 10％），有用であるとの結果が報告されている（RCT）[9,10]。直視内視鏡下ドレナージ群では重篤な出血偶発症による死亡例も報告されている．手技，処置具の発達に伴い，EUS ガイド下ドレナージは世界的に普及し，壊死物質をほとんど含まない病変に対する手技成功率は約 95％，臨床奏効率は約 90％，偶発症率は 0～9％程度と非常に有用で安全な治療法であることが報告されている（SR）[11]（OS）[12]。

■引用文献

1) Barthet M, Sahel J, Bodiou-Bertei C, et al. Endoscopic transpapillary drainage of pancreatic pseudocysts. Gastrointest Endosc 1995; 42: 208-213.（OS）
2) Catalano MF, Geenen JE, Schmalz MJ, et al. Treatment of pancreatic pseudocysts with ductal communication by transpapillary pancreatic duct endoprosthesis. Gastrointest Endosc 1995; 42: 214-218.（OS）
3) Binmoeller KF, Seifert H, Walter A, et al. Transpapillary and transmural drainage of pancreatic pseudocysts. Gastrointest Endosc 1995; 42: 219-224.（OS）
4) Baron TH, Thaggard WG, Morgan DE, et al. Endoscopic therapy for organized pancreatic necrosis. Gastroenterology 1996; 111: 755-764.（OS）
5) Smoczyński M, Jagielski M, Jabłońska A, et al Transpapillary drainage of walled-off pancreatic necrosis - a single center experience. Wideochir Inne Tech Maloinwazyjne 2016; 10: 527-533.（OS）
6) Baron TH. Endoscopic drainage of pancreatic fluid collections and pancreatic necrosis. Gastrointest Endosc Clin N Am 2003; 13: 743-764.（SR）
7) Rogers BH, Cicurel NJ, Seed RW. Transgastric needle aspiration of pancreatic pseudocyst through an endoscope. Gastrointest Endosc 1975; 21: 133-134.（CS）
8) Grimm H, Binmoeller KF, Soehendra N. Endosonography-guided drainage of a pancreatic pseudocyst. Gastrointest Endosc 1992; 38: 170-171.（CS）
9) Varadarajulu S, Christein JD, Tamhane A, et al. Prospective randomized trial comparing EUS and EGD for transmural drainage of pancreatic pseudocysts (with videos). Gastrointest Endosc 2008; 68: 1102-1111.（RCT）
10) Park DH, Lee SS, Moon SH, et al. Endoscopic ultrasound-guided versus conventional transmural drainage for pancreatic pseudocysts: a prospective randomized trial. Endoscopy 2009; 41: 842-848.（RCT）
11) Seewald S, Ang TL, Kida M, et al; EUS 2008 Working Group. EUS 2008 Working Group document: evaluation of EUS-guided drainage of pancreatic-fluid collections (with video). Gastrointest Endosc 2009; 69 (2 suppl): S13-S21.（SR）
12) Will U, Wanzar C, Gerlach R, et al. Interventional ultrasound-guided procedures in pancreatic pseudocysts, abscesses and infected necroses - treatment algorithm in a large single-center study. Ultraschall Med 2011; 32: 176-183.（OS）

やさしい解説

　感染を伴ったものや感染がなくても増大傾向で消化管や胆管などの周囲臓器を圧排することで症状を呈する膵局所合併症はドレナージによる治療適応となります．内視鏡を用いたドレナージの方法として，ERCP手技を用いた経乳頭的ドレナージの方法がありますが，急性膵炎後の膵局所合併症は膵管からアプローチできないような症例や中に固形の壊死組織を多く含む症例では治療困難であります．そこで，近年では膵局所合併症に近い消化管（主には胃）から穿刺を行い，ドレナージチューブを留置する経消化管的な内視鏡治療が主流となっております．特に，超音波内視鏡を用いて介在する血管を避けて穿刺を行う超音波内視鏡下ドレナージの方法が手技の成功率が高く，安全性も高いため推奨されています（図1，2）．

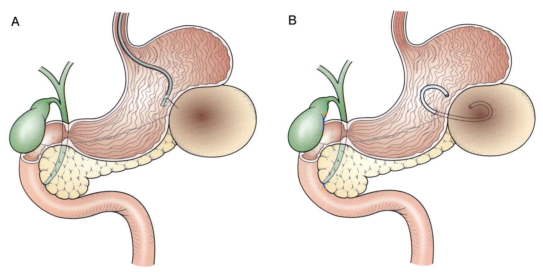

A．超音波内視鏡ガイド下穿刺の図
B．両端ピッグテイル型プラスチックステント留置によるドレナージの図
＊超音波内視鏡下ドレナージ（大口径メタルステント留置）の図はBQ22（やさしい解説），図2-A参照

図1　経消化管的超音波内視鏡下ドレナージ

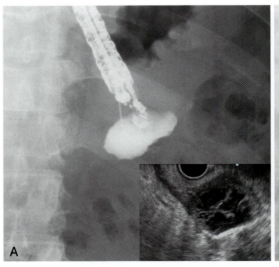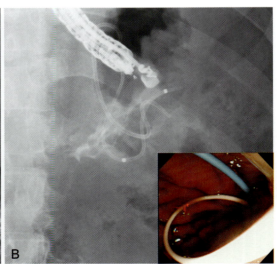

図2　経消化管的超音波内視鏡下ドレナージ

A．膵炎後の被包化壊死を超音波内視鏡下に19ゲージ針で穿刺を行った．
B．7Fr両端ピッグテイル型プラスチックステントと経鼻ドレナージチューブを留置して内外瘻ドレナージを行った．

CQ31 内視鏡的ドレナージのみで改善しない感染性被包化壊死に有用な治療は何か？

[推 奨]
内視鏡的ネクロセクトミーを追加することを提案する。

（弱い推奨，エビデンスの確実性：非常に低）
▶投票結果：行うことを提案する-15/15名：100％

しかし，出血の偶発症が多いので適応を慎重に判断し，IVRと外科のバックアップ体制が十分に整っている専門施設で胆膵内視鏡治療に習熟した医師が行う。

■解 説

多くの壊死物質を含む被包化壊死（walled-off necrosis；WON）に対しては，ドレナージのみでは感染制御が不十分で壊死物質除去（ネクロセクトミー）が必要になる。感染を伴った被包化壊死に対するEUSガイド下ドレナージ単独の臨床奏効率は40～50％程度と報告されている（OS）[1]。従来，外科的な開腹下でのネクロセクトミーが行われていたが，感染に伴い，全身状態不良下での侵襲性の高い開腹手術はリスクが高く，報告でも偶発症率55％，致命率14％とされ，より低侵襲で有効な治療法が求められていた（OS）[2]。

そこで，ドレナージによって造設された消化管と被包化壊死内腔の瘻孔から内視鏡を挿入して感染した壊死組織を除去する内視鏡的ネクロセクトミーの方法が，2000年にSeifertらによって初めて報告された（CS）[3]（内視鏡的ネクロセクトミーについてはCQ29参照）。

多施設多症例の検討では，ドレナージに内視鏡的ネクロセクトミーを追加することで臨床奏功率は75％～91％まで改善され，有用な治療法であると報告されている。偶発症発生率は26％～33％，致命率は5.8％～11％と報告されている（OS）[4,5]。本邦の多施設後ろ向き検討（JENIPaN study）において，16施設57例の感染性WONに対する治療成績は，臨床奏功率75％（治療期間中央値21日），偶発症発生率33％，致命率11％と報告されている（OS）[6]。

このように固形の壊死組織を多く含むWONは内視鏡的ネクロセクトミーのよい適応と考えるが，EUS下ドレナージ単独の偶発症率0～9％（SR）[7]と比較し，偶発症率は高いことに注意が必要である。一期的にドレナージとネクロセクトミーを行うと入院期間が短く効率がよいとの報告（OS）[8]もあるが，侵襲度や偶発症のリスクを考慮すると，まずはドレナージのみを行い，その後の臨床経過から慎重に内視鏡的ネクロセクトミーの適応を判断するstep-up approach（ステップアップ・アプローチ）が推奨される（OS）[1]。

また，主病巣のネクロセクトミーを行っても感染の制御に難渋する場合は副病巣がドレナージ不良となっている可能性が高く，副病巣への追加ドレナージを検討する（CS）[9]（OS）[10]。この場合，経消化管的内視鏡治療単独では限界の症例もあり，経皮的アプローチや外科手術も考慮した広い視野での治療戦略が必要である（FRQ3参照）。偶発症発生を評価しながら（OS）[11]，IVRと外科のバックアップ体制が十分に整っている施設で胆膵内視鏡治療に習熟した医師が行う。

■引用文献

1) Gardner TB, Chahal P, Papachristou GI, et al. A comparison of direct endoscopic necrosectomy with transmural endoscopic drainage for the treatment of walled-off pancreatic necrosis. Gastrointest Endosc 2009; 69: 1085-1094.（OS）
2) Harrison S, Kakade M, Varadarajula S, et al. Characteristics and outcomes of patients undergoing debridement of pancreatic necrosis. J Gastrointest Surg 2010; 14: 245-251（OS）
3) Seifert H, Wehrmann T, Schmitt T, et al. Retroperitoneal endoscopic debridement for infected peripancreatic necrosis. Lancet 2000; 356: 653-655（CS）
4) Seifert H, Biermer M, Schmitt W, et al. Transluminal endoscopic necrosectomy after acute pancreatitis: a multicentre study with long-term follow-up (the GEPARD Study). Gut 2009; 58: 1260-1266（OS）

5) Gardner TB, Coelho-Prabhu N, Gordon SR, et al. Direct endoscopic necrosectomy for the treatment of walled-off pancreatic necrosis: results from a multicenter U. S. series. Gastrointest Endsc 2011; 73: 718-726（OS）
6) Yasuda I, Nakashima M, Iwai T, et al. Japanese multicenter experience of endoscopic necrosectomy for infected walled-off pancreatic necrosis: The JENIPaN study. Endoscopy 2013; 45: 627-634（OS）
7) Seewald S, Ang TL, Kida M, et al, Soehendra N; EUS 2008 Working Group. EUS 2008 Working Group document: evaluation of EUS-guided drainage of pancreatic-fluid collections（with video）. Gastrointest Endosc 2009; 69（suppl）: S13-S21.（SR）
8) Yan L, Dargan A, Nieto J, et al. Direct endoscopic necrosectomy at the time of transmural stent placement results in earlier resolution of complex walled-off pancreatic necrosis: Results from a large multicenter United States trial. Endosc Ultrasound 2019; 8: 172-179（OS）
9) Mukai S, Itoi T, Sofuni A, et al. Novel single transluminal gateway transcystic multiple drainages after EUS-guided drainage for complicated multilocular walled-off necrosis（with videos）. Gastrointest Endosc 2014; 79: 531-535（CS）
10) Varadarajulu S, Phadnis MA, Christein JD, et al. Multiple transluminal gateway technique for EUS-guided drainage of symptomatic walled-off pancreatic necrosis. Gastrointest Endosc. Gastrointest Endosc 2011; 74: 74-80（OS）
11) Mukai S, Itoi T, Sofuni A, et al. Expanding endoscopic interventions for pancreatic pseudocyst and walled-off necrosis. J Gastroenterol. 2015; 50: 211-220（OS）

> **やさしい解説**
>
> 壊死性膵炎後の被包化膵壊死は内部に，血流不全により死滅した膵臓の組織や膵周囲の脂肪組織である壊死組織を多く含むことがあります．内視鏡によるドレナージによってステントを留置するだけでは，細菌が付着した壊死組織は排出されずに病変内に残ってしまい感染がよくなりません．そのような場合は，追加で壊死組織を病変内から除去するネクロセクトミーという治療が必要になります．超音波内視鏡下ドレナージにより形成した瘻孔から，被包化膵壊死の病巣内に内視鏡を挿入し，ネクロセクトミーを行う方法が開発され，内視鏡治療成績は向上しています（図1）．しかし，この手技に伴い出血などの重篤な偶発症も起こりやすいため，本当にネクロセクトミーまで必要なのかどうかの適応を十分に検討する必要があります．また偶発症が起きても外科的な治療も含めた迅速な対応が可能な専門施設でのみ行われるべき治療法です．

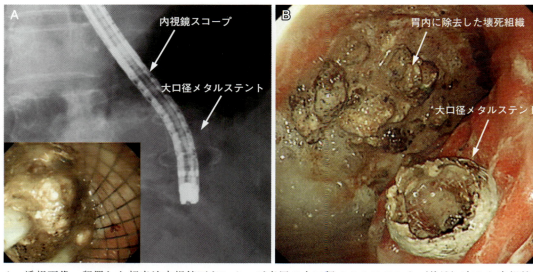

A. 透視画像．留置した超音波内視鏡下ドレナージ専用の大口径メタルステント（後述）内から内視鏡を被包化壊死の内腔に挿入した（左下は内視鏡画像）．
B. 内視鏡画像．被包化壊死内に貯留している壊死組織を内視鏡用の処置具で把持して胃内に除去した．

図1 被包化壊死に対する内視鏡的ネクロセクトミー

CQ32 膵局所合併症に対する超音波内視鏡下ドレナージにおいて用いるステントは？

[推　奨]
追加処置が必要な困難例には専用大口径メタルステント（lumen-apposing metal stent）が有用で，それ以外は両端ピッグテイル型プラスチックステントか専用大口径メタルステントが提案される。

（弱い推奨，エビデンスの確実性：低）
▶投票結果：行うことを提案する-13/13 名：100％

ただし，専用大口径メタルステントは講習会を受講した専門医のみが使用可能である。

■解　説

従来，EUS下ドレナージで留置するステントは両端ピッグテイル型プラスチックステントを1本ないしは複数本留置する内瘻ドレナージ，または両端ピッグテイル型プラスチックステントとともに経鼻ドレナージチューブを留置する内外瘻ドレナージが一般的であった（CS）[1]。

近年，ドレナージ効果が高く，両端がアンカーとなっており迷入逸脱予防がなされたEUS下ドレナージ専用のフルカバー型大口径メタルステント（lumen-apposing metal stent；LAMS）が開発された（CS）[2~4]（OS）[5,6]。いったん留置すればステント内腔から直視内視鏡の出し入れが可能で，ネクロセクトミーを含む追加処置を容易に行うことができる。

さらに，穿刺・通電による拡張・ステント留置を同時に行うことができる一体型ステントデバイス（HOT-LAMS）も開発され，このデバイスを用いれば透視を使用せずにベッドサイドでもステント留置が可能である（CS）[7]。本邦では，2017年10月に膵局所合併症を含む膵周囲液体貯留病変に対するHOT-LAMSを用いた超音波内視鏡下ドレナージが保険承認された。安全面を考慮し，定期的に行われているドライモデルと膵周囲液体貯留ウェットモデルを用いた講習会を受講した専門医のみが実臨床で施行可能である。

膵周囲液体貯留病変に対するLAMSと両端ピッグテイル型プラスチックステントを用いた経消化管治療の臨床治療成績を比較したコホート研究10編（OS）[8~17]によるメタ解析を行った（図1）。手技成功率は同等（OR＝1.18，95％CI：0.59～2.36）だが，背景としてLAMS群の方が長径の大きいWONの症例が多く含まれていたにもかかわらず，臨床奏功率はLAMS群の方が良好であった（OR＝2.10，95％CI：1.38～3.18）。効率よく治療が遂行できるため，治療経過における全体の偶発症もLAMS群の方が少ないが（OR＝0.59，95％CI：0.43～0.81），嚢胞壁からの出血や仮性動脈瘤破裂などの出血偶発症が多く注意を要する（OR＝1.72，95％CI：1.02～2.89）。唯一のRCTでは，30例ずつと症例数は少ないもの，臨床奏功率は同等だがLAMS群の方が出血の偶発症が多かったという結果が報告されている（RCT）[18]。大口径で良好なドレナージが得られるため急激な嚢胞腔の縮小をきたし，嚢胞側のステント端が対側の嚢胞壁に当たることによる機械的刺激が原因ではないかと推測されている。この点に関しては，RCTを含むさらなる多症例の検討が必要であるが，出血の偶発症を減らすために治療終了後早期（2～4週間程度）にLAMSを抜去することが望ましいと考えられている（OS）[19]。LAMSを抜去する際には，スネアで胃側のステント端を把持して内視鏡の鉗子口から抜去することが可能である。

LAMSは高額のデバイスであるため医療コストが高いという問題もある。しかし，治療経過に必要であった全処置の手技料とデバイス料によるコスト分析で，全症例の検討でも治療コストに有意差は認められず，ネクロセクトミーなどの追加処置が必要な難治例に対しては効率よく治療を進めることができるため，むしろ医療コストを抑えることができる可能性があるという結果も報告されている（OS）[8]。

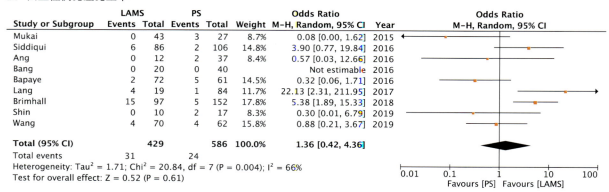

図1 膵局所合併症に対する超音波内視鏡下ドレナージにおいて用いるステントの比較のメタ解析の結果
（メタ解析のやさしい解説は第1章の10ページまたはそのQRコードからご覧ください）

■引用文献

1) Itoi T, Itokawa F, Tsuchiya T, et al. EUS-guided pancreatic pseudocyst drainage: simultaneous placement of stents and nasocystic catheter using double-guide-wire technique. Dig Endosc 2009; 21 (Suppl 1) : S53-S56 (CS)
2) Itoi T, Binmoeller KF, Shah J, et al. Clinical evaluation of a novel lumen-apposing metal stent for endosonography-guided pancreatic pseudocyst and gallbladder drainage (with videos). Gastrointest Endosc 2012; 75: 870-876 (CS)
3) Siddiqui AA, Adler DG, Nieto J, et al. EUS-guided drainage of peripancreatic fluid collections and necrosis by using a novel lumen-apposing stent: a large retrospective, multicenter U. S. experience (with videos). Gastrointest Endosc 2016; 83: 699-707. (CS)
4) Sharaiha RZ, Tyberg A, Khashab MA, et al. Endoscopic therapy with lumen-apposing metal stents is safe and effective for patients with pancreatic walled-off necrosis. Clin Gastroenterol Hepatol 2016; 14: 1797-1803. (CS)
5) Gornals JB, De la Serna-Higuera C, Sánchez-Yague A et al. Endosonography-guided drainage of pancreatic fluid collections with a novel lumen-apposing stent. Surg Endosc 2013; 27: 1428-1434. (OS)
6) Walter D, Will U, Sanchez-Yague A, et al. A novel lumen-apposing metal stent for endoscopic ultrasound-guided drainage of pancreatic fluid collections: a prospective cohort study. Endoscopy 2015; 47: 63-67. (OS)
7) Rinninella E, Kunda R, Dollhopf M, et al. EUS-guided drainage of pancreatic fluid collections using a novel lumen-apposing metal stent on an electrocautery-enhanced delivery system: a large retrospective study (with video). Gastrointest Endosc 2015; 82: 1039-1046. (CS)
8) Mukai S, Itoi T, Baron TH, et al. Endoscopic ultrasound-guided placement of plastic vs. biflanged metal stents for therapy of walled-off necrosis: a retrospective single-center series. Endoscopy 2015; 47: 47-55. (OS)
9) Ang TL, Kongkam P, Kwek AB, et al. A two-center comparative study of plastic and lumen-apposing large diameter self-expandable metallic stents in endoscopic ultrasound-guided drainage of pancreatic fluid collections. Endosc Ultrasound 2016; 5: 320-327. (OS)
10) Bapaye A, Dubale NA, Sheth KA, et al. Endoscopic ultrasonography-guided transmural drainage of walled-off pancreatic necrosis: comparison between a specially designed fully covered bi-flanged metal stent and multiple plastic stents. Dig Endosc 2017; 29: 104-110. (OS)
11) Bang JY, Hasan MK, Navaneethan U, et al. Lumen-apposing metal stents for drainage of pancreatic fluid collections: When and for whom? Dig Endosc 2017; 29: 83-90. (OS)
12) Siddiqui AA, Kowalski TE, Loren DE, et al. Fully covered self-expanding metal stents versus lumen-apposing fully covered self-expanding metal stent versus plastic stents for endoscopic drainage of pancreatic walled-off necrosis: clinical outcomes and success. Gastrointest Endosc 2017; 85: 758-765. (OS)
13) Ge N, Hu J, Sun S, et al. Endoscopic ultrasound-guided pancreatic pseudocyst drainage with lumen-apposing metal stents or plastic double-pigtail stents: A multifactorial analysis. J Transl Int Med 2017; 5: 213-219. (OS)
14) Lang GD, Fritz C, Bhat T, et al. EUS-guided drainage of peripancreatic fluid collections with lumen-apposing metal stents and plastic double-pigtail stents: comparison of efficacy and adverse event rates. Gastrointest Endosc 2018; 87: 150-157. (OS)
15) Brimhall B, Han S, Tatman PD, et al. Increased incidence of pseudoaneurysm bleeding with lumen-apposing metal stents compared to double-pigtail plastic stents in patients with peripancreatic fluid collections. Clin Gastroenterol Hepatol 2018; 16: 1521-1528. (OS)
16) Shin HC, Cho CM, Jung MK, Yeo SJ. Comparison of clinical outcomes between plastic stent and novel lumen-apposing metal stent for endoscopic ultrasound-guided drainage of peripancreatic fluid collections. Clin Endosc 2019; 52: 353-359. (OS)
17) Wang Z, Zhao S, Meng Q, et al. Comparison of three different stents for endoscopic ultrasound-guided drainage of pancreatic fluid collection: A large retrospective study. J Gastroenterol Hepatol 2019; 34: 791-798. (OS)
18) Bang JY, Hasan M, Navaneethan U, Hawes R, Varadarajulu S. Lumen-apposing metal stents (LAMS) for pancreatic fluid collection (PFC) drainage: may not be business as usual. Gut 2017; 66: 2054-2056. (RCT)
19) Dhir V, Adler DG, Dalal A, et al. Early removal of biflanged metal stents in the management of pancreatic walled-off necrosis: a prospective study. Endoscopy 2018; 50: 597-605. (OS)

膵局所合併症に対して超音波内視鏡下ドレナージを行う際に留置するドレナージステントは，ステント両端が丸まったプラスチック製のステント（両端ピッグテイル型プラスチックステント）（図1）が一般的です．しかし，チューブの内腔は小さいため液体成分のみしか排出することができないためドレナージ効果は弱いことが欠点でした．

そこで近年，内径が大きく，液体成分のみならず壊死組織などの固形物質も排出することができる超音波内視鏡下ドレナージ専用のメタルステント（lumen-apposing metal stent；LAMS）（図2）が開発され，実臨床で使用されています．必要に応じてLAMSの内腔から病巣内に内視鏡を挿入して，先に述べた内視鏡を用いたネクロセクトミーも容易に行うことができる利点もあり，膵局所合併症の内視鏡治療に有用なステントです（図3）．

このLAMSを用いて良好な治療成績が報告されていますが，ステントの先端が突き当たることでの出血の危険性が高くなる，留置して時間が経つとステントが消化管の中に埋もれてしまって抜去できなくなる，といったこのステント特有のトラブルも経験しています．LAMSは高額のデバイスであるため医療コストが高いという問題もあります．したがって，両ステントの利点欠点を理解して，症例に応じてLAMSもしくは両端ピッグテイル型プラスチックステントを使い分けています．

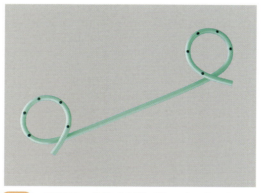

図1　両端ピッグテイル型プラスチックステント

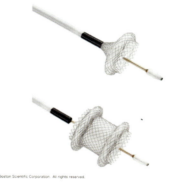

図2　専用大口径メタルステント（lumen-apposing metal stent；LAMS）

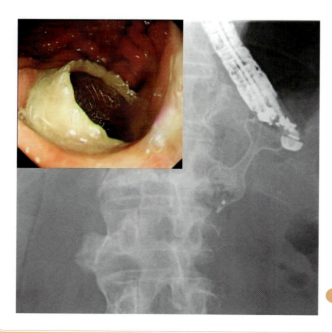

図3　専用の大口径メタルステント（LAMS）を用いた超音波内視鏡下ドレナージ

FRQ3 被包化壊死に対する内視鏡的ステップアップ・アプローチに経皮的治療の追加は有用か？

膵周囲から骨盤腔まで及ぶようなサイズの大きい被包化壊死に対して経消化管的内視鏡治療と経皮的治療の併用療法が有用な可能性がある。

（エビデンスの確実性：非常に低）

■解　説

内視鏡的ネクロセクトミーの開発に伴い被包化壊死（walled-off necrosis；WON）の内視鏡的治療による臨床奏功率は80%を超えるまでに改善されてきた。しかし，言い換えればいまだ約20%の症例は内視鏡治療単独で治療困難ということになる。多房性で複雑な形態を呈する症例や膵周囲から左右の腎周囲，さらに骨盤腔にまで病巣が及ぶような症例に対しては，効率よく内視鏡的ネクロセクトミーを行うことが難しく，治療に難渋する（OS）[1]。そのような治療困難例に対する内視鏡的追加ドレナージの工夫も報告されているが，骨盤腔まで及ぶような病巣に対してはその効果も乏しいと考えられる（OS, CS）[2,3]。

経消化管的内視鏡治療に固執することなく，早期に経皮的な治療を追加する併用療法により，効率よく治療を遂行することでネクロセクトミーを含む処置回数を減少させ，偶発症の発生リスクを下げることで臨床成績のさらなる向上が期待される（SR, CS, OS）[4~6]。117例の広範囲に病巣が広がるWONに対して，この併用療法を早期に用いることで，臨床奏功率88%と良好な治療成績が得られ，経皮的ドレナージチューブは治療後に全例で抜去して，難治性皮膚瘻を形成することもなかったと報告されている（OS）[7]。

さらに，低侵襲な外科手術法である腹腔鏡補助下壊死巣除去（video-assisted retroperitoneal debridement；VARD）を応用して，消化管から離れた腹壁に近い壊死組織巣に対する経皮的な内視鏡的ネクロセクトミー（percutaneous endoscopic necrosectomy；PEN）の方法も開発されている（SR, CR, OS, CS）[4,8~11]（図1，参考資料1：経皮的内視鏡治療）。治療に難渋する53例のWONに対して，経皮的な内視鏡的ネクロセクトミーを用いることで79.2%の症例を治療することが可能であったと報告されている（OS）[12]。しかし，少数の症例集積のみの報告であり，安全性，有効性ともにさらなる検討が必要ではある。さらにどのようなWONに対して有用で，どのタイミングで併用すべきか，他の治療法との比較試験による検討が必要である。

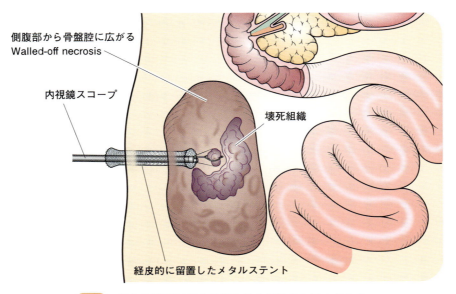

図1　被包化壊死に対する経皮的内視鏡ネクロセクトミー

▶第Ⅵ章-FRQ3 の参考資料 1 は右の QR コードからご覧いただけます。

参考資料1 被包化壊死に対する経皮的内視鏡治療

■引用文献

1) Mukai S, Itoi T, Sofuni A, et al. Expanding endoscopic interventions for pancreatic pseudocyst and walled-off necrosis. J Gastroenterol 2015; 50: 211-220.（OS）
2) Varadarajulu S, Phadnis MA, Christein JD, et al. Multiple transluminal gateway technique for EUS-guided drainage of symptomatic walled-off pancreatic necrosis. Gastrointest Endosc 2011; 74: 74-80.（OS）
3) Mukai S, Itoi T, Sofuni A, et al. Novel single transluminal gateway transcystic multiple drainages after EUS-guided drainage for complicated multilocular walled-off necrosis（with videos）. Gastrointest Endosc 2014; 79: 531-535.（CS）
4) Mukai S, Itoi T, Moriyasu F. Interventional endoscopy for the treatment of pancreatic pseudocyst and walled-off necrosis（with videos）. J Hepatobiliary Pancreat Sci 2014; 21: E75-E85.（SR）
5) Ross A, Gluck M, Irani S, et al. Combined endoscopic and percutaneous drainage of organized pancreatic necrosis. Gastrointest Endosc 2010; 71: 79-84.（CS）
6) Gluck M, Ross A, Irani S, et al. Dual modality drainage for symptomatic walled-off pancreatic necrosis reduces length of hospitalization, radiological procedures, and number of endoscopies compared to standard percutaneous drainage. J Gastrointest Surg 2012; 16: 248-256（OS）
7) Ross AS, Irani S, Gan SI, et al. Dual-modality drainage of infected and symptomatic walled-off pancreatic necrosis: long-term clinical outcomes. Gastrointest Endosc 2014; 79: 929-935（OS）
8) Navarrete C, Castillo C, Caracci M, et al. Wide percutaneous access to pancreatic necrosis with self-expandable stent: new application（with video）. Gastrointest Endosc 2011; 73: 609-610.（CR）
9) Dhingra R, Srivastava S, Behra S, et al. Single or multiport percutaneous endoscopic necrosectomy performed with the patient under conscious sedation is a safe and effective treatment for infected pancreatic necrosis（with video）. Gastrointest Endosc 2015; 81: 351-359.（OS）
10) Thorsen A, Borch AM, Novovic S, et al. Endoscopic necrosectomy through percutaneous self-expanding metal stents may be a promising additive in treatment of necrotizing pancreatitis. Dig Dis Sci 2018; 63: 2456-2465.（CS）
11) Tringali A, Vadalà di Prampero SF, et al. Endoscopic necrosectomy of walled-off pancreatic necrosis by large-bore percutaneus metal stent: a new opportunity? Endosc Int Open 2018; 6: E274-E278.（CR）
12) Jain S, Padhan R, Bopanna S, et al. Percutaneous endoscopic step-up therapy is an effective minimally invasive approach for infected necrotizing pancreatitis. Dig Dis Sci 2020; 65: 615-622.（OS）

CQ33 感染性膵壊死に対して，後腹膜ネクロセクトミーは開腹ネクロセクトミーより有用か？

［推　奨］
感染性膵壊死に対して，外科的ネクロセクトミーを行う場合には，後腹膜ネクロセクトミーを選択する。

（弱い推奨，エビデンスの確実性：非常に低）
▶投票結果：行うことを提案する-15/15 名：100％

■解　説

　内視鏡的ドレナージ/ネクロセクトミーや経皮的ドレナージを行ったにもかかわらず，臓器不全の改善が得られなかったり，敗血症が持続したりする場合は，step-up approach（ステップアップ・アプローチ）に従って外科的なネクロセクトミーが必要となる（CPG）[1〜4]（ステップアップ・アプローチについては，CQ28, 29 を参照）。

　外科的なネクロセクトミーは，経腹膜的な開腹ネクロセクトミーと経後腹膜的な後腹膜ネクロセクトミーに大別される。本委員会で検索したところ，開腹ネクロセクトミーと後腹膜ネクロセクトミーを比較したコホー

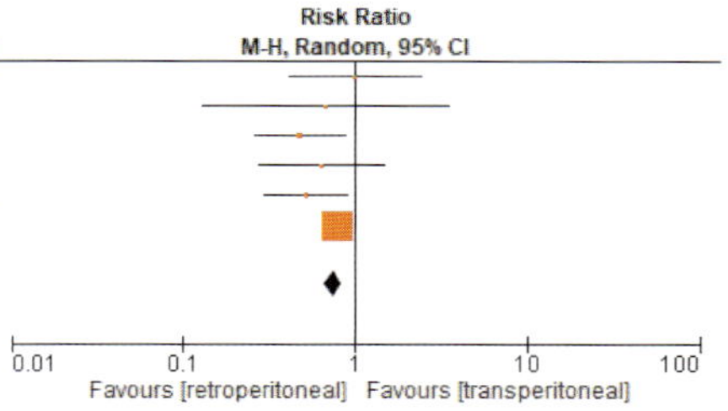

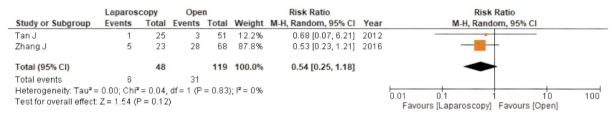

図1 後腹膜ネクロセクトミーと開腹ネクロセクトミーの致命率（A），合併症発生率（B）の比較（本委員会による検討）
（メタ解析のやさしい解説は第1章の10ページまたはそのQRコードからご覧ください）

図2 腹腔鏡下ネクロセクトミーと開腹ネクロセクトミーの致命率の比較（本委員会による検討）
（メタ解析のやさしい解説は第1章の10ページまたはそのQRコードからご覧ください）

ト研究を12編（OS）[5〜16]認めた。致命率に関してメタ解析を行ったところ，後腹膜ネクロセクトミーの致命率は，開腹ネクロセクトミーと比較して有意に低値であった（致命率：OR＝0.49，95％CI：0.37〜0.65，P＜0.00001）（図1-A）。また，主要な合併症について検討した6編（OS）[6,8,9,11,13,15]のメタ解析では，後腹膜ネクロセクトミーの合併症発生率は，開腹ネクロセクトミーと比較して有意に低値であった（OR＝0.75，95％CI：0.67〜0.84，P＜0.00001）（図1-B）。ただし，これらのコホート研究では，現在，広く採用されているステップアップ・アプローチ（RCT）[17]が行われていない。また，後腹膜ネクロセクトミーの手技についても，video-assisted retroperitoneal debridement（VARD）が採用された研究と，そうでないものがあり，各研究の背景因子は不揃いである。今後，ステップアップ・アプローチ後の手術として，後腹膜ネクロセクトミーと開腹ネクロセクトミーのどちらが有用かという研究がなされることが望まれる。

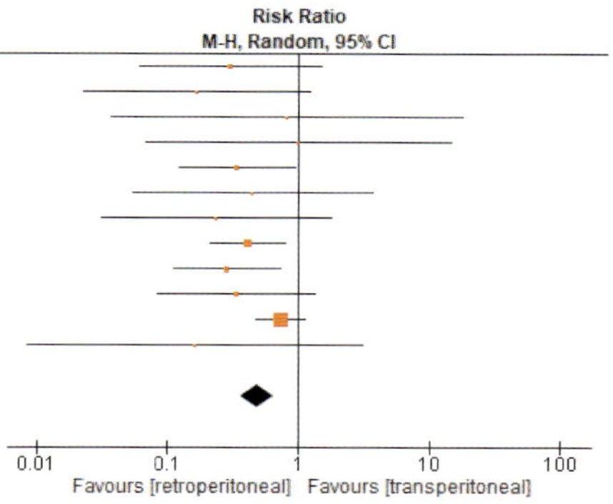

前述のアプローチ法の他に，腹腔鏡アプローチによるネクロセクトミーが報告されている（CS）[18,21〜24]，（OS）[19,20]。

現時点のメタ解析では，腹腔鏡アプローチは開腹ネクロセクトミーと比較して致命率を低下させなかった（OR＝0.54，95％CI：0.25〜1.18，P＝0.12）（図2）。腹腔鏡アプローチによるネクロセクトミーと後腹膜ネク

ロセクトミーを比較した研究はなく，今後，質の高い研究が望まれる。

■引用文献

1) Arvanitakis M, Dumonceau JM, Albert J, et al. Endoscopic management of acute necrotizing pancreatitis: European Society of Gastrointestinal Endoscopy (ESGE) evidence-based multidisciplinary guidelines. Endoscopy 2018; 50: 524-546. (CPG)
2) Working Group IAP/APA Acute Pancreatitis Guidelines. IAP/APA evidence-based guidelines for the management of acute pancreatitis. Pancreatology 2013; 13 (4 Suppl 2) : e1-e15. (CPG)
3) Mowery NT, Bruns BR, MacNew HG, et al. Surgical management of pancreatic necrosis: A practice management guideline from The Eastern Association for the Surgery of Trauma. J Trauma Acute Care Surg 2017; 83: 316-327. (CPG)
4) Leppäniemi A, Tolonen M, Tarasconi A, et al. 2019 WSES guidelines for the management of severe acute pancreatitis. World J Emerg Surg 2019; 14: 27. (CPG)
5) Gambiez LP, Denimal FA, Porte HL, et al. Retroperitoneal approach and endoscopic management of peripancreatic necrosis collections. Arch Surg 1998; 133: 66-72. (OS)
6) van Santvoort HC, Besselink MG, Bollen TL, et al; Dutch Acute Pancreatitis Study Group. Case-matched comparison of the retroperitoneal approach with laparotomy for necrotizing pancreatitis. World J Surg 2007; 31: 1635-1642. (OS)
7) Horvath K, Freeny P, Escallon J, et al. Safety and efficacy of video-assisted retroperitoneal debridement for infected pancreatic collections: a multicenter, prospective, single-arm phase 2 study. Arch Surg 2010; 145: 817-825. (OS)
8) Senthil Kumar P, Ravichandran P, Jeswanth S. Case matched comparison study of the necrosectomy by retroperitoneal approach with transperitoneal approach for necrotizing pancreatitis in patients with CT severity score of 7 and above. Int J Surg 2012; 10: 587-592. (OS)
9) Bausch D, Wellner U, Kahl S, et al. Minimally invasive operations for acute necrotizing pancreatitis: comparison of minimally invasive retroperitoneal necrosectomy with endoscopic transgastric necrosectomy. Surgery 2012; 152 (3 Suppl 1) : S128-S134. (OS)
10) Pupelis G, Fokin V, Zeiza K, et al. Focused open necrosectomy in necrotizing pancreatitis. HPB (Oxford) 2013; 15: 535-540. (OS)
11) Tu Y, Jiao H, Tan X, et al. Laparotomy versus retroperitoneal laparoscopy in debridement and drainage of retroperitoneal infected necrosis in severe acute pancreatitis. Surg Endosc 2013; 27: 4217-4223. (OS)
12) Guo Q, Lu H, Hu W, et al. A retroperitoneal approach for infected pancreatic necrosis. Scand J Gastroenterol 2013; 48: 225-230. (OS)
13) Szeliga J, Jackowski M. Minimally invasive procedures in severe acute pancreatitis treatment - assessment of benefits and possibilities of use. Wideochir Inne Tech Maloinwazyjne 2014; 9: 170-178. (OS)
14) Kiss L, Sarbu G, Bereanu A, Kiss R. Surgical strategies in severe acute pancreatitis (SAP) : indications, complications and surgical approaches. Chirurgia (Bucur) 2014; 109: 774-782. (OS)
15) Gomatos IP, Halloran CM, Ghaneh P, et al. Outcomes from minimal access retroperitoneal and open pancreatic necrosectomy in 394 patients with necrotizing pancreatitis. Ann Surg 2016; 263: 992-1001. (OS)
16) Liu P, Song J, Ke HJ, et al. Double-catheter lavage combined with percutaneous flexible endoscopic debridement for infected pancreatic necrosis failed to percutaneous catheter drainage. BMC Gastroenterol 2017; 17: 155. (OS)
17) van Santvoort HC, Besselink MG, Bakker OJ, et al; Dutch Pancreatitis Study Group. A step-up approach or open necrosectomy for necrotizing pancreatitis. N Engl J Med 2010; 362: 1491-1502. (RCT)
18) Parekh D. Laparoscopic-assisted pancreatic necrosectomy: A new surgical option for treatment of severe necrotizing pancreatitis. Arch Surg 2006; 141: 895-902; discussion 902-903. (CS)
19) Tan J, Tan H, Hu B, et al. Short-term outcomes from a multicenter retrospective study in China comparing laparoscopic and open surgery for the treatment of infected pancreatic necrosis. J Laparoendosc Adv Surg Tech A 2012; 22: 27-33. (OS)
20) Zhang J, Jiang MX, Zheng Y, et al. Comparison of laparoscopy and open surgery in treating severe acute pancreatitis and its relative aftercare. J Biol Regul Homeost Agents 2016; 30: 189-195. (OS)
21) Fischer A, Schrag HJ, Keck T, Hopt UT, Utzolino S. Debridement and drainage of walled-off pancreatic necrosis by a novel laparoendoscopic rendezvous maneuver: experience with 6 cases. Gastrointest Endosc 2008; 67: 871-878. (CS)
22) Gibson SC, Robertson BF, Dickson EJ, McKay CJ, Carter CR. 'Step-port' laparoscopic cystgastrostomy for the management of organized solid predominant post-acute fluid collections after severe acute pancreatitis. HPB (Oxford) 2014; 16: 170-176. (CS)
23) Dua MM, Worhunsky DJ, Malhotra L, et al. Transgastric pancreatic necrosectomy-expedited return to prepancreatitis health. J Surg Res 2017; 219: 11-17. (CS)
24) Bansal VK, Krishna A, Prajapati OP, et al. Outcomes following laparoscopic internal drainage of walled off necrosis of pancreas: experience of 134 cases from a tertiary care centre. Surg Endosc 2020; 34: 5117-5121. (CS)

やさしい解説

腹腔は腹膜に覆われた空間で，胃や大腸のなどの臓器が存在します。膵臓は後腹膜という背中側に位置します。壊死性膵炎で感染をコントロールするために壊死物質を除去する処置をネクロセクトミーといいます。外科手術によりネクロセクトミーを行う場合，患者さんの腹部を開いて腹膜を経由して行うより，側方背側より腹膜を経由せず後腹膜から行うことが薦められます。後腹膜からのアプローチは，感染した壊死物質が腹腔に広がり腹膜炎を発症する危険性や，腹腔内臓器の損傷の危険性が低いからです。

BQ21 Disconnected pancreatic duct syndrome（DPDS；主膵管破綻症候群）の病態は？

膵管が損傷し壊死することによって主膵管断裂をきたし，頭側と尾側の膵管が連続性を失い，その膵管の断裂部から腹腔・胸腔内あるいは後腹膜腔へ膵液が漏出する病態である。

■解説

膵周囲液体貯留の約46％，また重症急性膵炎による膵壊死を生じることにより約10〜30％で主膵管が破綻し，disconnected pancreatic duct syndrome（DPDS；主膵管破綻症候群）を合併する（CS）[1]，（EO）[2]，（OS）[3]。DPDSは膵管が損傷し壊死することによって主膵管断裂をきたし，頭側と尾側の膵管が連続性を失い，その膵管の断裂部から腹腔・胸腔内あるいは後腹膜腔へ膵液が漏出する病態（やさしい解説：図1）と定義されている（CS）[1]。DPDSは慢性膵炎や腹部外傷後によっても起こりうるが，多くは重症急性膵炎やwalled-off necrosis（WON）後に生じるとされる（OS）[4]。膵の血流において解剖学的に虚血に陥りやすい膵頸部に好発する（EO）[5]。またDPDSの27.7％〔観察期間中央値24ヵ月（2〜72ヵ月）〕に糖尿病を発症するとの報告もある（OS）[6]。

画像診断法としては造影CT（やさしい解説：図2），MRCP，セクレチン負荷MRCP，EUS，ERCPがあり，Sandrasegaranら（EO）[7]は，①少なくとも2cm以上の膵壊死の領域がある，②壊死部位より尾側にviableな膵実質の存在，③膵管造影において主膵管からの造影剤の漏出，を診断基準としている。またDPDSの診断法についてのシステマティックレビューでは，症例数が少なく，技術的な面がいまだ確立されていないとしながらも，壊死性膵炎をきたしている場合はCTやEUSでは膵管の描出が困難であるため，MRCP，セクレチン負荷MRCP，ERCPが優れており，さらに穿刺した貯留液中のアミラーゼ値が診断に有用（感度100％，特異度50％）としている（SR）[8]。

このようなDPDSの病態は画像診断で見逃されたり，診断が遅れることによって不適切な治療が行われ予後を悪化させてしまう可能性があるため，重症急性膵炎の治療において膵壊死を伴う場合は常にこの病態を念頭に置いておくことが重要である（EO）[5]。

■引用文献

1) Kozarek RA, Ball TJ, Patterson DJ, et al. Endoscopic transpapillary therapy for disrupted pancreatic duct and peripancreatic fluid collections. Gastroenterology 1991; 100 (5 Pt 1) : 1362-1370.（CS）
2) Ramia JM, Fabregat J, Pérez-Miranda M, et al. Síndrome del ducto pancreático desconectado [Disconnected pancreatic duct syndrome]. Cir Esp 2014; 92: 4-10. Spanish.（EO）
3) Bang JY, Wilcox CM, Navaneethan U, et al. Impact of disconnected pancreatic duct syndrome on the endoscopic management of pancreatic Fluid Collections. Ann Surg 2018; 267: 561-568.（OS）
4) Tann M, Maglinte D, Howard TJ, et al. Disconnected pancreatic duct syndrome: imaging findings and therapeutic implications in 26 surgically corrected patients. J Comput Assist Tomogr 2003; 27: 577-582.（OS）

5) Larsen M, Kozarek RA. Management of disconnected pancreatic duct syndrome. Curr Treat Options Gastroenterol 2016; 14: 348-359. (EO)
6) Basha J, Lakhtakia S, Nabi Z, et al. Impact of disconnected pancreatic duct on recurrence of fluid collections and new-onset diabetes: do we finally have an answer? Gut 2021; 70: 447-449. (OS)
7) Sandrasegaran K, Tann M, Jennings SG, et al. Disconnection of the pancreatic duct: an important but overlooked complication of severe acute pancreatitis. Radiographics 2007; 27: 1389-1400. (EO)
8) Timmerhuis HC, van Dijk SM, Verdonk RC, et al; Dutch Pancreatitis Study Group. Various modalities accurate in diagnosing a disrupted or disconnected pancreatic duct in acute pancreatitis: a systematic review. Dig Dis Sci 2021; 66: 1415-1424. (SR)

やさしい解説

膵炎を発症し重症化すると，膵臓が壊死することにより，図1に示すように膵液の通り道である主膵管が破綻することでdisconnected pancreatic duct syndrome（DPDS；主膵管破綻症候群）という病態を生じることがあります。DPDSは断裂した主膵管から膵液が漏れることにより，胸腔や腹腔内に貯留することで感染を引き起こし（図2），発熱や腹痛を生じる場合があります。また長期的には消化機能や糖代謝の悪化などの膵機能不全を生じる可能性があります。このため急性膵炎の治療の際は常にこの病態を念頭に置いておく必要があります。

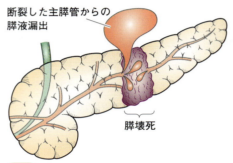

図1 Disconnected pancreatic duct syndrome（主膵管破綻症候群）

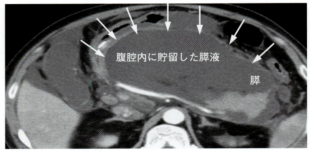

図2 Disconnected pancreatic duct syndrome（主膵管破綻症候群）のCT画像。膵液が腹腔内に貯留している（矢印）。

CQ34 どのような膵局所合併症に対してERCPが推奨されるか？

［推　奨］
膵局所合併症に対して，膵管の破綻に伴う有症状例，再発が懸念される症例に対してERCPによる膵管造影評価また経乳頭的処置を行う。

（弱い推奨，エビデンスの確実性：非常に低）
▶投票結果：行うことを提案する-16/16名：100%

■解　説

多くの被包化壊死（walled-off necrosis；WON）では，膵実質壊死に伴う膵管破綻，膵液漏出が起きても末梢の膵管であり，WONの治療過程で自然に修復されるものと考えられる。治療が奏功し，症状も認めなければERCPは必ずしも必要ではないと考えられる。しかし，広範囲壊死に伴い主膵管レベルで膵管破綻を起こし，自然修復がされず周囲への膵液漏出が遷延する症例もある。このような主膵管レベルでの膵管破綻や膵管が断裂した状態であるdisconnected pancreatic duct syndrome（DPDS）は，WONの16〜23％に併発すると

報告されている (OS)[1,2] (BQ21参照)。

　そのような症例では，治療が奏効し画像上で十分な縮小を確認しても，食事開始に伴い膵液漏出が増え，腹痛や嘔気の症状や高アミラーゼ血症が遷延し，またドレナージチューブの自然逸脱や閉塞に伴う仮性囊胞再発の因子となりうる (OS)[3]。CT や MRCP の画像検査で DPDS を疑うことは可能であるが，治療後の影響もあり評価が難しい。臨床経過から膵管破綻・DPDS に伴う膵液漏出が持続していると疑われる症例に対して，ERCP による膵管ドレナージの際に超音波内視鏡観察で主膵管の評価を行うことにより膵管破綻や DPDS の有無を評価することは，その後の治療選択に有用であるとの報告もある (OS)[4]。

　膵管破綻・DPDS に対する経乳頭的治療法については BQ22 を参照。

■引用文献

1) Lawrence C, Howell DA, Stefan AM, et al. Disconnected pancreatic tail syndrome: potential for endoscopic therapy and results of long-term follow-up. Gastrointest Endosc 2008; 67: 673-679. (OS)
2) Nealon WH, Bhutani M, Riall TS, et al. A unifying concept: pancreatic ductal anatomy both predicts and determines the major complications resulting from pancreatitis. J Am Coll Surg 2009; 208: 790-799. (OS)
3) Rana SS, Bhasin DK, Sharma R, et al. Factors determining recurrence of fluid collections following migration of intended long term transmural stents in patients with walled off pancreatic necrosis and disconnected pancreatic duct syndrome. Endosc Ultrasound 2015; 4: 208-212. (OS)
4) Bang JY, Navaneethan U, Hasan MK, et al. EUS correlates of disconnected pancreatic duct syndrome in walled-off necrosis. Endosc Int Open 2016; 4: E883-E889. (OS)

先に述べた通り，膵局所合併症の内視鏡治療は超音波内視鏡下ドレナージを主体とした経消化管的な治療が主流となっています。しかし，胆膵内視鏡手技（ERCP手技）による経乳頭的処置が必要となる症例もあります。壊死性膵炎により膵実質が壊死することで膵管が破綻したり，完全に断裂したりすることがあります。膵局所合併症の治療後にもこの膵管破綻が完全に修復されず，膵液が漏れ続けることで腹痛などの症状が続き，膵液貯留による仮性囊胞として再発することがあります。この主膵管破綻症候群（disconnected pancreatic duct syndrome；DPDS）では胆膵内視鏡手技（ERCP手技）による経乳頭的処置が行われます。具体的なERCP手技としては，まずは膵管造影をして膵管破綻や断裂の評価を行います。さらに膵管破綻部を越えるように膵管内にステントを留置することができれば，膵液が漏れることがなくなり治療することも可能です（図1）。手技の難易度が高く，治療成功率は高いものではありませんが，この経乳頭的処置によるリスクは少ないため，膵管破綻症候群に対する外科的治療を行う前にまず試みるべき処置と考えられます。

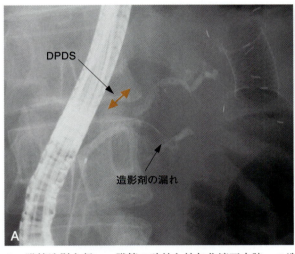
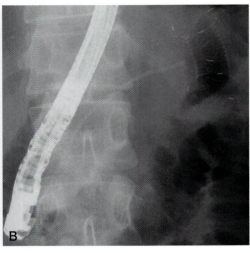

A. 膵管造影を行い，膵管の破綻と被包化壊死内腔への造影剤の漏出を認めた。
B. 膵管破綻部を越えて橋渡しするように膵管ステントを留置した。

図1 被包化壊死に伴うDPDSに対する経乳頭的内視鏡治療

BQ22 膵局所合併症に伴うdisconnected pancreatic duct syndrome（DPDS；主膵管破綻症候群）に対してどのような治療があるか？

主に内視鏡的経乳頭的アプローチ法や内視鏡的経消化管的アプローチ法が選択され，これらが奏効しない場合には外科的治療が選択される。

■解　説

　Disconnected pancreatic duct syndrome（DPDS；主膵管破綻症候群）は膵管が壊死することによって主膵管断裂をきたし，頭側と尾側の膵液が交通を失い，膵管の断裂部から膵液が腹腔・胸腔内あるいは後腹膜腔へ漏出する病態と定義されている（CS)[1]。本項ではDPDSの治療法について述べる。

1) 保存的治療

DPDS に対しては保存的治療単独での改善は期待できないことが多い（OS）[2]，（EO）[3]。一方，後述するインターベンションを行う際に薬物療法や栄養療法などの保存的治療は重要である。

2) 経皮的ドレナージ術

以前は保存的治療で改善を認めない DPDS に対し超音波あるいは CT ガイド下経皮的ドレナージ術が行われていたが，膵液瘻が外瘻となってしまい，瘻孔閉鎖に難渋することが多い（EO）[3]。排液量が少ない場合は瘻孔は 3 カ月以内に自然閉鎖するという報告（OS）[4]もあるが，現在では経皮的ドレナージ術を単独で行わないことが多い（EO）[5]。

3) 内視鏡的経乳頭的アプローチ法

内視鏡的経乳頭的アプローチ法は，断裂した主膵管の頭側と尾側を橋渡しする形でステントを留置するか，主膵管の断裂部から液貯留腔へステントを留置する手法である（やさしい解説図 1）（EO）[3,6,8]。経乳頭的アプローチ法が有用とする報告もある（CS）[1]，（OS）[9,10]が，主膵管が完全に断裂していることが多く，部分的な断裂とは異なり技術的に困難であり（EO）[3,6~8]，（OS）[11]，Jang ら（OS）[12]は部分断裂では成功率 92%，完全断裂では 20% と報告している。

4) 内視鏡的経消化管的アプローチ法

内視鏡的経消化管的アプローチ法は，超音波内視鏡を用いて消化管から液貯留腔をドレナージする超音波内視鏡下経消化管的ドレナージ（endoscopic ultrasound-guided transmural drainage；EUS-TD：やさしい解説図 2-A）や主膵管断裂部より尾側の主膵管を穿刺する超音波内視鏡下膵管ドレナージ（endoscopic ultrasound-guided pancreatic duct drainage；EUS-PD：やさしい解説図 2-B）し，ステントを留置する方法である（EO）[3,6~8]，（OS）[13,15,16]，（SR）[14]。液貯留腔に留置したステントは液貯留が改善後に抜去された場合に再発率が約 50% とする報告（OS）[17,18]があるが，ステント抜去を行わなかった場合，観察期間中に再発は認めず，ステントの永続的留置が安全で有用とする報告もある一方で感染，ステントの腹腔内逸脱など長期合併症の可能性がある（OS）[19,20]。ただし，EUS-PD は現時点では保険適用外であり，治療内視鏡のエキスパートのいる施設では EUS-PD を考慮してもよいが，統一したドレナージ手技での前向き比較試験が期待される。

5) 外科治療

外科的治療は前述の内視鏡的治療が奏効しない場合に選択される。成功率は約 80% で有効とされる（EO）[21]。術式は膵切除術とバイパス術に大別される（EO）[3,6,7]，（OS）[22]。膵切除術は断裂した主膵管を含めた尾側膵切除術であり，通常は膵炎による広範囲な炎症により脾臓は合併切除されることが多い（OS）[23]。一方，破綻した主膵管の尾側膵管が拡張している場合には膵切除は行わずに膵管空腸側々吻合術（やさしい解説図 3-A）を行うことで膵内外分泌機能を温存することが可能である。また，バイパス術は Roux-en-Y 法による瘻孔-空腸吻合術や囊胞-空腸吻合術（やさしい解説図 3-B）があり，膵機能が温存され膵切除術に比べ合併症発生率が少ないとされる（OS）[24~26]。

■引用文献

1) Kozarek RA, Ball TJ, Patterson DJ, et al. Endoscopic transpapillary therapy for disrupted pancreatic duct and peripancreatic fluid collections. Gastroenterology 1991; 100 (5 Pt 1): 1362-1370. (CS)

2) Nealon WH, Bhutani M, Riall TS, et al. A unifying concept: pancreatic ductal anatomy both predicts and determines the major complications resulting from pancreatitis. J Am Coll Surg 2009; 208: 790-799; discussion 799-801. (OS)
3) Nadkarni NA, Kotwal V, Sarr MG, et al. Disconnected pancreatic duct syndrome: endoscopic stent or surgeon's knife? Pancrea 2015; 44: 16-22. (EO)
4) Rana SS, Sharma R, Kang M, et al. Natural course of low output external pancreatic fistula in patients with disconnected pancreatic duct syndrome following acute necrotising pancreatitis. Pancreatology 2020; 20: 177-181. (OS)
5) Verma S, Rana SS. Disconnected pancreatic duct syndrome: updated review on clinical implications and management. Pancreatology 2020; 20: 1035-1044. (EO)
6) Varadarajulu S, Rana SS, Bhasin DK. Endoscopic therapy for pancreatic duct leaks and disruptions. Gastrointest Endosc Clin N Am 2013; 23: 863-892. (EO)
7) Larsen M, Kozarek RA. Management of Disconnected Pancreatic Duct Syndrome. Curr Treat Options Gastroenterol 2016; 14: 348-359. (EO)
8) Sandrasegaran K, Tann M, Jennings SG, et al. Disconnection of the pancreatic duct: an important but overlooked complication of severe acute pancreatitis. Radiographics. 2007; 27: 1389-1400. (EO)
9) Chen Y, Jiang Y, Qian W, et al. Endoscopic transpapillary drainage in disconnected pancreatic duct syndrome after acute pancreatitis and trauma: long-term outcomes in 31 patients. BMC Gastroenterol 2019; 19: 54. (OS)
10) Rana SS, Sharma RK, Gupta R. Endoscopic management of pancreatic ascites due to duct disruption following acute necrotizing pancreatitis. JGH Open 2018; 3: 111-116. (OS)
11) Smoczyński M, Jagielski M, Jabłońska A, et al. Transpapillary drainage of walled-off pancreatic necrosis - a single center experience. Wideochir Inne Tech Maloinwazyjne 2016; 10: 527-533. (OS)
12) Jang JW, Kim MH, Oh D, et al. Factors and outcomes associated with pancreatic duct disruption in patients with acute necrotizing pancreatitis. Pancreatology 2016; 16: 958-965. (OS)
13) Bang JY, Navaneethan U, Hasan MK, et al. EUS correlates of disconnected pancreatic duct syndrome in walled-off necrosis. Endosc Int Open 2016; 4: E883-E889. (OS)
14) Aghdassi A, Simon P, Pickartz T, et al. Endoscopic management of complications of acute pancreatitis: an update on the field. Expert Rev Gastroenterol Hepatol 2018; 12: 1207-1218. (SR)
15) Rana SS, Sharma R, Gupta R. Endoscopic treatment of refractory external pancreatic fistulae with disconnected pancreatic duct syndrome. Pancreatology. 2019; 19: 608-613. (OS)
16) Bang JY, Wilcox CM, Navaneethan U, et al. Impact of disconnected pancreatic duct syndrome on the endoscopic management of pancreatic fluid collections. Ann Surg. 2018; 267: 561-568. (OS)
17) Baron TH, Harewood GC, Morgan DE, et al. Outcome differences after endoscopic drainage of pancreatic necrosis, acute pancreatic pseudocysts, and chronic pancreatic pseudocysts. Gastrointest Endosc 2002; 56: 7-17. (OS)
18) Lawrence C, Howell DA, Stefan AM, et al. Disconnected pancreatic tail syndrome: potential for endoscopic therapy and results of long-term follow-up. Gastrointest Endosc 2008; 67: 673-679. (OS)
19) Téllez-Aviña FI, Casasola-Sánchez LE, Ramírez-Luna MÁ, et al. Permanent indwelling transmural stents for endoscopic treatment of patients with disconnected pancreatic duct syndrome: long-term results. J Clin Gastroenterol 2018; 52: 85-90. (OS)
20) Rana SS, Bhasin DK, Rao C, et al. Consequences of long term indwelling transmural stents in patients with walled off pancreatic necrosis & disconnected pancreatic duct syndrome. Pancreatology 2013; 13: 486-490. (OS)
21) Ramia JM, Fabregat J, Pérez-Miranda M, et al. Síndrome del ducto pancreático desconectado [Disconnected panreatic duct syndrome]. Cir Esp 2014 Jan; 92: 4-10. Spanish. (EO)
22) Tann M, Maglinte D, Howard TJ, et al. Disconnected pancreatic duct syndrome: imaging findings and therapeutic implications in 26 surgically corrected patients. J Comput Assist Tomogr 2003; 27: 577-582. (OS)
23) Maatman TK, Roch AM, Lewellen KA, et al. Disconnected pancreatic duct syndrome: spectrum of operative management. J Surg Res 2020; 247: 297-303. (OS)
24) Pearson EG, Scaife CL, Mulvihill SJ, et al. Roux-en-Y drainage of a pancreatic fistula for disconnected pancreatic duct syndrome after acute necrotizing pancreatitis. HPB (Oxford) 2012; 14: 26-31. (OS)
25) Fischer TD, Gutman DS, Hughes SJ, et al. Disconnected pancreatic duct syndrome: disease classification and management strategies. J Am Coll Surg 2014; 219: 704-712. (OS)
26) Dokmak S, Tetart A, Aussilhou B, et al. French reconnection: A conservative pancreato-enteric reconnection for disconnected pancreatic duct syndrome. Pancreatology 2021; 21: 282-290. (OS)

Disconnected pancreatic duct syndrome（主膵管破綻症候群；DPDS と略します）とは，膵管が炎症により壊死することによって破綻し，膵管の破綻部位から膵液が腹腔・胸腔内あるいは背中側に漏出する病態と定義されています。

治療法は以下のものがあります。

1) 保存的治療
2) 経皮的ドレナージ術（体外からチューブを穿刺すること）
3) 内視鏡的治療（経乳頭的アプローチ法）：内視鏡（カメラ）で膵管の出口（十二指腸乳頭部といいます）から破綻した膵管方向へチューブを入れる治療（図 1）。
4) 内視鏡的治療（経消化管的アプローチ法）：超音波内視鏡（カメラの先端に超音波装置を装着したもの）で胃や十二指腸を経由して膵液貯留腔（図 2-A），あるいは破綻した膵管へ向けてチューブを留置（図 2-B）する治療。
5) 外科治療：外科手術で破綻した膵管を含めて膵臓を切除する，あるいは腸管を用いて膵管と吻合（図 3-A）したり，囊胞と腸管の吻合（図 3-B）を行うバイパス術などを行う。

1) の保存的治療や 2) の経皮的ドレナージ術は単独では治癒に至らないことも多いため，通常は選択されません。3) の内視鏡的治療（経乳頭的アプローチ法）は破綻した膵管の状態によっては治療が困難であることも多いとされます。

実際は，治療内視鏡の専門医がいる施設で 4) 内視鏡的治療（経消化管的アプローチ法）を行ったり，内視鏡的治療が困難であるときに 5) 外科治療が選択されることが多いのが現状です。

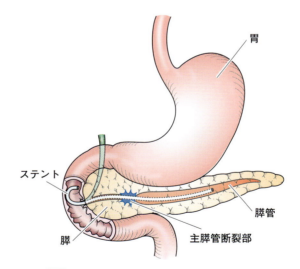

図 1　内視鏡的経乳頭的膵管ステント留置
（内視鏡を用いて経乳頭的に破綻した膵管へ橋渡しする形で膵管ステントを留置する）

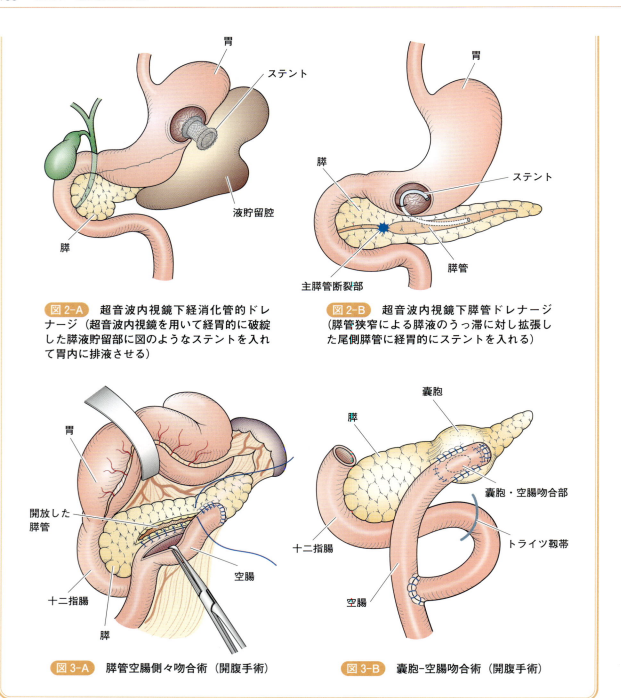

12 長期予後/合併症

FRQ4 急性膵炎は膵癌の危険因子か？

急性膵炎は明らかな膵癌の危険因子とはされていないものの，経過観察中に膵癌を認めることもある。また膵癌の初期症状として急性膵炎を呈することもある。

■解 説

　急性膵炎が膵癌の危険因子となるかは否定的な意見もあるなか（OS）[1]，近年では肯定的な意見が多い。Kirkegård ら（OS）[2] のデンマークからの報告で，急性膵炎 41,669 例と背景をマッチさせた対照群 208,340 例の 5 年間以上経過した時点での膵癌の risk は，急性膵炎 0.87％，対照群 0.13％（adjusted HR＝2.02，95％CI：1.57〜2.61）であった。Chung ら（OS）[3] は急性膵炎の 747 例と対照群 5,976 例を検討し，5 年間の経過観察で膵癌のリスクは，急性膵炎 11 例（1.47％），対照群 10 例（0.17％）（HR＝9.10，95％CI：3.81〜21.76）と報告している。2014 年には膵炎と膵癌の関係についてのメタ解析が行われ（MA）[4]，急性膵炎に関しては 2 論文が統合解析され（OS）[5,6]，急性膵炎は膵癌の危険因子であることが示されている（risk pooled OR＝2.12，95％CI：1.59〜2.83）。

　Kirkegård ら以外の報告は，急性膵炎発症から 2 年以内の比較的短期間での膵癌発症を含んでおり，膵癌の症状の一つとしての急性膵炎を捉えているに過ぎない可能性がある（OS）[7,8]。急性膵炎は膵癌の初期症状の一つであり，急性膵炎と膵癌は関連した疾患であるが，急性膵炎が膵癌の危険因子であると結論づけるまでのエビデンスは乏しい。今後さらに長期経過観察を行う大規模研究が期待される。

■引用文献

1) Karlson BM, Ekbom A, Josefsson S, et al. The risk of pancreatic cancer following pancreatitis: an association due to confounding? Gastroenterology 1997; 113: 587-592. (OS)
2) Kirkegård J, Cronin-Fenton D, Heide-Jørgensen U, et al. Acute pancreatitis and pancreatic cancer risk: A nationwide matched-cohort study in denmark. Gastroenterology 2018; 154: 1729-1736. (OS)
3) Chung SD, Chen KY, Xirasagar S, et al. More than 9-times increased risk for pancreatic cancer among patients with acute pancreatitis in Chinese population. Pancreas 2012; 41: 142-146. (OS)
4) Tong GX, Geng QQ, Chai J, et al. Association between pancreatitis and subsequent risk of pancreatic cancer: a systematic review of epidemiological studies. Asian Pac J Cancer Prev 2014; 15: 5029-5034. . (MA)
5) Bansal P, Sonnenberg A. Pancreatitis is a risk factor for pancreatic cancer. Gastroenterology 1995; 109: 247-251. (OS)
6) Duell EJ, Lucenteforte E, Olson SH, et al. Pancreatitis and pancreatic cancer risk: a pooled analysis in the International Pancreatic Cancer Case-Control Consortium (PanC4). Ann Oncol 2012; 23: 2964-2970. (OS)
7) Mujica VR, Barkin JS, Go VL. Acute pancreatitis secondary to pancreatic carcinoma. Study Group Participants. Pancreas 2000; 21: 329-332. (OS)
8) Munigala S, Kanwal F, Xian H, et al. Increased risk of pancreatic adenocarcinoma after acute pancreatitis. Clin Gastroenterol Hepatol 2014; 12: 1143-1150. e1.

　膵癌ができてその症状として急性膵炎を発症することがあります。しかし，急性膵炎を発症した人が膵癌になりやすいかどうかという点に関しては，現時点では不明です。ただし，最近では急性膵炎を発症した人は膵癌になりやすいとの報告もいくつかあるため，今後さらに詳しい検討が必要です。

BQ23　急性膵炎は外分泌機能低下や糖尿病の原因となるか？

急性膵炎改善後も外分泌機能低下や糖尿病が持続することがあり，急性膵炎は外分泌機能低下や糖尿病の原因となる。

■解説

急性膵炎は膵酵素が膵臓自体に炎症を起こすため，その合併症として外分泌機能低下や糖尿病などの内分泌機能低下がある。長期的にもその機能低下が持続することがあり，慢性膵炎への移行も5〜15%程度に認めると報告されている（MA）[1]，（OS）[2,3]。

外分泌機能低下に関しては，2019年にHuangら（SR）[4]がメタ解析を行い，急性膵炎による入院中の62%（95%CI：39〜82%），外来経過観察中の35%（95%CI：27〜43%）に外分泌機能低下を認めたと報告している。また，重症膵炎は軽症膵炎と比較して外分泌機能低下の頻度が高く（RR＝1.5, 95%CI：1.2〜2, P＝0.003），アルコールが成因の急性膵炎は胆石によるものより頻度が高い結果であった（RR＝1.6, 95%CI：1.1〜2.3, P＝0.01）。Hollemansら（SR）[5]も2018年に同様の報告をしており，重症膵炎やアルコール性急性膵炎で外分泌機能低下の頻度が高く，また3年間の比較的長い経過観察後も27.1%（95%CI：20〜35%）に外分泌機能低下を認めると報告している。

内分泌機能と急性膵炎の関係について，2014年にDasら（SR）[6]がメタ解析を行っており，糖尿病を23%（95%CI：16〜31%）に認め，急性膵炎発症から12カ月以内の糖尿病発症は15%で，5年後にはそのリスクはさらに上昇する（RR＝2.7, 95%CI：1.9〜3.8）と報告している。2016年には大規模なコホート研究が行われ，発症から3カ月未満または3カ月以上の急性膵炎と患者背景をマッチさせたコントロール群を比較し，発症から3カ月未満と3カ月以上で共にコントロール群より糖尿病の発症が多い結果であった（OS）[7]。2009年の日本でのコホートにおいても，急性膵炎の13.0%（93/714）に糖尿病を合併し，アルコールに起因する急性膵炎は他の成因に比べて頻度が高いとの結果であった（OS）[3]。

急性膵炎改善後も外分泌機能低下や糖尿病が持続することがあり，急性膵炎は外分泌機能低下や糖尿病の原因となり得る。特に重症急性膵炎やアルコール性の急性膵炎ではその頻度が上昇する。

■引用文献

1) Sankaran SJ, Xiao AY, Wu LM, et al. Frequency of progression from acute to chronic pancreatitis and risk factors: a meta-analysis. Gastroenterology 2015; 149: 1490-1500. e1.（MA）
2) Ahmed Ali U, Issa Y, Hagenaars JC, et al; Dutch Pancreatitis Study Group. Risk of recurrent pancreatitis and progression to chronic pancreatitis after a first episode of acute pancreatitis. Clin Gastroenterol Hepatol 2016; 14: 738-746.（OS）
3) Takeyama Y. Long-term prognosis of acute pancreatitis in Japan. Clin Gastroenterol Hepatol 2009; 7: S15-S17.（OS）
4) Huang W, de la Iglesia-García D, Baston-Rey I, et al. Exocrine pancreatic insufficiency following acute pancreatitis: Systematic review and meta-analysis. Dig Dis Sci 2019; 64: 1985-2005.（SR）
5) Hollemans RA, Hallensleben NDL, Mager DJ, et al; Dutch Pancreatitis Study Group. Pancreatic exocrine insufficiency following acute pancreatitis: Systematic review and study level meta-analysis. Pancreatology 2018; 18: 253-262.（SR）
6) Das SL, Singh PP, Phillips AR, et al. Newly diagnosed diabetes mellitus after acute pancreatitis: a systematic review and meta-analysis. Gut 2014; 63: 818-831.（SR）
7) Shen HN, Yang CC, Chang YH, et al. Risk of Diabetes mellitus after first-attack acute pancreatitis: A national population-based study. Am J Gastroenterol 2015; 110: 1698-1706.（OS）

膵臓には外分泌と内分泌という2つの役割があります。外分泌は消化酵素を作り腸内に送り出す機能で，内分泌はさまざまなホルモンを作り血液中に送り出す機能です。血糖値を下げるインスリンはこのホルモンのなかの一つであり，内分泌機能の低下は糖尿病につながります。急性膵炎では膵臓の細胞に障害がおき，外分泌や内分泌の機能が低下することがあります。重症の急性膵炎やアルコールが原因となる急性膵炎でこの頻度は高いとされています。

第Ⅶ章
ERCP後膵炎
―消化器内視鏡関連手技後の膵炎―

1 ERCP後膵炎の診断

BQ24 ERCP後膵炎の診断基準は何か？

現時点で統一された診断基準は存在しないが，ERCP施行後に発症した急性膵炎と定義され，急性膵炎の診断と重症度判定は厚生労働省の急性膵炎診断基準と重症度判定基準に準ずるのが妥当と考える。ただし，膵酵素上昇の程度については，正常上限の3倍以上とすることが受け入れやすい。早期からの十分な輸液とともに，通常の急性膵炎以上にモニタリングを頻回に行い，重症化を早期に把握することが必要である。

■解説

ERCP後膵炎とは，「ERCP施行後より新たに急性膵炎の臨床徴候を呈し，膵酵素の上昇を伴うもの」であるが，統一された診断基準は存在しない。臨床試験においてはCottonらの重症度区分（表1）（EO）[1]が汎用されているが，診断や重症度判定の遅れなど問題も多い。また，膵酵素上昇の時期や程度の基準も統一されていないことや，通常の膵炎診断に使用されるリパーゼ値，画像所見（CT）を診断根拠に加えるとERCP後膵炎の診断例は増加する一方，Cottonらの重症度区分単独では41.9%の症例が取りこぼされたとの報告もある（CS）[2]。また，日本の報告では，腹痛のないERCP後高アミラーゼ血症（正常上限の3倍以上）の37%がCT所見で膵炎と診断され（CS）[3]，ERCP後膵炎とそれ以外の膵炎の臨床像の違いはいまだ判然としておらず（OS）[4,5]，臨床的に有意義で十分なERCP後膵炎診断基準の作成には至っていない。

現時点で，ERCP後膵炎の診断および重症度判定は，厚生労働省の急性膵炎診断基準と重症度判定基準に準ずるのが妥当と考える。ただし，膵酵素上昇については，ERCP後の無症候性高アミラーゼ血症（正常上限の3倍以上）は14.7〜31.9%との報告もあるが（CS）[6,7]，先行手技の影響と国際的なコンセンサスを考慮して，正常上限の3倍以上とすることが受け入れやすい。一方で，画像所見を加えて診断された膵炎の30%で，膵酵素が正常上限の3倍以下だったとの報告もあり（CS）[2]，膵酵素上昇の程度が低いものの腹痛を呈する症例の扱いには注意を要する。

なお，ERCP後膵炎は発症直後から診断，重症度判定を行うため，当初は軽症であることが多いが，時にその後急速に重症化し死に至る場合もある。そのため早期からの十分な輸液とともに，通常の急性膵炎以上にモニタリングを頻回に行い，重症化の際は早期に把握しICUなどでの集中治療を行うことを念頭に診療にあたる必要がある。

表1 CottonらのERCP後膵炎の重症度区分

軽症	中等症	重症
急性膵炎の臨床症状，および手技24時間後のアミラーゼが正常値の3倍以上，緊急入院を要すか，2〜3日の入院の延長	4〜10日の入院を要す	10日以上の入院を要すか，壊死や仮性囊胞を形成，もしくは経皮的ドレナージや手術を要す

（文献1より引用，一部改変）

■引用文献

1) Cotton PB, Lehman G, Vennes J, et al. Endoscopic sphincterotomy complications and their management: an attempt at consensus. Gastrointest Endosc 1991; 37: 383-393.（EO）

2) Artifon EL, Chu A, Freeman M, et al. A comparison of the consensus and clinical definitions of pancreatitis with a proposal to redefine post-endoscopic retrograde cholangiopancreatography pancreatitis. Pancreas 2010;

39: 530-535.（CS）
3) Uchino R, Sasahira N, Isayama H, et al. Detection of painless pancreatitis by computed tomography in patients with post-endoscopic retrograde cholangiopancreatography hyperamylasemia. Pancreatology 2014; 14: 17-20.（CS）
4) Abid GH, Siriwardana HP, Holt A, et al. Mild ERCP-induced and non-ERCP-related acute pancreatitis: two distinct clinical entities? J Gastroenterol 2007; 42: 146-151.（OS）
5) Testoni PA, Vailati C, Giussani A, et al. ERCP-induced and non-ERCP-induced acute pancreatitis: two distinct clinical entities with different outcomes in mild and severe form? Dig Liver Dis 2010; 42: 567-570.（OS）
6) Wang P, Li ZS, Liu F, et al. Risk factors for ERCP-related complications: a prospective multicenter study. Am J Gastroenterol 2009; 104: 31-40.（CS）
7) Lukić S, Alempijević T, Jovanović I, et al. Occurrence and risk factor for development of pancreatitis and asymptomatic hyperamylasemia following endoscopic retrograde cholangiopancreatography — our experiences. Acta Chir Iugosl 2008; 55: 17-24. Serbian.（CS）

2　ERCP後膵炎の発症頻度

　診断的ERCPによる急性膵炎の発症頻度の報告は0.4〜5.6％と幅広い（OS）[1〜3]。治療的ERCPによる合併症の発症頻度は診断的ERCPに比較して高い（OS）[1〜4]。診断および治療的ERCPにおける最も多数例（99,483例）のメタ解析では，急性膵炎の発症頻度は4.5％であった（MA）[5]。ERCP後膵炎の頻度に関する前向き研究21報告（計16,855例）の解析では，急性膵炎の発症頻度が3.47％（95％CI：3.19〜3.75），重症例は0.4％，致命率は0.1％であった（SR）[6]。RCT108編のシステマティックレビューでは，ERCP後膵炎の発症頻度は9.7％（95％CI：8.6〜10.7），重症例は0.5％，致命率は0.7％であった（SR）[7]。厚生労働省のアンケート調査によると，2007年から2011年の集計（75,270例）でERCP後膵炎の発症頻度は0.96％，重症例は0.12％，致命率は0.02％であった（CS）[8]。

　ERCP後膵炎の発症頻度は，厚生労働省の診断基準を厳密に適応すれば3〜5％，重症例は0.4％程度と推定される。報告者あるいは調査方法による大きなばらつきは，対象患者，術者，診断方法などの因子が関連すると推測する。

■引用文献

1) Reiertsen O, Skjøtø J, Jacobsen CD, et al. Complications of fiberoptic gastrointestinal endoscopy — five years' experience in a central hospital. Endoscopy 1987; 19: 1-6.（OS）
2) Sherman S, Hawes RH, Rathgaber SW, et al. Post-ERCP pancreatitis: randomized, prospective study comparing a low-and high-osmolality contrast agent. Gastrointest Endosc 1994; 40: 422-427.（OS）
3) Johnson GK, Geenen JE, Bedford RA, et al. A comparison of nonionic versus ionic contrast media: results of a prospective, multicenter study. Midwest Pancreaticobiliary Study Group. Gastrointest Endosc 1995; 42: 312-316.（OS）
4) Loperfido S, Angelini G, Benedetti G, et al. Major early complications from diagnostic and therapeutic ERCP: a prospective multicenter study. Gastrointest Endosc 1998; 48: 1-10.（OS）
5) Mann NS, Ward JD. Acute pancreatitis associated with endoscopic retrograde cholangiopancreatography: systematic evaluation of 99, 483 procedures with qualitative meta-analysis. International Medical Journal 2010; 17: 25-33.（MA）
6) Andriulli A, Loperfido S, Napolitano G, et al. Incidence rates of post-ERCP complications: a systematic survey of prospective studies. Am J Gastroenterol 2007; 102: 1781-1788.（SR）
7) Kochar B, Akshintala VS, Afghani E, et al. Incidence, severity, and mortality of post-ERCP pancreatitis: a systematic review by using randomized, controlled trials. Gastrointest Endosc 2015; 81: 143-149. e9.（SR）
8) 峯　徹哉，明石隆吉，小俣富美雄，他．ERCP後膵炎疫学調査 厚生労働省難治性膵疾患に関する調査研究班 平成25年度 総括・分担研究報告書研究班 2014; 108-112.（CS）

3 ERCP後膵炎の危険因子

多数例のメタ解析の報告で，1996年から2006年までに指摘されたERCP後膵炎の危険因子がまとめられている（表1）（MA）[1]。ERCP後膵炎発症の患者背景危険因子を調べた15本の前向きコホート研究と52本の後ろ向きコホート研究とを対象としたメタ解析では，Oddi括約筋機能不全（OR＝4.09，95％CI：3.37〜4.96），女性（OR＝2.23，95％CI：1.75〜2.84），膵炎の既往（OR＝2.46，95％CI：1.93〜3.12）が挙げられている（MA）[2]。5本の多施設前向き研究（OS）[3〜7] による解析では，若年（OR＝1.09〜2.87，95％CI：1.09〜6.68），肝外胆管拡張なし，慢性膵炎でない（OR＝1.87，95％CI：1.00〜3.48），血清ビリルビン値正常（OR＝1.89，95％CI：1.22〜2.93）が挙げられている。手技側危険因子としてはメタ解析で，プレカット（OR＝2.71，95％CI：2.02〜3.63），膵管造影1回以上（OR＝2.2，95％CI：1.60〜3.01）が挙げられている（MA）[2]。5本の多施設前向き研究の解析では，乳頭への挿管回数5回以上（OR＝2.40〜3.41，95％CI：1.07〜5.67），膵管口切開（OR＝3.07，95％CI：1.64〜5.75），内視鏡的乳頭バルーン拡張術（endoscopic papillary balloon dilation；EPBD）（OR＝4.51，95％CI：1.51〜13.46），胆管結石残石あり（OR＝3.35，95％CI：1.33〜9.10）が挙げられている（OS）[3〜7]。2014年に報告されたシステマティックレビュー（SR）[8] では，女性（OR＝1.40，95％CI：1.24〜1.58），ERCP後膵炎既往（OR＝3.23，95％CI：2.48〜4.22），膵炎既往（OR＝2.00，95％CI：1.72〜2.33），EST（OR＝1.42，95％CI：1.14〜1.78），プレカット（OR＝2.11，95％CI：1.72〜2.59），十二指腸乳頭括約筋機能不全（sphincter of Oddi dysfunction；SOD）（OR＝4.37，95％CI：3.75〜5.09）がERCP後膵炎発症の危険因子とされた。ESTに比してEPBDはERCP後膵炎が2〜3倍発症し，発症頻度は9％程度と報告されてい

表1 ERCP後膵炎の危険因子

1	Minor papilla sphincterotomy
2	History of previous PEP*
3	More than 2 contrast injections into pancreatic duct
4	Sphincter of Oddi dysfunction
5	Age less than 50 years
6	History of relapsing pancreatitis
7	Female gender
8	Pancreatic duct opacification and acinarization
9	Difficult biliary duct cannulation
10	Normal serum bilirubin
11	Biliary sphincter balloon dilatation
12	Precut sphincterotomy
13	Pancreatic sphincter hypertension
14	Pain during ERCP
15	Cannulation time more than 10 minutes
16	Pancreatic deep wire pass
17	Preprocedure or intraprocedure use of pancreatotoxic drugs
18	Active alcoholism
19	History of cigarette smoking
20	Trainee involvement
21	Absence of dilated biliary duct
22	History of previous pancreatitis
23	Non-prophylactec pancreatic duct stent
24	Biliary duct stent
25	Intraductal ultrasonography

*PEP：post-ERCP pancreatitis （文献1より引用，一部改変追加）

る（MA）[9〜11]。これまでに指摘されている危険因子を表にまとめ，特に重要と考えられる因子を一般的なコンセンサスも踏まえて太字で示した（表1）。

■引用文献

1) Mann NS, Ward JD. Acute pancreatitis associated with endoscopic retrograde cholangiopancreatography: systematic evaluation of 99, 483 procedures with qualitative meta-analysis. International Medical Journal 2010; 17: 25-33.（MA）
2) Masci E, Mariani A, Curioni S, et al. Risk factors for pancreatitis following endoscopic retrograde cholangiopancreatography: a meta-analysis. Endoscopy 2003; 35: 830-834.（MA）
3) Freeman ML, Nelson DB, Sherman S, et al. Complications of endoscopic biliary sphincterotomy. N Engl J Med 1996; 335: 909-918.（OS）
4) Freeman ML, DiSario JA, Nelson DB, et al. Risk factors for post-ERCP pancreatitis: a prospective, multicenter study. Gastrointest Endosc 2001; 54: 425-434.（OS）
5) Loperfido S, Angelini G, Benedetti G, et al. Major early complications from diagnostic and therapeutic ERCP: a prospective multicenter study. Gastrointest Endosc 1998; 48: 1-10.（OS）
6) Masci E, Toti G, Mariani A, et al. Complications of diagnostic and therapeutic ERCP: a prospective multicenter study. Am J Gastroenterol 2001; 96: 417-423.（OS）
7) Williams EJ, Taylor S, Fairclough P, et al. Risk factors for complication following ERCP; results of a large-scale, prospective multicenter study. Endoscopy 2007; 39: 793-801.（OS）
8) Chen JJ, Wang XM, Liu XQ, et al. Risk factors for post-ERCP pancreatitis: a systematic review of clinical trials with a large sample size in the past 10 years. Eur J Med Res 2014; 19: 26.（SR）
9) Weinberg BM, Shindy W, Lo S. Endoscopic balloon sphincter dilation（sphincteroplasty）versus sphincterotomy for common bile duct stones. Cochrane Database Syst Rev 2006（4）; CD004890.（MA）
10) Liu Y, Su P, Lin S, et al. Endoscopic papillary balloon dilatation versus endoscopic sphincterotomy in the treatment for choledocholithiasis: a meta-analysis. J Gastroenterol Hepatol 2012; 27: 464-471.（MA）
11) Zhao HC, He L, Zhou DC, et al. Meta-analysis comparison of endoscopic papillary balloon dilatation and endoscopic sphincteropapillotomy. World J Gastroenterol 2013; 19: 3883-3891.（MA）

4　ERCP後膵炎の予防

1）予防的内視鏡手技

a．一時的膵管ステント留置

> **CQ35**　一時的膵管ステント留置はERCP後膵炎の予防に有用か？
>
> ［推　奨］
> ERCP後膵炎高危険群*に対する一時的膵管ステント留置はERCP後膵炎予防に有用である。
> （弱い推奨，エビデンスの確実性：高）
> ▶投票結果：行うことを提案する-14/16名：87.5%，推奨なし-2/16名：12.5%
>
> ただし，予防的膵管ステント留置は保険適応とはなっていない。

*：前項「3．ERCP後膵炎の危険因子」および前項表1，本項表1を参照。

■解　説

　頻回の膵管造影による膵管内圧や膵組織圧の上昇，処置後の乳頭浮腫による膵液のうっ滞はERCP後膵炎の要因の一つである（SR）[1]。ERCP後の乳頭浮腫のピークは24〜72時間と考えられており，一時的に膵液のうっ滞や膵管内圧の上昇を解除すれば，乳頭浮腫に伴うERCP後膵炎は回避できる可能性があり，一時的に膵管ステントを留置することがERCP後膵炎の予防法として期待されている（CPG）[2]。
　ERCP後膵炎高危険群に対する予防的一時的膵管ステント留置の有用性を検証したRCT12編によるメタ解析を行った（RCT）[3〜14]。その結果，一時的に膵管ステントを留置することによる有意なERCP後膵炎発生の

中等症・重症 ERCP 後膵炎発生率

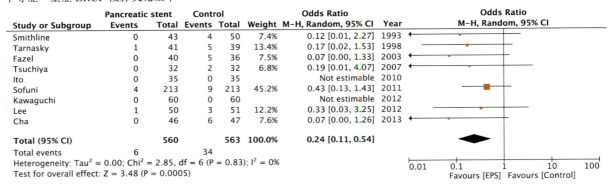

図1 一時的膵管ステント留置に関するメタ解析
（メタ解析のやさしい解説は第1章の10ページまたはその QR コードからご覧ください）

表1 ERCP 後膵炎に対する予防的ステント留置の適応

通常勧められる対象
SOD（疑い例および確診例）
ERCP 後膵炎あるいは急性膵炎の既往
カニュレーション困難，膵管挿入・膵管造影例
プレカット
乳頭切開
膵管挿入（ブラシ細胞診など）
EBD
Endoscopic ampullectomy
通常勧められない対象
低危険群（高齢，閉塞性黄疸，膵管閉塞）
Needle-knife pre-cut or fistulotomy starting above orifice, in absence of other risks
膵管非造影例，膵管操作の少ない症例
膵管へのワイヤ挿入やステント留置が困難と考えられる症例

SOD：sphincter of Oddi dysfunction，EBD：endoscopic balloon dilatation

（文献17 より引用，一部改変）

抑制効果を認めた（OR＝0.32，95％CI：0.23～0.45）（**参考資料1**）。Cotton の重症度分類による中等症・重症の膵炎の発生も有意に抑制されており（OR＝0.21，95％CI：0.10～0.45）（**図1**），一時的膵管ステント留置は ERCP 後膵炎の重症化抑制にも寄与する可能性が示唆される結果であった。

ステントの膵管内迷入やガイドワイヤーなどによる膵管損傷などの偶発症も懸念されるが，本メタ解析の結果では0.7％と頻度も低い。しかし本邦では治療目的以外（膵炎予防目的）での膵管ステントは保険償還がないので，ERCP 後膵炎の高危険群に対してのみ一時的膵管ステント留置を考慮する。

対象となる高危険群とは sphincter of Oddi dysfunction（SOD）確診もしくは疑診例，カニュレーション困難例，pre-cut sphincterotomy 施行例，乳頭バルーン拡張例，ERCP 後膵炎の既往，膵管処置（ブラシ細胞診など），内視鏡的乳頭切除術などである（RCT）[9]（OS）[15,16]。予防的一時ステント留置の適応は，抜去を含めたコストやリスク，術者の技量を含めた個々の施設の特性，患者個々の状況を十分に勘案する必要がある。単一の危険因子のみで決定すべきではなく，膵管造影，カニュレーション困難など手技終了後に確定するリスクも含めた総合的なリスク判断のうえで，高危険群を対象に考慮されるべきである。2007年に Freeman らは，予防的ステント留置についての既報告を詳細に検討し，その有用性を主張するとともに予防的ステント留置の適応についてまとめている（EO）[17]。最近の危険因子を加えて**表1**にまとめた。

手技中のみ留置して，終了後に抜去するとERCP後膵炎予防効果は得られない（RCT）[13, 18]ため，一定の期間留置する。膵管側にもフラップを有する膵管ステントの留置や経鼻膵管ドレナージチューブを留置する方法もあるが，近年はステント抜去の処置不要という患者への配慮や医療経済的観点から，数日間で乳頭より自然に脱落する自然脱落型膵管ステントがRCTでも用いられている[7]。別のRCTで5 Fr. 3 cmの自然脱落型膵管ステント挿入群203例のデータでは，ステント留置成功率91.6％，3日後の自然脱落率95.7％，脱落までの期間は平均1.8日（0～4日）であった（RCT）[9]。膵管ステントが脱落しない場合は，膵管ステントによる機械的刺激から膵管形態変化や膵炎の原因となる可能性があるので，内視鏡的抜去が推奨される（OS）[19]。

▶第Ⅶ章-CQ35の参考資料1は右のQRコードからご覧いただけます。

参考資料1 一時的膵管ステント留置に関するメタ解析
ERCP後膵炎発生率

■引用文献

1) Freeman ML, Nalini M, Guda M. Prevention of post-ERCP pancreatitis: a comprehensive review. Gastrointest Endosc 2004; 59: 845-864.（SR）
2) Dumonceau JM, Andriulli A, Deviere J, et al; European Society of Gastrointestinal Endoscopy. European Society of Gastrointestinal Endoscopy (ESGE) guideline: prophylaxis of post-ERCP pancreatitis. Endoscopy 2010; 42: 503-515.（CPG）
3) Smithline A, Silverman W, Rogers D, et al. Effect of prophylactic main pancreatic duct stenting on the incidence of biliary endoscopic sphincterotomy-induced pancreatitis in high-risk patients. Gastrointest Endosc 1993; 39: 652-657.（RCT）
4) Tarnasky PR, Palesch YY, Cunningham JT, et al. Pancreatic stenting prevents pancreatitis after biliary sphincterotomy in patients with sphincter of Oddi dysfunction. Gastroenterology 1998 Dec; 115: 1518-1524.（RCT）
5) Fazel A, Quadri A, Catalano MF, et al. Does a pancreatic duct stent prevent post-ERCP pancreatitis? A prospective randomized study. Gastrointest Endosc 2003; 57: 291-294（RCT）
6) Harewood GC, Pochron NL, Gostout CJ. Prospective, randomized, controlled trial of prophylactic pancreatic stent placement for endoscopic snare excision of the duodenal ampulla. Gastrointest Endosc 2005; 62: 367-370.（RCT）
7) Tsuchiya T, Itoi T, Sofuni A, et al. Temporary pancreatic stent to prevent post endoscopic retrograde cholangiopancreatography pancreatitis: a preliminary, single-center, randomized controlled trial. J Hepatobiliary Pancreat Surg 2007; 14: 302-307.（RCT）
8) Ito K, Fujita N, Noda Y, et al. Can pancreatic duct stenting prevent post-ERCP pancreatitis in patients who undergo pancreatic duct guidewire placement for achieving selective biliary cannulation? A prospective randomized controlled trial. J Gastroenterol 2010; 45: 1183-1191.（RCT）
9) Sofuni A, Maguchi H, Mukai T, et al. Endoscopic pancreatic duct stents reduce the incidence of post-endoscopic retrograde cholangiopancreatography pancreatitis in high-risk patients. Clin Gastroenterol Hepatol 2011; 9: 851-858.（RCT）
10) Pan XP, Dang T, Meng XM, et al. Clinical study on the prevention of post-ERCP pancreatitis by pancreatic duct stenting. Cell Biochem Biophys 2011; 61: 473-479.（RCT）
11) Lee TH, Moon JH, Choi HJ, et al. Prophylactic temporary 3F pancreatic duct stent to prevent post-ERCP pancreatitis in patients with a difficult biliary cannulation: a multicenter, prospective, randomized study. Gastrointest Endosc 2012; 76: 578-585.（RCT）
12) Kawaguchi Y, Ogawa M, Omata F, et al. Randomized controlled trial of pancreatic stenting to prevent pancreatitis after endoscopic retrograde cholangiopancreatography. World J Gastroenterol 2012; 18: 1635-1641.（RCT）
13) Cha SW, Leung WD, Lehman GA, et al. Does leaving a main pancreatic duct stent in place reduce the incidence of precut biliary sphincterotomy-associated pancreatitis? A prospective, randomized study. Gastrointest Endosc 2013; 77: 209-216.（RCT）
14) Phillip V, Pukitis A, Epstein A, et al. Pancreatic stenting to prevent post-ERCP pancreatitis: a randomized multicenter trial. Endosc Int Open 2019; 7: E860-E868.（RCT）
15) Christoforidis E, Goulimaris I, Kanellos I, et al. Post-ERCP pancreatitis and hyperamylasemia: patient-related and operative risk factors. Endoscopy 2002; 34: 286-292.（OS）
16) Freeman ML, DiSario JA, Nelson DB, et al. Risk factors for post-ERCP pancreatitis: a prospective, multicenter study. Gastrointest Endosc 2001; 54: 425-434.（OS）
17) Freeman ML. Pancreatic stents for prevention of

post-endoscopic retrograde cholangiopancreatography pancreatitis. Clin Gastroenterol Hepatol 2007; 5: 1354-1365.（EO）
18) Conigliaro R, Manta R, Bertani H, et al. Pancreatic duct stenting for the duration of ERCP only does not prevent pancreatitis after accidental pancreatic duct cannulation: a prospective randomized trial. Surg Endosc 2013; 27: 569-574.（RCT）
19) Smith MT, Sherman S, Ikenberry SO, et al. Alterations in pancreatic ductal morphology following polyethylene pancreatic stent therapy. Gastrointest Endosc 1996; 44: 268-75.（OS）

ERCPによる検査・治療の過程で，膵管造影により膵管内圧が上昇した状態が持続することや，膵管の出口である乳頭部がむくむことで膵液の流れが悪くなることがERCP後膵炎の原因の一つであると考えられています。そこで，ERCP処置後に一時的に膵管ステントを留置することで，膵液の流れを保ちERCP後膵炎の発症を予防する方法が試みられており，ERCP後膵炎予防効果や重症化抑制効果が多数報告されています。膵管ステントを留置することによるトラブルの頻度も非常に少なく，ERCP後膵炎予防に有用な方法と考えられています。

2) 予防的薬剤投与

a. 直腸内 NSAIDs

CQ36 直腸内 NSAIDs 投与は ERCP 後膵炎の発症抑制に有用か？

［推 奨］
ERCP 後膵炎のリスクを有する場合*，禁忌事項のない限り NSAIDs（インドメタシンもしくはジクロフェナク）を ERCP 前もしくは後に直腸内投与することは ERCP 後膵炎の発症抑制に有用である。

（弱い推奨，エビデンスの確実性：高）

▶投票結果：
1 回目：行うことを推奨する-12/16 名：75％，行うことを提案する-4/16 名：25％
2 回目：行うことを推奨する-5/17 名：29％，行うことを提案する-12/17 名：71％

*危険因子については「3．ERCP 後膵炎の危険因子」を参照。（術後消炎剤としては保険適応あり）

■解 説
　直腸内 NSAIDs 投与群とプラセボ群との比較で ERCP 後膵炎予防効果を検証した RCT10 編によるメタ解析を行った（RCT）[1〜10]（図 1，**参考資料 1**）。その結果 NSAIDs 直腸内投与による有意な ERCP 後膵炎発生の抑制効果を認めた（OR＝0.47，95％CI：0.32〜0.70）。Cotton の重症度分類による中等症・重症の膵炎の発生も有意に抑制されており（OR＝0.46，95％CI：0.27〜0.77），NSAIDs 投与は ERCP 後膵炎の重症化抑制にも寄与する可能性が示唆される結果であった。禁忌事項に注意して使用すれば RCT10 編の NSAIDs 群 1,692 例で 1 例も有害事象を認めていないように，1 回の直腸内投与では安全性も高く，安価な薬剤であり，ERCP 後膵炎予防において有用性が高いと考えられる。
　4 つの RCT を対象としたメタ解析（MA）[11] では，ERCP 後膵炎低危険群，高危険群の双方で ERCP 後膵炎の有意な抑制効果が認められた。2,600 例の初回乳頭 ERCP 症例を対象とした RCT で，ERCP 前に全例直腸内に NSAIDs 100 mg を投与した群は ERCP 後にリスクの高い症例のみに投与した群に比べて有意に ERCP

A．中等症・重症 ERCP 後膵炎発症率

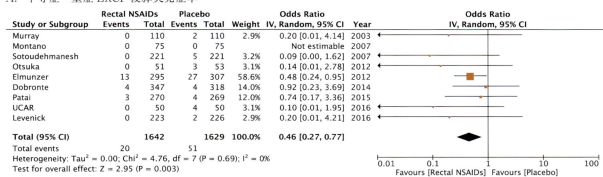

図1　直腸内 NSAIDs に関するメタ解析
（メタ解析のやさしい解説は第1章の10ページまたはその QR コードからご覧ください）

後膵炎の発症が少なかった（RR＝0.47，95％CI：0.34〜0.66）（RCT）[12] ことから，初回乳頭含め全例予防投与するよう欧米の内視鏡学会のガイドラインで推奨されている（CPG）[13, 14]。

ERCP 後膵炎の発生機序に関してホスホリパーゼ A2 の活性化が重要な因子であると考えられている（SR）[15]。現在，NSAIDs にもさまざまな種類の薬剤が使用されているが，基礎的実験では NSAIDs のなかでインドメタシンとジクロフェナクがホスホリパーゼ A2 の抑制作用が強いと報告されており，過去の RCT でもどちらかが使用されている（EO）[16]。両薬剤を比較検討した研究はないが，今回のメタ解析でインドメタシンを使用した RCT6 編とジクロフェナクを使用した RCT4 編に分けてサブグループ解析を行った結果，インドメタシンでも（OR＝0.60，95％CI：0.40〜0.89）ジクロフェナクでも（OR＝0.23，95％CI：0.12〜0.46）有意に ERCP 後膵炎を抑制した（**参考資料2**）。

欧米の RCT の多くは1回投与量100 mg で検証されているが，本邦では50 mg 製剤までしかなく，日本人の体格からも通常1回投与量は25〜50 mg である。NSAIDs 50 mg 投与での RCT が本邦から報告され（RCT）[5]，投与した群において，ERCP 後膵炎の発症は有意に減少し（3.9％ vs. 18.9％，P＝0.017），低用量（25〜50 mg）での ERCP 後膵炎予防効果が示唆された。

投与のタイミングに関して直接比較検討した報告もないが，ERCP 前に投与した RCT6 編と ERCP 後に投与した RCT4 編に分けてサブグループ解析を行ったところ，ERCP 前投与（OR＝0.45，95％CI：0.29〜0.70）・後投与（OR＝0.37，95％CI：0.20〜0.69）いずれも有意な ERCP 後膵炎の抑制効果が認められた（**参考資料3**）。ジクロフェナクの経口投与の有用性を検証した RCT では，ERCP 後膵炎の有意な発生抑制効果が認められなかったとの報告もあり（RCT）[17]，吸収効率や血中への移行時間の早さからも，投与経路は直腸内投与が推奨される。

NSAIDs は安全性が高い薬剤ではあるが，NSAIDs 不耐症・過敏症には禁忌である。NSAIDs 不耐症・過敏症は蕁麻疹型と喘息型に分かれ，喘息型はアスピリン喘息がほとんどであるが，アスピリン以外の NSAIDs でも喘息発作が起こりえるので，基礎疾患に気管支喘息がある場合は予防投薬を控えた方が安全である。うっ血性心不全，腹水を伴う肝硬変，慢性腎疾患の患者または出血や敗血症などで循環血流量が減少している患者では腎血流量と糸球体濾過速度が減少し急性腎障害を起こすことがあるので注意を要する。

▶第Ⅶ章-CQ36 の参考資料 1〜3 は右の QR コードからご覧いただけます。

参考資料 1　直腸内 NSAIDs に関するメタ解析
　　　　　　ERCP 後膵炎発生率

参考資料 2　直腸内 NSAIDs に関するメタ解析　サブグループ解析
　　　　　　A．インドメタシンでの ERCP 後膵炎発生率
　　　　　　B．ジクロフェナクでの ERCP 後膵炎発生率

参考資料 3　直腸内 NSAIDs に関するメタ解析　サブグループ解析
　　　　　　A．ERCP 前に投与した場合の ERCP 後膵炎発生率
　　　　　　B．ERCP 後に投与した場合の ERCP 後膵炎発生率

■引用文献

1) Murray B, Carter R, Imrie C, et al. Diclofenac reduces the incidence of acute pancreatitis after endoscopic retrograde cholangiopancreatography. Gastroenterology 2003; 124: 1786-1791.（RCT）
2) Montaño Loza A, Rodríguez Lomelí X, García Correa JE, et al. Effect of the administration of rectal indomethacin on amylase serum levels after endoscopic retrograde cholangiopancreatography, and its impact on the development of secondary pancreatitis episodes. Rev Esp Enferm Dig 2007; 99: 330-336. Spanish.（RCT）
3) Sotoudehmanesh R, Khatibian M, Kolahdoozan S, et al. Indomethacin may reduce the incidence and severity of acute pancreatitis after ERCP. Am J Gastroenterol 2007; 102: 978-983.（RCT）
4) Khoshbaten M, Khorram H, Madad L, et al. Role of diclofenac in reducing post-endoscopic retrograde cholangiopancreatography pancreatitis. J Gastroenterol Hepatol 2008; 23: e11-e6.（RCT）
5) Otsuka T, Kawazoe S, Nakashita S, et al. Low-dose rectal diclofenac for prevention of post-endoscopic retrograde cholangiopancreatography pancreatitis: a randomized controlled trial. J Gastroenterol 2012; 47: 912-917.（RCT）
6) Elmunzer BJ, Scheiman JM, Lehman GA, et al; U. S. Cooperative for Outcomes Research in Endoscopy (USCORE). A randomized trial of rectal indomethacin to prevent post-ERCP pancreatitis. N Engl J Med 2012; 366: 1414-1422.（RCT）
7) Döbrönte Z, Szepes Z, Izbéki F, et al. Is rectal indomethacin effective in preventing of post-endoscopic retrograde cholangiopancreatography pancreatitis? World J Gastroenterol 2014; 20: 10151-10157.（RCT）
8) Patai Á, Solymosi N, Patai ÁV. Effect of rectal indomethacin for preventing post-ERCP pancreatitis depends on difficulties of cannulation: results from a randomized study with sequential biliary intubation. J Clin Gastroenterol 2015; 49: 429-437.（RCT）
9) Levenick JM, Gordon SR, Fadden LL, et al. Rectal indomethacin does not prevent post-ERCP pancreatitis in consecutive patients. Gastroenterology 2016; 150: 911-917.（RCT）
10) Uçar R, Biyik M, Uçar E, et al. Rectal or intramuscular diclofenac reduces the incidence of pancreatitis after endoscopic retrograde cholangiopancreatography. Turk J Med Sci 2016; 46: 1059-1063.（RCT）
11) Zheng MH, Xia HH, Chen YP. Rectal administration of NSAIDs in the prevention of post-ERCP pancreatitis: a complementary meta-analysis. Gut 2008; 57: 1632-1633.（MA）
12) Luo H, Zhao L, Leung J, et al. Routine pre-procedural rectal indometacin versus selective post-procedural rectal indometacin to prevent pancreatitis in patients undergoing endoscopic retrograde cholangiopancreatography: a multicentre, single-blinded, randomised controlled trial. Lancet 2016; 387: 2293-2301.（RCT）
13) Dumonceau JM, Andriulli A, Elmunzer BJ, et al; European Society of Gastrointestinal Endoscopy. Prophylaxis of post-ERCP pancreatitis: European Society of Gastrointestinal Endoscopy (ESGE) Guideline - updated June 2014. Endoscopy 2014; 46: 799-815.（CPG）
14) ASGE Standards of Practice Committee, Chandrasekhara V, Khashab MA, Muthusamy VR, Acosta RD, et al. Adverse events associated with ERCP. Gastrointest Endosc 2017; 85: 32-47.（CPG）
15) Gross V, Leser HG, Heinisch A, et al. Inflammatory mediators and cytokines--new aspects of the pathophysiology and assessment of severity of acute pancreatitis? Hepatogastroenterol 1993; l40: 522-530.（SR）
16) Mäkelä A, Kuusi T, Schröder T. Inhibition of serum phospholipase-A2 in acute pancreatitis by pharmacological agents in vitro. Scand J Clin Lab Invest 1997; 57: 401-407.（EO）
17) Cheon YK, Cho KB, Watkins JL, et al. Efficacy of diclofenac in the prevention of post-ERCP pancreatitis in predominantly high-risk patients: a randomized double-blind prospective trial. Gastrointest Endosc 2007; 66: 1126-1132.（RCT）

非ステロイド性抗炎症薬（NSAIDs）はその抗炎症作用から解熱鎮痛薬として日常臨床でよく使われ，市販薬としても販売されている安価で安全性の高い薬剤です。ERCP後膵炎の発生機序からはNSAIDsの抗炎症作用が膵炎を予防する可能性が期待され，実際にERCP前もしくは後にこのNSAIDsの坐薬を投与した方がERCP後膵炎の発生が少なかったという研究結果が得られています。さらに膵炎が発生した際もその重症化を防いでくれる可能性もあるとのデータが得られており，ERCP後膵炎予防として有用だと考えられています。安価で1回の使用であれば安全性も高く，使いやすい薬剤であるため，膵炎のリスクを伴うERCP処置を行う場合には，基本的には膵炎予防として使用すべきであると考えられます。しかしまれにNSAIDsによって蕁麻疹や喘息発作が起きることもあるため，持病として気管支喘息がある場合は予防投薬を控えた方がよいと考えられます。

b. 硝酸薬

FRQ5 硝酸薬はERCP後膵炎の予防に有用か？

硝酸イソソルビド舌下投与とNSAIDs直腸内投与併用はERCP後膵炎予防に有用である可能性があるが，さらなる検討が必要である。

（エビデンスの確実性：中）

■解　説

　硝酸薬は血管平滑筋弛緩作用を有し，主に狭心症治療薬として使用されている薬剤である。Oddi括約筋を弛緩させることでERCP後の膵液うっ滞を防ぎ，さらに膵周囲の毛細血管を拡張させることで膵実質への血流を増加させる作用を有することから，ERCP後膵炎発症の予防，重症化抑制効果が期待されている（OS）[1,2]。

　硝酸薬の代表的な薬剤であるニトログリセリン（glyceryl trinitrate gly；NTG）投与のERCP後膵炎予防効果について，RCT11編を対象としたメタ解析が報告されている（MA）[3]。2,395例を対象に，ERCP後膵炎全体の発症（7.1% vs. 10.5%，P＝0.003）はニトログリセリン群で有意に低かったが，中等症〜重症膵炎の発症についての有意な差は認められなかった（2.6% vs. 3.7%，P＝0.16）。ERCP後膵炎予防に関して有益な効果は期待されるが重症例の抑制効果は明らかでなく，副作用が比較的高頻度（低血圧20.5%，頭痛13.7%）であるため，予防投薬として実臨床で普及しなかった。

　近年硝酸薬のなかでニトログリセリンよりも効果発現が早く，また作用持続時間も長く，降圧作用が弱い硝酸イソソルビド舌下錠とNSAIDs坐薬の併用がERCP後膵炎予防投与薬として注目されている。2013年に300例を対象としたRCTが報告され，ERCP前インドメタシン100 mg坐薬・硝酸イソソルビド5 mg舌下錠併用群がERCP前インドメタシン100 mg坐薬単独群に比べて有意にERCP後膵炎発生率が低かった（6.7% vs. 15.3%，P＝0.016）（RCT）[4]。副作用も低頻度であり両群で有意差はなかった。本邦でも多施設でのRCTが行われ，886例という多数例での検討が近年報告された（RCT）[5]。ジクロフェナク50 mg坐薬をERCP 15分後に投与するのみの群と比較して，それに加えて硝酸イソソルビド5 mgをERCP 5分前に舌下投与する併用群のほうが有意にERCP後膵炎発生率が低く（5.6% vs. 9.5%，P＝0.03），中等症〜重症ERCP後膵炎発生率も低い傾向にあった（0.9% vs. 2.3%，P＝0.12）。ERCP手技中の一過性の低血圧は併用群で多かったものの（7.9% vs. 2.9%，P＝0.002）重篤なものは認めず，頭痛の副作用もほぼ同等の頻度であった。

　高齢者や心疾患を有する症例などでは血圧低下に留意する必要があるが，安全性は高く安価で使いやすい薬

剤であるため，予防投薬として有用性が高い可能性がある．今後，ERCP後膵炎リスクを伴う症例でNSAIDs直腸内投与と硝酸イソソルビド舌下投与の併用が予防投薬として有用かどうかさらなる検証が必要である．

c. 蛋白分解酵素阻害薬

ガベキサートメシル酸塩やウリナスタチンは長い投与時間やコストが問題として指摘され，有用性が疑問視されている．最近の報告からは，蛋白分解酵素阻害薬高用量投与が有用である可能性が残されているが，ERCP関連死の抑制効果は証明されておらず（MA）[6]，費用対効果の観点からもルーチンでの投与は推奨されない．

(1) ガベキサートメシル酸塩

2007年に報告されたガベキサートメシル酸塩に対するメタ解析は，4つのRCTを対象にし，ERCP後膵炎の予防に無効であると結論した（MA）[7]．さらに，重症膵炎，死亡，高アミラーゼ血症，腹痛のいずれの抑制効果も認めなかった．2010年のメタ解析は，高用量（1,000 mg以上）群のみ膵炎予防の有用性が認められたが（OR＝0.44, 95%CI：0.25〜0.79, P＝0.006），元となった3つのRCTの質は低い（MA）[8]．2011年のメタ解析では，8つの研究を対象に，ERCP後膵炎発症予防，高アミラーゼ血症の抑制，腹痛の抑制のいずれも効果は証明されず（MA）[6]，2014年のメタ解析は7編のRCT全体ではERCP後膵炎発症予防に有効としているが（RR＝0.61, 95%CI：0.38〜0.98）（MA）[9]，質の高い6編に限定すると有意差はなかった（RR＝0.64, 95%CI：0.36〜1.13）．高用量投与すれば有効な可能性が残るが，ルーチンでの膵炎予防投薬としては推奨されない．

(2) ウリナスタチン

2005年に本邦からウリナスタチンの多施設RCTが報告され，投与群で有意に急性膵炎発症率が低かった〔2.9%（6/204）vs. 7.4%（15/202），P＝0.041〕（RCT）[10]．しかし，2008年に対象を高危険群に限定した227例のRCTが報告され，ERCP後膵炎の発症は治療群（ウリナスタチン10万単位）で6.7%，プラセボ群で5.6%と有用性を認めなかった（RCT）[11]．2010年4編のRCTからメタ解析が行われ，全体ではERCP後膵炎発症予防に有意差はなかったが（MA）[8]，投与量15万単位以上の2つのRCTに限定すると有用であった（OR＝0.39, 95%CI：0.19〜0.81, P＝0.01）．2014年のメタ解析でも，ERCP後膵炎予防に有意な有効性は証明されず，質の高い研究に限定しても同じ結果であった（MA）[9]．15万単位以上の高用量投与に有効な可能性が残るが，ルーチンでの膵炎予防投薬として推奨されない．

d. ソマトスタチンおよびオクトレオチド

ソマトスタチンに対する9つのRCTからのメタ解析では（MA）[12]，急性膵炎発症率は対照群96/1,309（7.3%），治療群72/1,349（5.3%）で有意差はなかった．ソマトスタチンおよび，ソマトスタチンアナログであるオクトレオチドについての17のRCT（ソマトスタチン10編，オクトレオチド7編）を用いて2010年に報告されたメタ解析では，高用量長時間投与（3 mg, 12時間）群（RR＝0.30, 95%CI：0.17〜0.53）で有用性が認められた（MA）[13]．オクトレオチドのみの15のRCTを対象としたメタ解析（計2,621例）ではERCP後膵炎の予防に有用性は認められなかった（MA）[14]．17のRCT（計2,784例）を対象にした2009年のメタ解析では，オクトレオチド投与量0.5 mg以上投与群でのみERCP後膵炎発症予防（3.4% vs. 7.5%, P＝0.001）に有用と報告している（MA）[15]．ソマトスタチン，オクトレオチド高用量投与は有効な可能性が高いが，十分な効果は証明されておらず，薬価が高いためルーチンでの膵炎予防投薬として推奨されない．

e. ステロイド

ステロイド投与のERCP後膵炎予防効果に関する2つのメタ解析にて，ERCP後膵炎発生抑制効果，重症化抑制効果，高アミラーゼ血症の予防効果はいずれにも認められず，ステロイドの予防投与は勧められない（MA）[16, 17]。

その他の薬剤としてN-アセチルシステイン，アロプリノール，エピネフリンの主乳頭への局所投与，ヘパリン，炎症性サイトカイン産生阻害薬であるsemapimod，などがRCTで検討されているが，ERCP後膵炎予防効果は無効か，あるいは効果が確定されず，ルーチンなERCP後膵炎予防法としては推奨されない。

■引用文献

1) Staritz M, Poralla T, Ewe K, et al. Effect of glyceryl trinitrate on the sphincter of Oddi motility and baseline pressure. Gut 1985; 26: 194-197. (OS)
2) Wehrmann T, Schmitt T, Stergiou N, et al. Topical application of nitrates onto the papilla of Vater: manometric and clinical results. Endoscopy 2001; 33: 323-328. (OS)
3) Ding J, Jin X, Pan Y, et al. Glyceryl trinitrate for prevention of post-ERCP pancreatitis and improve the rate of cannulation: a meta-analysis of prospective, randomized, controlled trials. PLoS One 2013; 8: e75645. (MA)
4) Sotoudehmanesh R, Eloubeidi MA, Asgari AA, et al. A randomized trial of rectal indomethacin and sublingual nitrates to prevent post-ERCP pancreatitis. Am J Gastroenterol 2014; 109: 903-909. (RCT)
5) Tomoda T, Kato H, Ueki T, et al. combination of diclofenac and sublingual nitrates is superior to diclofenac alone in preventing pancreatitis after endoscopic retrograde cholangiopancreatography. Gastroenterology 2019; 156: 1753-1760. (RCT)
6) Seta T, Noguchi Y. Protease inhibitors for preventing complications associated with ERCP: an updated meta-analysis. Gastrointest Endosc 2011; 73: 700-706. (MA)
7) Zheng M, Chen Y, Yang X, et al. Gabexate in the prophylaxis of post-ERCP pancreatitis: a meta-analysis of randomized controlled trials. BMC Gastroenterol 2007; 7: 6. (MA)
8) Zhang ZF, Yang N, Zhao G, et al. Preventive effect of ulinastatin and gabexate mesylate on post-endoscopic retrograde cholangiopancreatography pancreatitis. Chin Med J (Engl) 2010; 123: 2600-2606. (MA)
9) Yuhara H, Ogawa M, Kawaguchi Y, et al. Pharmacologic prophylaxis of post-endoscopic retrograde cholangiopancreatography pancreatitis: protease inhibitors and NSAIDs in a meta-analysis. J Gastroenterol 2014; 49: 388-399. (MA)
10) Tsujino T, Komatsu Y, Isayama H, et al. Ulinastatin for pancreatitis after endoscopic retrograde cholangiopancreatography: a randomized, controlled trial. Clin Gastroenterol Hepatol 2005; 3: 376-383. (RCT)
11) Yoo JW, Ryu JK, Lee SH, et al. Preventive effects of ulinastatin on post-endoscopic retrograde cholangiopancreatography pancreatitis in high-risk patients: a prospective, randomized, placebo-controlled trial. Pancreas 2008; 37: 366-370. (RCT)
12) Andriulli A, Leandro G, Federici T, et al. Prophylactic administration of somatostatin or gabexate does not prevent pancreatitis after ERCP: an updated meta-analysis. Gastrointest Endosc 2007; 65: 624-632. (MA)
13) Omata F, Deshpande G, Tokuda Y, et al. Meta-analysis: somatostatin or its long-acting analogue, octreotide, for prophylaxis against post-ERCP pancreatitis. J Gastroenterol 2010; 45: 885-895. (MA)
14) Bai Y, Gao J, Zou DW, et al. Prophylactic octreotide administration does not prevent post-endoscopic retrograde cholangiopancreatography pancreatitis: a meta-analysis of randomized controlled trials. Pancreas 2008; 37: 241-246. (MA)
15) Zhang Y, Chen QB, Gao ZY, et al. Meta-analysis: octreotide prevents post-ERCP pancreatitis, but only at sufficient doses. Aliment Pharmacol Ther 2009; 29: 1155-1164. (MA)
16) Zheng M, Bai J, Yuan B, et al. Meta-analysis of prophylactic corticosteroid use in post-ERCP pancreatitis. BMC Gastroenterol 2008; 8: 6. (MA)
17) Bai Y, Gao J, Shi X, Zou D, et al. Prophylactic corticosteroids do not prevent post-ERCP pancreatitis: a meta-analysis of randomized controlled trials. Pancreatology 2008; 8: 504-509. (MA)

3) 予防的急速輸液

FRQ6 ERCP前後の急速輸液はERCP後膵炎の予防に有用か？

急速輸液はERCP後膵炎予防に有用である可能性があるが，さらなる検討が必要である。

（エビデンスの確実性：中）

■解　説

　急性膵炎の初期治療として，血管透過性の亢進による血管内脱水，臓器障害を回避するために発症早期からの急速輸液が重要である。ERCP後膵炎においても膵酵素活性化後，膵内の微小循環不全がERCP後膵炎発症や増悪の因子であると考えられ，ERCP前後に急速輸液を行うことの有用性を初めて検証したRCTも報告された（RCT）[1]。乳酸リンゲル液を処置中に3 mL/kg/hrで投与，処置直後に20 mL/kgでボーラス投与，処置後8時間は3 mL/kg/hrで投与するプロトコールで急速輸液を行った群と通常輸液群（処置中，処置後乳酸リンゲル液を1.5 mL/kg/hrで投与）と比較し，術後の高アミラーゼ血症に有意差は認めなかった（23.1% vs. 39.1%，P＝0.146）が，ERCP後膵炎は有意に抑制された（0% vs. 17%，P＝0.016）。その後もいくつかのRCTが報告されており[2〜8]，近年報告された9つのRCTによるメタ解析（MA）[9]の結果では，急速輸液の有意なERCP後膵炎予防効果を認めている（OR＝0.44，95%CI：0.28〜0.69）。短時間の急速輸液による心不全などの合併症の危険性が回避できれば，急速輸液療法は簡便かつ安価な方法であり，ERCP後膵炎予防に有用な方法である可能性がある。しかしながら，輸液の速度や急速輸液を行うタイミングに定まった見解がなく，本邦からの有用性を検証した報告がない，さらにメタ解析で採用されているRCTも十分に検証ができない文献も含まれていて，さらなる検討が必要である。

■引用文献

1) Buxbaum J, Yan A, Yeh K et al. Aggressive hydration with lactated Ringer's solution reduces pancreatitis after endoscopic retrograde cholangiopancreatography. Clin Gastroenterol Hepatol 2014; 12: 303-307. （RCT）
2) Chuankrerkkul P. Mo1411 aggressive lactated Ringer's solution for prevention of post ERCP pancreatitis (preliminary data of a prospective randomized trial). Gastrointest Endosc 2015; 81 (5 Suppl): AB410-AB411. （RCT）
3) Shaygan-Nejad A, Masjedizadeh AR, Ghavidel A, et al. Aggressive hydration with lactated Ringer's solution as the prophylactic intervention for postendoscopic retrograde cholangiopancreatography pancreatitis: A randomized controlled double-blind clinical trial. J Res Med Sci 2015; 20: 838-843. （RCT）
4) Rosa B, Carvalho PB, Dias de Castro F, et al. Sa1194 impact of intensive hydration on the incidence of post-ERCP pancreatitis: double-blinded randomized controlled trial. Gastrointest Endosc 2016; 83 (5 Suppl): AB250. （RCT）
5) Choi JH, Kim HJ, Lee BU, et al. Vigorous periprocedural hydration with lactated Ringer's solution reduces the risk of pancreatitis after retrograde cholangiopancreatography in hospitalized patients. Clin Gastroenterol Hepatol 2017; 15: 86-92. e1. （RCT）
6) Chang AS, Pausawasdi N, Charatcharoenwitthaya P, et al. 1061 a randomized, controlled trial of aggressive fluid hydration for the prevention of post-ERCP pancreatitis. Gastroenterology 2016; 150: S209. （RCT）
7) Park CH, Paik WH, Park ET, et al. Aggressive intravenous hydration with lactated Ringer's solution for prevention of post-ERCP pancreatitis: a prospective randomized multicenter clinical trial. Endoscopy 2018; 50: 378-385. （RCT）
8) Alcivar-Leon M, Serrano-Suarez A, Carrillo-Ubidia J, et al. Aggressive intravenous hydration with lactated Ringer's solution reduces the development of post-ERCP pancreatitis. Endoscopy 2018; 50: S25-S26. （RCT）
9) Radadiya D, Devani K, Arora S, et al. Peri-procedural aggressive hydration for post Endoscopic Retrograde Cholangiopancreatography (ERCP) pancreatitis prophylaxsis: meta-analysis of randomized controlled trials. Pancreatology 2019; 19: 819-827. （MA）

4) 総括

　ERCP後膵炎のリスクを伴う処置を行う際には，禁忌でなければNSAIDs（インドメタシンもしくはジクロフェナク）の単回直腸内投与を行い，患者背景や手技による危険因子を勘案してリスクが高いと判断した場合には一時膵管ステント留置を考慮する戦略が最も合理的と考える。硝酸イソソルビド舌下投与は簡便で実用的であり，NSAIDsと併用することでさらなる予防効果が期待されるが，副作用に留意が必要でありさらなる検討が必要である。本邦で多く用いられている蛋白分解酵素阻害薬の有用性はかなり懐疑的で，高用量投与時の有用性の可能性は残るものの対象を限定しない使用はコストにも見合わず推奨されない。ソマトスタチン，オクトレオチド投与についても有効性の再現性が高くなく，費用対効果から予防投薬として推奨されない。その他の薬剤の有用性は否定的である。ERCP前後の急速輸液という新たな予防策の有用性も報告されているが，さらなる検討が必要である。また本ガイドラインとは別に2015年厚労省難治性膵疾患研究班・日本膵臓学会からERCP後膵炎の診断と予防に関するガイドライン（CPG）[1]が上梓されており，その内容も参照されたい。

■引用文献

1) 峯 徹哉, 明石隆吉, 伊藤鉄英, 他；厚生労働省難治性膵疾患調査研究班・日本膵臓学会. ERCP後膵炎ガイドライン 2015. 膵臓 2015; 30: 541-584.

索　引

あ
アトランタ基準　64
アミラーゼ　35
アミラーゼ・アイソザイム　35
アルカリホスファターゼ　44
アルコール　41
アルコール性膵炎　41, 44

い
医学中央雑誌　6
胃酸分泌抑制薬　98
一時的膵管ステント留置　175
遺伝子検査　46
インターベンション治療　140, 143
インターロイキン-6　61

え
栄養療法　99
液体貯留　134
壊死性膵炎　66, 113, 134
壊死性貯留　134
エビデンス総体　7, 12
エビデンスの確実性　9
エビデンス評価　7
エラスターゼ1　35

お
オクトレオチド　182
オピオイド　93

か
外傷　43
改訂アトランタ基準　64
改訂アトランタ分類　134
外部評価　12
仮性動脈瘤　40
仮性嚢胞　40, 70
画像診断　40
カチオニックトリプシノーゲン　46
ガベキサートメシル酸塩　97
カラードプラ超音波　40
間質性浮腫性膵炎　134
感染性膵壊死　134, 138, 140, 143, 156
γGTP　44

き
危険因子　167, 174
基本的診療方針　24
基本的治療方針　82
急性壊死性貯留　70, 134
急性胆石性膵炎　125

け
経口摂取　107
経腸栄養　18, 99, 102, 104
経腸栄養剤　104

経鼻胃管　92
経皮的ドレナージ術　132
血液浄化療法　109
血管系合併症　68
血漿交換療法　111
研究デザイン　7

こ
高カルシウム血症　44
抗菌薬　94
抗菌薬膵局所動注療法　113
抗菌薬投与　18
膠質液　87
抗真菌薬　95
厚生労働省急性膵炎重症度判定基準　18, 56

し
自己免疫　43
脂質異常症　43, 44, 112
持続的血液濾過透析　71
脂肪壊死　70
重症度判定　57
重症度判定基準　18, 26, 56
重症度判定のタイミング　59
主膵管破綻症候群　159, 162
硝酸薬　181
晶質液　87, 89
上皮小体機能亢進症　43
初期治療　82
診断基準　32

す
膵・膵周囲液体貯留　135
膵仮性嚢胞　134, 135
膵癌　43
膵管内乳頭粘液性腫瘍　43
膵管癒合不全　43
膵局所合併症　146, 151, 160, 162
膵酵素　172
──，血中　35
膵周囲液体貯留　70, 134
推奨の強さ　9
膵胆道系腫瘍　43
膵分泌性トリプシンインヒビター　46
スコアリングシステム　63
ステップアップ・アプローチ　140, 143, 155
ステロイド　183
ステント　151, 175

せ
成因診断　41
積極的輸液療法　84
全国調査　6, 18, 32, 41, 48, 57, 68
選択的消化管除菌　95

そ
造影CT　66, 67, 68
造影CT Grade　56, 59
総胆管結石　40, 44, 46, 49
ソマトスタチン　182

た
胆石　41, 116
胆石性膵炎　41, 43, 45, 116, 122
胆石性膵炎の診療方針　25
胆囊摘出術　122, 125
蛋白分解酵素阻害薬　97, 113, 182

ち
地域連携　71
地域連携ネットワーク構築　72
超音波検査　40, 44
鎮痛薬　93

て
転送基準　71

と
動注療法　113
トランスアミナーゼ　44
トリプシノーゲン2　37
トリプシン　35
ドレナージ　140, 143, 146, 151, 163

な
内視鏡的経消化管的アプローチ法　163
内視鏡的経乳頭的アプローチ法　163
内視鏡的乳頭処置　40, 43

ね
ネクロセクトミー　143, 149, 155, 156

は
バイアス　7, 8

ひ
非オピオイド　93
ヒスタミンH_2受容体拮抗薬　98
被包化壊死　70, 134, 135, 149, 155
ビリルビン　44

ふ
腹腔洗浄　109
腹腔内圧　109, 127
腹腔内高血圧症　127
腹部コンパートメント症候群　109
腹膜灌流　109
浮腫性膵炎　134
文献検索　6

ほ
ホスホリパーゼ A_2　35

ま
慢性膵炎の急性増悪　44

め
メタ解析　10
免疫栄養療法　104

や
薬物療法　93

ゆ
輸液　84, 184

よ
予後因子　56, 59
予防的抗菌薬投与　18, 94
予防的薬剤投与　178

り
利益相反　14
リパーゼ　35
臨床症状　32
臨床徴候　32

A
abdominal compartment syndrome　127
ACS　109, 127, 128, 131
AFC　70
ALP　44
ALT　44
ANC　70, 134
APACHE Ⅱスコア　60, 63
APFC　134
AST　44

B
BISAPスコア　60, 63
body of evidence　7

C
CDT　44
CHDF　71
Cochrane Library　6
COI　14
Cottonらの重症度区分　172
CT　40, 44
CT Grade　56
Cullen徴候　33

D
disconnected pancreatic duct syndrome　159, 162
DPDS　159, 160, 162

E
ERCP　46, 160
ERCP/EST　43, 46, 116, 122
ERCP後膵炎　172
EUS　45, 46, 117

F
FNA　138
Forest plot　10
Fox徴候　33

G
Glasgowスコア　63
GRADEシステム　7

Grey-Turner徴候　33

I
IAH　127, 128, 131
IAP　109, 127, 128, 129, 130
IL-6　61
intra-abdominal hypertension　127
intra-abdominal pressure　127

M
MEDLINE　6
MRCP　44
MRCP-セクレチンテスト　44
MRI　44, 49, 70

N
NSAIDs　178

P
Pancreatitis Bundles　18, 20, 27
Pancreatitis Bundles 2021　チェックフロー　30
Pancreatitis Bundles 2021　チェックリスト　29
PCD　132
peritoneal lavage　109
PL　109
PPC　70, 134
p型アミラーゼ　35

R
Ransonスコア　60, 63

S
SDD　95
selective decontamination of the digestive tract　95
SIRSスコア　60, 63
step-up approach　140

T
TPE　111

W
WON　70, 134, 149

急性膵炎診療ガイドライン2021［第5版］

2003年 7 月15日　第 1 版発行
2007年 3 月 8 日　第 2 版発行
2009年 7 月30日　第 3 版(2010)発行
2015年 3 月 5 日　第 4 版(2015)発行
2021年12月20日　第 5 版(2021)第 1 刷発行

編　者　髙田　忠敬（たかだ　ただひろ）

発行者　福村　直樹

発行所　金原出版株式会社
〒113-0034 東京都文京区湯島 2-31-14
電話　編集(03)3811-7162
　　　営業(03)3811-7184
FAX　　(03)3813-0288
振替口座　00120-4-151494
http://www.kanehara-shuppan.co.jp/

ⓒ髙田忠敬, 2003, 2021
検印省略
Printed in Japan

ISBN 978-4-307-20420-0　　印刷・製本／横山印刷

JCOPY ＜出版者著作権管理機構 委託出版物＞
本書の無断複製は著作権法上での例外を除き禁じられています。複製される場合は，そのつど事前に，出版者著作権管理機構（電話 03-5244-5088, FAX 03-5244-5089, e-mail : info@jcopy.or.jp）の許諾を得てください。

小社は捺印または貼付紙をもって定価を変更致しません。
乱丁，落丁のものは小社またはお買い上げ書店にてお取り替え致します。

定評ある 金原出版の診療ガイドライン

2021.10

食道癌診療ガイドライン
日本食道学会／編　　2017年版
◆B5判 148頁　◆定価3,080円（本体2,800円+税10%）

胃癌治療ガイドライン
日本胃癌学会／編　医師用 2021年7月改訂【第6版】
◆B5判 164頁　◆定価1,650円（本体1,500円+税10%）

大腸癌治療ガイドライン
大腸癌研究会／編　　医師用 2019年版
◆B5判 152頁　◆定価1,870円（本体1,700円+税10%）

遺伝性大腸癌診療ガイドライン
大腸癌研究会／編　　2020年版
◆B5判 152頁　◆定価1,980円（本体1,800円+税10%）

十二指腸癌診療ガイドライン
十二指腸癌診療ガイドライン作成委員会／編　2021年版
◆B5判 120頁　◆定価3,300円（本体3,000円+税10%）

肝癌診療ガイドライン
日本肝臓学会／編　　2021年版
◆B5判 320頁　◆定価4,180円（本体3,800円+税10%）

肝内胆管癌診療ガイドライン
日本肝癌研究会／編　　2021年版
◆B5判 88頁　◆定価3,300円（本体3,000円+税10%）

膵癌診療ガイドライン
日本膵臓学会
膵癌診療ガイドライン改訂委員会／編　2019年版
◆B5判 328頁　◆定価3,740円（本体3,400円+税10%）

頭頸部癌診療ガイドライン
日本頭頸部癌学会／編　　2018年版
◆B5判 192頁　◆定価3,520円（本体3,200円+税10%）

肺癌診療ガイドライン
悪性胸膜中皮腫・胸腺腫瘍含む
日本肺癌学会／編　　2020年版
◆B5判 496頁　◆定価4,950円（本体4,500円+税10%）

乳癌診療ガイドライン
日本乳癌学会／編　　2018年版
① 治療編　◆B5判 400頁
　◆定価5,500円（本体5,000円+税10%）
② 疫学・診断編　◆B5判 320頁
　◆定価4,400円（本体4,000円+税10%）

子宮頸癌治療ガイドライン
日本婦人科腫瘍学会／編　　2017年版
◆B5判 224頁　◆定価3,520円（本体3,200円+税10%）

子宮体がん治療ガイドライン
日本婦人科腫瘍学会／編　　2018年版
◆B5判 264頁　◆定価3,740円（本体3,400円+税10%）

卵巣がん・卵管癌・腹膜癌治療ガイドライン
日本婦人科腫瘍学会／編　　2020年版
◆B5判 224頁　◆定価3,740円（本体3,400円+税10%）

腹膜播種診療ガイドライン
日本腹膜播種研究会／編　　2021年版
◆B5判 212頁　◆定価3,300円（本体3,000円+税10%）

脳腫瘍診療ガイドライン
① 成人脳腫瘍編　② 小児脳腫瘍編
日本脳腫瘍学会／編　　2019年版
◆B5判 208頁　◆定価4,180円（本体3,800円+税10%）

がん免疫療法ガイドライン
日本臨床腫瘍学会／編　　第2版
◆B5判 162頁　◆定価2,420円（本体2,200円+税10%）

造血器腫瘍診療ガイドライン
日本血液学会／編　　2018年版補訂版
◆B5判 428頁　◆定価5,500円（本体5,000円+税10%）

WHOガイドライン 成人・青年における薬物療法・放射線治療による がん疼痛マネジメント
木澤 義之・塩川 満・鈴木 勉／監訳
◆B5判 132頁　◆定価2,640円（本体2,400円+税10%）

がん疼痛の薬物療法に関するガイドライン
日本緩和医療学会／編　　2020年版
◆B5判 200頁　◆定価2,860円（本体2,600円+税10%）

がん薬物療法における職業性曝露対策ガイドライン
日本がん看護学会・日本臨床腫瘍学会・日本臨床腫瘍薬学会／編　2019年版
◆B5判 180頁　◆定価2,420円（本体2,200円+税10%）

金原出版　〒113-0034 東京都文京区湯島2-31-14　TEL03-3811-7184（営業部直通）FAX03-3813-0288
本の詳細、ご注文等はこちらから　https://www.kanehara-shuppan.co.jp/